Silvia Bertoni - Barbara Cauzzo - Gabriella Debetto

CALEIDOSCOPIO ITALIANO

Uno sguardo sull'Italia attrav̵̵̵̵̵̵̵̵̵̵̵̵̵̵ ̵̵̵̵̵̵̵̵terari

LŒSCHER EDITORE TORINO

© Loescher Editore - Torino 2014
http://www.loescher.it

Ristampe

6	5	4	3	2	1
2019	2018	2017	2016	2015	

ISBN 9788820136765

Nonostante la passione e la competenza delle persone coinvolte nella realizzazione di quest'opera, è possibile che in essa siano riscontrabili errori o imprecisioni. Ce ne scusiamo fin d'ora con i lettori e ringraziamo coloro che, contribuendo al miglioramento dell'opera stessa, vorranno segnalarceli al seguente indirizzo:

Loescher Editore
Via Vittorio Amedeo II, 18
10121 Torino
Fax 011 5654200
clienti@loescher.it

Loescher Editore opera con sistema qualità certificato CERMET n. 1679-A secondo la norma UNI EN ISO 9001-2008

Coordinamento editoriale: Laura Cavaleri
Realizzazione editoriale: studio zebra – Bergamo
    – Redazione: Federica Gusmeroli
    – Progetto grafico e impaginazione: Giulia Giuliani
Ricerca iconografica: Marco Pavone
Disegni: Marco Francescato
Cartografia: Studio Aguilar - Milano
Stampa: Arti grafiche DIAL
      Via Cherasco, 38 - 12084 Mondovì (CN)

Le autrici ringraziano Cecilia Pisoni per il suo contributo nella scelta dei testi.

Le autrici hanno progettato e discusso il testo insieme. Ciascuna si è poi occupata in modo specifico delle seguenti parti.

Silvia Bertoni
Testi: cap. 1: T2, T5, T10; cap. 2: T4, T7, T8; cap. 3: T9, T11, T12, T13; cap. 4: T2, T4, T8, T12; cap. 6: T1, T2, T3, T5.
Schede culturali: cap. 1: Giochi di parole, Gli autogrill ad arco; cap. 4: Damocle, Gli arancini, Maradona, Le vittorie dell'Italia ai Mondiali di calcio.
Zoom sulla cultura: cap. 1.
Zoom sulla lingua: cap. 1, cap. 3, cap. 4, cap. 6.

Barbara Cauzzo
Aperture: capp. 1-6.
Testi: cap. 1: T1, T6, T8; cap. 2: T1, T2, T3; cap. 3: T1, T2, T3, T4, T5, T6, T7, T10, T14, T15; cap. 4: T1, T5, T7, T13, T14; cap. 5: T2, T4, T5, T6, T7, T8, T9, T10; cap. 6: T4, T8, T9, T10, T12.
Schede culturali: cap. 1: Il linguaggio giovanile, Economia e lavoro; cap. 2: Rosengarten/Catinaccio; cap. 3: L'evoluzione della famiglia italiana, Sessantottino, Il maestro e la maestra negli anni Cinquanta, L'industria tessile a Prato; cap. 4: Pasta e pizza: una tradizione antica?, La canzone napoletana, Tiziano, Tintoretto; cap. 5: L'emigrazione italiana, Emigranti a New York, Il nuovo volto delle emigrazioni italiane; cap. 6: La struttura del giallo, Il genere giallo e l'epoca fascista, L'arma dei Carabinieri, *Il nome della rosa*.
Zoom sulla cultura: capp. 2-6.

Gabriella Debetto
Testi: cap. 1: T3, T4, T7, T9; cap. 2: T5, T6; cap. 3: T8, T16; cap. 4: T3, T6, T9, T10, T11; cap. 5: T1, T3, T11; cap. 6: T6, T7, T11.
Schede culturali: cap. 2: Lo squero di San Trovaso, Regioni, province e comuni, Le figurine; cap. 4: Come si mangiano gli spaghetti?, Enrico Caruso; cap. 5: Le mura di Torino, L'inserimento degli stranieri nella scuola italiana, Integrazione: le due facce della medaglia; cap. 6: La legge Merlin, *A ciascuno il suo*, «L'Osservatore Romano».
Zoom sulla lingua: cap. 2, cap. 5.
Palestre linguistiche: capp. 1-6.

Indice

CAPITOLO 5
Migrazioni interne ed esterne
Verso i testi 220

I testi e le schede culturali

CAPITOLO 6
L'Italia in giallo
Verso i testi 262

I testi e le schede culturali

Dove si posa lo sguardo

La selezione dei testi letterari presentati in questo volume si propone di mettere in luce la molteplicità che caratterizza l'Italia in tutti i suoi aspetti.

*La sua **lingua** nazionale ha una lunghissima tradizione letteraria che riconosce come padre Dante Alighieri, ma ha trovato una sua voce comune nella quotidianità solo nel secolo scorso.*

① Un'antica edizione della *Divina Commedia*.
② Una pagina del settimanale «L'Espresso».

*Il suo **paesaggio** varia da alte montagne, colline e pianure a lidi marini sabbiosi o rocciosi.*

① Una delle Isole Tremiti.
② Paesaggio alpino della Valle d'Aosta.
③ Il delta del Po.

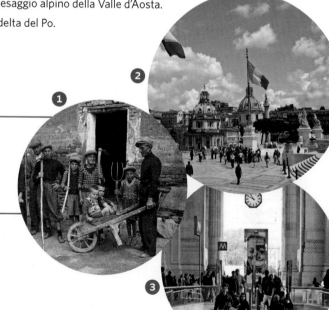

*La sua **gente**, unita solo da un secolo e mezzo di storia, ha origini diverse e fino agli anni Cinquanta del Novecento parlava dialetti locali molto diversi fra loro.*

① Una famiglia contadina nel 1930.
② Turisti a Roma sull'Altare della patria.
③ Gente che va e viene alla Stazione Centrale di Milano.

Le sue tradizioni culturali variano da regione a regione, ma trovano aspetti unificanti in campi diversi come l'opera lirica e il calcio.

1 Una scena della *Bohème* alla Scala di Milano.
2 Il calciatore Antonio Cassano.

I testi del volume offrono sguardi diversi su questa complessa varietà che si modifica e si ricompone a ogni lettura, come le figure di un caleidoscopio.
La lettura dei brani non solo aiuterà a esplorare l'Italia e la sua gente, ma darà anche la possibilità di praticare e approfondire la conoscenza della lingua italiana attraverso attività varie e stimolanti.
Il primo testo, dal contenuto ironico, ne è un esempio significativo.

T1 Beppe Severgnini

Manuale dell'imperfetto viaggiatore

Nato a Crema nel 1956, Beppe Severgnini è giornalista e scrittore. Ha fatto il corrispondente per giornali italiani da Londra, dalla Russia, dalla Cina e dagli Stati Uniti. È stato, inoltre, corrispondente dall'Italia per il settimanale inglese «The Economist». Scrive per il «Corriere della Sera», per cui cura anche un sito molto seguito, e «La Gazzetta dello Sport», ed è spesso invitato come commentatore in trasmissioni televisive e radiofoniche. Ha pubblicato numerosi libri (da *L'inglese: lezioni semiserie*, 1992 a *Manuale dell'uomo di mondo*, 2012), in cui descrive Paesi e culture, in modo documentato ma anche leggero, con uno stile narrativo brillante e vivace.

⚲ Verso il testo

1. Abbina le seguenti parole alle definizioni corrispondenti.

a. ☐ patria   b. ☐ nazione   c. ☐ Stato

1. insieme delle persone che hanno una lingua comune, una storia comune e una cultura comune
2. Paese dove un popolo vive e a cui si sente profondamente unito
3. organizzazione politica e giuridica di un popolo in un territorio

2. Completa la tabella con le seguenti parole.

patriottismo / patria / patriottico / patriota

parola base	parole derivate	
nome	**nome**	**aggettivo**

1   Il patriottismo degli italiani funziona a corrente alternata[1]: si accende durante i campionati mondiali di calcio, e sonnecchia *[dorme un po']* negli intervalli. Questa è la convinzione comune. Oggi, tuttavia, intendo *[voglio]* dimostrare che noi italiani siamo, in fondo, dei patrioti. Il guaio *[problema]* è che non lo sappiamo.

2   Partiamo da una semplice constatazione: gli italiani all'estero non si cercano; ma, se si trovano, festeggiano l'avvenimento, superando le barriere *[gli ostacoli]* (geografiche, sociali, politiche) che in Italia li tengono distanti. L'incontro fra gruppi di connazionali – «bande[2]» sarebbe un vocabolo più adatto – è quasi commovente. Disinteressandosi dei luoghi che li circondano, gli italiani parlano di scuole e tasse, discutono del governo (quando c'è[3]), ascoltano complicate vicende familiari narrate da perfetti sconosciuti[4]. Accomunati *[uniti]* da una struggente nostalgia gastronomica *[del cibo]*, si scambiano complesse ricette regionali. Accantonati *[abbandonati]* i dissidi *[contrasti]* tra Nord e Sud, siciliani e lombardi saccheggiano[5] insieme bancarelle e negozietti, e poi si mostrano reciprocamente il bottino[6].

---

1. corrente alternata: la corrente elettrica si chiama *alternata* perché, nello scorrere attraverso i conduttori, il polo positivo (+) e quello negativo (-) si alternano, cioè si danno il cambio, ogni cinquantesimo di secondo. Lo stesso capita, secondo l'autore, al sentimento patriottico degli italiani: a volte c'è (+), a volte è assente (-).
2. bande: una *banda* è, in origine, una compagnia di soldati volontari; nell'uso comune e colloquiale vuol dire gruppo, compagnia di persone.
3. quando c'è: in Italia, raramente il governo dura un'intera legislatura (cinque anni) a causa dell'instabilità delle alleanze delle forze politiche che lo formano: spesso si verificano degli eventi che creano una "crisi di governo", e il governo viene fatto decadere. In questi momenti si può avere la sensazione che il governo "non ci sia"; in realtà c'è, ma si limita a occuparsi delle questioni urgenti e non può prendere decisioni importanti.
4. perfetti sconosciuti: persone completamente sconosciute. L'aggettivo *perfetto* può essere usato come rafforzativo.
5. saccheggiano: il verbo *saccheggiare* significa appropriarsi dei beni di altri, anche usando violenza, dopo un evento catastrofico come una guerra o un terremoto. Qui è usato ironicamente, per sottolineare l'atteggiamento degli italiani quando fanno acquisti all'estero.
6. bottino: il frutto del saccheggio.

3 Cosa significa tutto ciò? Significa che, qualora [se] lo spirito aristocratico del conte di Cavour[7] partecipasse a un moderno viaggio organizzato, ne tornerebbe compiaciuto [contento]. L'Italia, fuori dall'Italia, è fatta[8]. [...] Gli italiani all'estero, incredibilmente, si piacciono.

(B. Severgnini, *Manuale dell'imperfetto viaggiatore*, Rizzoli, Milano 2000)

---

7. lo spirito aristocratico del conte di Cavour: l'unificazione dell'Italia è stata voluta e guidata, nella prima metà dell'Ottocento, da Camillo Benso conte di Cavour, che era ministro del Regno di Piemonte e Sardegna, un piccolo regno dell'Italia del Nord. Cavour apparteneva alla nobiltà, o aristocrazia, cioè alla classe sociale più alta. Per questo motivo è detto "aristocratico" e il suo titolo è quello di "conte". "Spirito" qui è usato con il significato di anima del morto che si aggira tra i vivi.

8. L'Italia ... è fatta: l'autore del brano si riferisce alla frase di Massimo d'Azeglio (1798-1866), ministro del Regno di Piemonte e Sardegna e scrittore, che disse, poco dopo l'unificazione dell'Italia nel 1861: «L'Italia è fatta, ora bisogna fare gli italiani». Ovvero, dopo l'unificazione politica, ci si rese conto che si dovevano "fare gli italiani", cioè si doveva far crescere in tutti la coscienza di appartenere veramente a un unico Paese.

⦿ Attività

1. Leggi il testo e abbina ogni paragrafo numerato del brano alla sua parafrasi semplificata.

a. ☐ Cosa vuol dire tutto ciò? Vuol dire che, se l'aristocratico conte di Cavour potesse partecipare a un moderno viaggio organizzato, sarebbe molto soddisfatto. Vedrebbe infatti realizzato il suo sogno di unificare l'Italia. L'Italia, infatti, fuori dall'Italia, è fatta, è unita.

b. ☐ Partiamo da un fatto: gli italiani all'estero non si cercano, ma se si trovano, fanno festa, superano le divisioni che ci sono tra di loro. Le divisioni geografiche, sociali e politiche, che li tengono lontani tra di loro quando sono in Italia, non ci sono più. Quando gli italiani si incontrano all'estero creano dei gruppi, o forse sarebbe meglio usare la parola *banda* invece di *gruppo*. Vedere gli italiani che fuori dall'Italia stanno insieme è davvero commovente! Non si interessano affatto dei luoghi dove si trovano, parlano di scuole e tasse, discutono del governo (se c'è), ascoltano le complicate storie di famiglia raccontate da persone che non conoscono. Tutti hanno una grande nostalgia nel cuore per il cibo italiano e si scambiano complicate ricette delle loro regioni. Dimenticate le liti tra Nord e Sud, siciliani e lombardi saccheggiano le bancarelle dei mercatini e poi si mostrano l'un l'altro i propri acquisti come se fossero un bottino di guerra.

c. ☐ Gli italiani sono patrioti a momenti alterni come la corrente elettrica: sono patrioti durante i campionati di calcio e dimenticano di essere patrioti nei periodi di tempo che ci sono tra un campionato e l'altro. Questo è quello che pensano tutti. Oggi, tuttavia, vorrei dimostrare che noi italiani alla fine siamo patrioti, ma non lo sappiamo.

2. Rileggi il testo.

a. Cosa dice l'autore del patriottismo degli italiani e perché?

b. Dove si annullano le differenze e dove scompaiono le divisioni fra gli italiani?

3. Secondo te, com'è il tono dell'autore che parla degli italiani all'estero?

☐ distaccato e freddo
☐ affettuoso e bonario
☐ sprezzante
☐ di comica e affettuosa presa in giro
☐ benevolo, ma indifferente

4. L'immagine che l'autore dà degli italiani corrisponde, almeno in parte, a quella che hai tu?

capitolo

1

Quale italiano?

I brani scelti per questo capitolo offrono esempi che vanno dall'italiano letterario dell'Ottocento fino ai giorni nostri. Illustrano alcune tendenze linguistiche che hanno via via arricchito e modificato la lingua italiana, come il linguaggio familiare, il dialetto, i forestierismi e l'influsso del linguaggio giovanile a partire dagli anni Ottanta. Queste tendenze hanno reso sempre meno netta la differenza fra lingua scritta e lingua parlata e fra lingua letteraria e italiano standard.

I

PROMESSI

SPOSI

VOCABOLARIO
DEGLI ACCADEMICI
DELLA CRUSCA,
IN QUESTA TERZA IMPRESSIONE
Nuovamente corretto, e copiosamente accresciuto,
AL SERENISSIMO
COSIMO TERZO
GRANDUCA DI TOSCANA
LOR SIGNORE.

1 Leggi il titolo del libro qui accanto, guarda le vignette e leggi i fumetti.

a. Che cosa suggerisce il titolo sull'argomento principale del libro?
La lingua italiana
☐ si sta impoverendo.
☐ si sta trasformando in modo negativo.
☐ sta sparendo.

b. Quale tendenza dell'italiano contemporaneo sottolineano le vignette?
La tendenza a usare
☐ parole straniere.
☐ un linguaggio giovanile.
☐ un linguaggio tecnico.
☐ un linguaggio pubblicitario.

2 Leggi i seguenti titoli e sottotitoli presi da giornali e riviste italiani. Quali fra le tendenze elencate nell'esercizio 1 b puoi identificare?

6 novembre 2011

L'e-commerce diventa più social

EBay fa un accordo con Facebook, ma ci sono anche due startup italiane che puntano su servizi simili: si sviluppa lo shopping integrato con il network.

E il **25** cosa mi metto?

Tutti i look per mamma, nonna e figlia

11 settembre 2011

Se l'hacker sta con i buoni

Raoul Chiesa, un «pirata» pentito, lavora con le Nazioni Unite a un database di esperti di computing: «Utile per la sicurezza di tutti»

3 Leggi la scheda Parole e cultura nella pagina seguente.

a. In che periodo il linguaggio giovanile inizia a influenzare la lingua standard in modo significativo?

b. Quali sono le principali caratteristiche della lingua parlata dai giovani?

Il linguaggio giovanile

I primi segni dell'influenza del linguaggio giovanile nella lingua italiana risalgono agli anni Sessanta, quando gli insegnanti a scuola iniziano a essere meno rigidi nei riguardi della lingua "corretta" e accettano in alcuni casi anche l'uso del dialetto.

A partire dagli anni Ottanta, il linguaggio giovanile inizia a influenzare in modo forte i cambiamenti della lingua italiana. In questo periodo nascono anche delle vere e proprie bande giovanili che si differenziano, oltre che nel modo di vestire, nell'uso molto diverso del linguaggio.

Alcuni criticano aspramente il linguaggio giovanile e la sua influenza sulla lingua standard, poiché lo trovano povero dal punto di vista lessicale e sintattico; altri invece lo apprezzano perché vivace, espressivo e ironico, perciò considerano positivamente il suo influsso sulla lingua standard.

Non è facile descrivere le caratteristiche del linguaggio giovanile, perché un suo aspetto tipico è il rapido cambiamento, essendo legato alla breve vita del gruppo che lo crea.

Quando parlano, i giovani spesso usano espressioni dialettali, giochi di parole presi dalla pubblicità, numerose parolacce, termini musicali o parole tratte dal linguaggio tecnico dell'informatica.

Quando scrivono attraverso la videoscrittura e il computer usano una lingua vicina a quella parlata e fanno un uso consistente di abbreviazioni, sigle ed emoticon.

Questi ultimi aspetti si stanno ormai diffondendo tra tutte le fasce d'età.

4 **Abbina le espressioni del gergo giovanile alle definizioni corrispondenti.**

a. ☐ bigiare, bruciare, bucare, fare campagnola, fare sega
b. ☐ palestrato
c. ☐ un casino, una cifra
d. ☐ lampadato
e. ☐ matusa, arterio, fossile, sapiens

1. persona anziana e fuori moda
2. persona che frequenta assiduamente una palestra
3. moltissimo
4. saltare una giornata di lezioni a scuola
5. persona che si è abbronzata usando le lampade a raggi UV

T1 Niccolò Ammaniti

Io non ho paura

Niccolò Ammaniti nasce a Roma nel 1966. È autore di racconti e molti romanzi, da cui sono stati tratti anche dei film. Diventa famoso con il romanzo *Io non ho paura* (2001); altrettanto famoso è l'omonimo film diretto da Gabriele Salvatores nel 2003. Pubblica poi *Come Dio comanda* (2006), *Che la festa cominci* (2009), *Il momento è delicato* (2012) e il racconto a fumetti *Fa un po' male* (2004). È apprezzato anche all'estero e i suoi libri sono tradotti in molte lingue.

Verso il testo

1. Leggi i titoli dei giornali.

   a. A quali fatti si riferiscono?

IL SEQUESTRO DI FAROUK KASSAM

Oggi 10 luglio 1992 è stato liberato Farouk Kassam. Dopo una lunghissima prigionia e l'orrenda mutilazione della parte superiore del padiglione auricolare sinistro, il bambino ha potuto riabbracciare i suoi genitori. Era stato rapito il 15 gennaio nella villa paterna a Porto Cervo. Al momento del sequestro si era sparsa la notizia che si trattasse di parenti del Principe Karim Aga Khan IV, notizia poi rivelatasi infondata.

2. Abbina le parole alle definizioni corrispondenti.

a ☐ rapimento
b. ☐ riscatto
c. ☐ rilascio

1. cifra da pagare per la liberazione di una persona che è stata rapita
2. liberare, rimettere in libertà una persona rapita
3. portare via una persona con la violenza

3. Abbina le espressioni con lo stesso significato.

a. ☐ rapire
b. ☐ rilasciare
c. ☐ rapimento
d. ☐ riscatto

1. sequestro
2. sequestrare
3. somma di denaro chiesta per liberare una persona
4. liberare

4. Guarda l'immagine 1. Che cosa sta facendo il bambino?
   Guarda l'immagine 2. Che cosa illustra?

*Il protagonista della storia, ambientata in un piccolo paese immaginario
della campagna del Sud Italia, è un bambino di 9 anni, Michele Amitrano.
Un giorno scopre per caso l'esistenza di un bambino che è tenuto prigioniero in
un buco sottoterra, perché è stato rapito. Tra i due nasce una specie di amicizia.*

>> mp3
traccia **2**

Sono sceso giù. Mi ha toccato un piede.
   «Perché non esci da quella coperta?», gli ho domandato e mi sono rannicchiato *[piegato su me stesso]* vicino a lui.
   «Non posso, sono cieco...»
5 «Come sei cieco?»
   «Gli occhi non si aprono. Voglio aprirli ma rimangono chiusi. Al buio ci vedo. Al buio non sono cieco». Ha avuto un'esitazione[1]. «Lo sai, me lo avevano detto che tornavi».
   «Chi?»
10 «Gli orsetti lavatori[2]».

---

1. **Ha avuto un'esitazione:** si è fermato e non sapeva se andare avanti a parlare.

2. **orsetti lavatori:** mammiferi carnivori del Nord America. Nel romanzo il bambino rapito, Filippo, ha per amici immaginari questi animaletti e parla con loro per farsi coraggio.

«Basta con questi orsetti lavatori! Papà mi ha detto che non esistono. Hai sete?»

«Sì».

Ho aperto la cartella[3] e ho tirato fuori la
15 bottiglia. «Ecco».

«Vieni». Ha sollevato la coperta.

Ho fatto una smorfia[4]. «Lì sotto?» Mi faceva un po' schifo. Ma così potevo vedere se aveva ancora le orecchie al loro posto[5].
20 Ha cominciato a toccarmi. «Quanti anni hai?» Mi passava le dita sul naso, sulla bocca, sugli occhi.

Ero paralizzato [bloccato]. «Nove. E tu?»

«Nove».
25 «Quando sei nato?»

«Il dodici settembre. E tu?»

«Il venti novembre».

«Come ti chiami?»

«Michele. Michele Amitrano. Tu che clas-
30 se fai?»

«La quarta. E tu?»

«La quarta».

«Uguale».

«Uguale».
35 «Ho sete».

Gli ho dato la bottiglia.

Ha bevuto. «Buona. Vuoi?»

Ho bevuto pure io. «Posso alzare un po' la coperta?» Stavo crepando [morendo] di caldo e di puzza. «Poco».
40 L'ho tirata via quel tanto che bastava a prendere aria e a guardargli la faccia.

Era nera. Sudicia. I capelli biondi e sottili si erano impastati [mescolati] con la terra formando un groviglio [nodo] duro e secco. Il sangue rappreso [seccato] gli aveva sigillato [chiuso] le palpebre. Le labbra erano nere e spaccate. Le narici otturate [chiuse] dal moccio[6] e dalle croste.
45 «Posso lavarti la faccia?», gli ho domandato.

Ha allungato il collo, ha sollevato la testa e un sorriso si è aperto sulle labbra martoriate. Gli erano diventati tutti i denti neri.

(N. Ammaniti, *Io non ho paura*, Einaudi, Torino 2001)

---

3. cartella: contenitore che gli scolari usavano per portare i libri a scuola, oggi sostituito dallo zainetto.
4. smorfia: espressione del viso di disgusto .

5. aveva ancora ... loro posto: Michele ha paura che i rapitori abbiano tagliato un orecchio a Filippo. Alcuni rapitori, infatti, talvolta mandavano alle famiglie del rapito, insieme alla ri-chiesta di riscatto, un orecchio del prigioniero.
6. moccio: muco che cola dal naso.

se ti è piaciuto, leggi anche... N. Ammaniti, *Ti prendo e ti porto via*

⊙ Attività

1. Leggi il dialogo tra il protagonista, Michele, e il bambino rapito.

    a. Completa la tabella.

luogo dove si svolge l'azione

azioni di Michele

azioni del bambino rapito

2. Che cosa prova Michele di fronte al bambino rapito?

3. L'autore usa una lingua molto semplice con frasi brevi o formate da un'unica parola e un lessico di uso comune. Ci sono anche alcune parole del linguaggio familiare e informale.

    a. Sottolinea nel brano le frasi brevi o formate da un'unica parola.

b. Trova nel testo le parole del linguaggio informale che indicano i significati di:

1. morire ....
2. odore ....
3. ribrezzo ....

4. Rileggi il testo e indirizza la tua attenzione su Michele.

    a. Scegli tra gli aggettivi seguenti quelli che, secondo te, lo descrivono meglio.
    ☐ affettuoso
    ☐ indifferente
    ☐ attento e premuroso
    ☐ violento

    b. Motiva le scelte che hai fatto nell'esercizio precedente e indica le azioni di Michele che giustificano queste scelte.

5. Oltre che con il linguaggio verbale, attraverso quale dei cinque sensi comunicano tra di loro i due bambini?

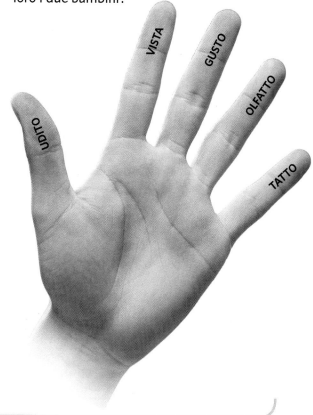

T2 Giuseppe Culicchia

Paso Doble

Nato a Torino nel 1965, Giuseppe Culicchia pubblica nel 1994 il suo primo romanzo, *Tutti giù per terra*, che ottiene due premi. Dal romanzo è tratto un film di successo. Seguono numerosi altri libri, tra cui *Paso Doble* (1995), *Torino è casa mia* (2005), *Ba-da-bum!* (2013). Lo stile di Culicchia annulla la distanza tra lingua letteraria e lingua quotidiana. I suoi romanzi spesso descrivono con ironia vari aspetti della società contemporanea.

⦿ Verso il testo

1. Scrivi sotto ogni immagine la didascalia corrispondente.

negozio di computer **/** *libreria* **/** *negozio di elettrodomestici*

Ⓐ .... Ⓑ .... Ⓒ ....

Nel brano che segue il protagonista del romanzo si è appena presentato alla libreria dove è stato assunto.

Chissà perché continuava a parlare di video[1] piuttosto che di libri.
«Una volta inseriti [*registrati*] i titoli sull'hardware potrai esporli sui banchi. Il display andrà fatto in base al packaging, senza badare al target, in modo da colpire l'occhio del buyer».

---

1. video: abbreviazione di "videocassetta", nastro magnetico che un tempo si usava per la registrazione di filmati.

5 «E i libri?»

«Ieri il nostro Top Management ha preso una decisione storica. D'ora in poi non venderemo più libri, ma solo cassette. I trend di vendita degli altri shop del Team parlano chiaro: i libri non li legge più nessuno, mentre un home-video ormai ce l'hanno tutti. La scritta che scorre sui monitor dobbiamo ancora cambiarla».

10 Il negozio scintillava, tutto vetro e plastica, pieno di monitor, telecamere[2] e computer [...].

(G. Culicchia, *Paso Doble*, Garzanti, Milano 1995)

2. **telecamere**: apparecchi per le riprese filmiche.

se ti è piaciuto, leggi anche... G. Culicchia, *Tutti giù per terra*

Attività

1. Leggi il testo.

a. La tabella seguente elenca le parole inglesi presenti nel testo e la loro traduzione in italiano. Cerca nel testo le tre parole che non hanno un corrispondente nella lingua italiana.

inglese	italiano
display	esposizione
packaging	imballaggio
target	destinatario
buyer	compratore
top management	direzione generale
trend	tendenza
shop	negozio
team	gruppo di lavoro
monitor	schermo

2. Quale scoperta fa il narratore sul lavoro che lo aspetta?

3. Secondo te, che cosa suggerisce l'uso dei termini in inglese sulla personalità dell'impiegato che parla nel racconto?

☐ Vuole dimostrarsi efficiente.
☐ Vuole dimostrarsi colto.
☐ Vuole dimostrarsi aggiornato.
☐ Altro _____

4. Secondo te, che impressione crea questo personaggio nel lettore?

☐ Sembra un serio professionista.
☐ Sembra un uomo ridicolo.
☐ Sembra un tipico venditore.
☐ Altro _____

5. Quali delle parole inglesi usate nel testo vengono usate anche nel tuo Paese? Hanno tutte una traduzione corrispondente nella tua lingua? Se la tua lingua materna è l'inglese, che impressione ti fa vedere tante parole della tua lingua usate in un testo italiano?

6. «I libri non li legge più nessuno, mentre un home-video ormai ce l'hanno tutti»: sei d'accordo con questa affermazione? Quali sono gli argomenti pro e contro la lettura dei libri?

T3 Enrico Brizzi

Jack Frusciante è uscito dal gruppo

Nato a Bologna nel 1974, Enrico Brizzi inizia a scrivere al liceo in un mensile da lui fondato con alcuni amici. Il suo romanzo *Jack Frusciante è uscito dal gruppo*, pubblicato nel 1994 quando è appena ventenne, ha un grandissimo successo. Nel 1996 esce *Bastogne*. Entrambe le opere sono tradotte in varie lingue. Scrive, in seguito, molti racconti e romanzi e collabora con varie riviste e giornali. Pubblica anche libri per ragazzi e guide di viaggio.

⚲ Verso il testo

1. Guarda l'immagine e cancella le parole che, secondo te, non si riferiscono alla situazione illustrata.

valigia / amicizia / soggiorno / zainetto / mare / vacanza-studio / avventura / aereo / campeggio / noia / francese

Il romanzo descrive la vita di giovani liceali di Bologna negli anni Novanta attraverso le esperienze di Alex, il protagonista. Il brano che segue descrive il suo viaggio di studio in Inghilterra.

**» mp3
traccia 3**

E la mattina seguente, il roccioso[1] era all'aeroporto scortato dai parens[2], biglietto e carta d'imbarco in mano, quando all'improvviso era saltata fuori Aidi[3], arrivata in vespa fin lì per salutarlo. Il Cancelliere e la mutter[4] erano rimasti prudentemente in disparte, e invece il vecchio Alex era raggiantissi-
5 mo *[felicissimo]*, e quando si era messo in fila col resto dei passeggeri Aidi gli aveva pure detto che era carino. Così, quel matto era partito tutto sorridente con in testa un rock commerciale tipo versione disco remix *Holidays In Cambodia* dei Dead Kennedys[5]; pieno di emozioni concentriche[6] perché al ritorno sarebbe stato giugno e poi basta[7].
10 Due settimane in Inghilterra, e tra la preoccupazione di trovare la corriera *[autobus]* giusta per Heathrow[8] e il viaggio di ritorno verso Londra, erano rimasti incastrati[9] solo il corso d'inglese e le facce tipo Benetton[10] di Paulos, Ivan, Shoko e di tutti gli altri amici conosciuti davanti ai toast di pollo nella canteen *[mensa]* della scuola; un match *[partita]* di cricket sull'erba rasata a puntino *[perfettamente]*
15 con un fuoricampo[11] suo *[di Alex]* poco meno che *[molto]* spettacolare; delle partite a biliardo; certe seratine[12] a freccette e drinking under age[13] al George's Inn; un paio di giorni verniciati[14] di mal di testa da sbornia *[ubriacatura]*; dei risvegli alle sei del mattino perché la finestra non aveva la tapparella[15]; i bei sorrisi da coyote[16] alla ragazza bionda che passava a distribuire il giornale; un paio di storie
20 letteralmente insignificanti; qualche concerto gratuito...
E infine, però, anche la grancassa che gli batteva nel petto a due quarti, al vecchio Alex.
Perché ormai, gente, era proprio *giugno*.

(E. Brizzi, *Jack Frusciante è uscito dal gruppo*, Baldini & Castoldi, Milano 1995)

---

1. il roccioso: forte, duro come una roccia.
2. parens: i genitori di Alex. Il termine è una parola storpiata che può derivare o dal latino *parentes* o dall'inglese *parents*, "genitori".
3. Aidi: la ragazza di cui Alex è innamorato.
4. il Cancelliere e la mutter: Cancelliere è il soprannome con cui Alex chiama il padre; *mutter* vuol dire "madre" in tedesco.
5. *Holidays In Cambodia* **dei Dead Kennedys**: titolo di una canzone tratta dal primo album dei Dead Kennedys, un gruppo musicale anarchico punk proveniente dalla California. La canzone fu scritta per denunciare il regime cambogiano di Pol Pot e diven-

ne un inno punk. Il protagonista suona in un gruppo musicale e il romanzo è pieno di riferimenti alla musica che ascoltavano i giovani in quegli anni.
6. emozioni concentriche: che partivano da uno stesso centro, una dentro l'altra.
7. e poi basta: alla fine del mese di giugno Aidi andrà negli Stati Uniti, perché ha vinto una borsa di studio, e Alex dovrà separarsi da lei.
8. Heathrow: uno degli aeroporti di Londra.
9. incastrati: introdotti con difficoltà.
10. Benetton: azienda italiana di abbigliamento, fondata a Treviso da Luciano Benetton nel 1965. Nelle campagne pubblicitarie di quel periodo erano ritratti ragazzi provenienti da diverse

parti del mondo.
11. fuoricampo: nello sport, è il lancio della palla oltre i limiti del campo.
12. seratine: serate piacevoli.
13. drinking under age: bevute fatte al di sotto dell'età consentita per bere alcolici nei locali pubblici.
14. verniciati: letteralmente "coperti con uno strato di vernice"; termine usato in senso figurato, per indicare un mal di testa costante.
15. tapparella: serranda avvolgibile (che va su e giù) che si applica a una finestra per proteggere dalla luce.
16. coyote: animale nordamericano simile al lupo. Qui l'autore gioca con la somiglianza tra questa parola e *coglione*, che nel linguaggio colloquiale significa "stupido", "incapace".

---

 se ti è piaciuto, leggi anche... S. Ballestra, *Romanzi e racconti*

● Attività

1. **Leggi fino a riga 9.**

a. Completa le seguenti frasi.

1. La scena si svolge ....
....

2. I personaggi in scena sono ....
....

3. Alex è molto contento perché ....
....

4. La madre ....
....

b. Che informazioni ricavi sul rapporto tra Alex e i suoi genitori?

2. **Termina la lettura.**

a. Riordina l'elenco dei ricordi di Alex sulla sua vacanza studio in Inghilterra numerandoli.

a. ☐ Risvegli all'alba a causa della mancanza di tapparelle alle finestre.

b. ☐ Qualche concerto gratuito.

c. ☐ Le serate al pub a giocare a freccette e a bere.

d. ☐ Le partite di biliardo.

e. ☐ Le facce dei compagni di corso.

f. ☐ La partita di cricket in cui Alex è stato particolarmente bravo.

g. ☐ Il sorriso della ragazza che distribuiva il giornale.

h. ☐ Il corso d'inglese.

i. ☐ Il cibo della mensa della scuola.

l. ☐ Due giorni di mal di testa dopo una sbornia.

m. ☐ Due avventure amorose senza importanza.

3. **Riconsidera l'intero testo.**

a. L'autore usa un linguaggio tipico del gergo giovanile e studentesco:
- frasi senza verbo;
- struttura del testo a elenco;
- parole straniere;
- parole del registro informale;
- riferimenti al *made in Italy* tipici della cultura giovanile.

Trova nel testo un esempio per ognuna di queste caratteristiche.

4. **Nel tuo Paese, il linguaggio giovanile presenta le stesse caratteristiche che hai trovato in questo brano?**

T4 Enzo Verrengla

Il peso del nome

Nel 1994 il quotidiano «la Repubblica», la trasmissione televisiva *Babele* e la casa editrice Einaudi organizzano un concorso, chiedendo a scrittori e a semplici appassionati di mandare un racconto o una storia di senso compiuto della lunghezza di una riga o poco più, anche tratti da opere di altri autori. Tra i circa quindicimila testi arrivati, poi selezionati da una giuria di critici e giornalisti ed entrati a far parte di un'antologia pubblicata da Einaudi intitolata *Una frase, un rigo appena: racconti brevi e brevissimi*, vi è anche il brano inedito di Enzo Verrengla che proponiamo.

⦿ Verso il testo

1. Inserisci ciascun nome dell'elenco seguente nel gruppo corretto.

Silvia / Rossi / quattrocchi / professoressa / principe / presidente / Pietro / Meneghello / Marin / lungarella / ingegnere / il vecchio / il moro / il corto / Giulia / Esposito / duca / dottore / contessa / conte / Bianchi / baronessa / Barbara / avvocato / Alessandro

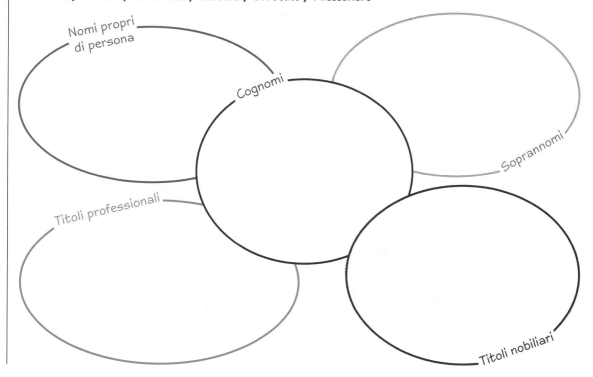

2. Abbina i verbi ai completamenti corretti.

a. ☐ chiamare
b. ☐ indicare
c. ☐ affibbiare
d. ☐ specificare
e. ☐ far precedere il cognome

1. dal titolo nobiliare
2. il titolo professionale
3. nome e cognome
4. per nome
5. un soprannome

Il racconto parla di una persona che aveva un nome molto complicato.

Lady[1] Proserpina Quackbuster Tostlethwhyte de Plonnet Warwicke Mullybone era figlia unica, ma quando veniva annunciata[2] alle feste sembrava una famiglia numerosa. Suo padre, vedovo, sposò in seconde nozze Lady Isadora Walsingham Strathmore Lawhead Northampton. Con l'aggiunta del nuovo casato[3], Proserpina sarebbe ammontata a[4] Lady Quackbuster Tostlethwhyte de Plonnet Warwicke Mullybone Walsingham Strathmore Lawhead Northampton.

Non sopportando oltre il peso del nome, la ragazza scappò di casa. Trascorso qualche tempo, incontrò un giovane di nome John Smith, che le chiese di sposarlo. Proserpina accettò e dopo il sì, esclamò felice: «Che bello chiamarsi solo Smith!».

Lui sorrise: «Cara, volevo conquistarti in incognito[5]. In realtà sono Lord Algernon Montagu Schumpeter Seymour Darlymple Twistleton Allsebrook Blubberbiwk Shuttleworth».

(AA. VV., *Una frase, un rigo appena: racconti brevi e brevissimi*, Einaudi, Torino 1994)

1. Lady: abbreviazione di *Milady,* appellativo con cui in inglese ci si rivolge a una nobildonna.
2. quando veniva annunciata: l'autore si riferisce all'abitudine che si aveva nei secoli scorsi di annunciare, dicendone il nome prima che entrassero nel salone, gli ospiti che arrivavano alle feste della nobiltà.
3. casato: il cognome della nuova moglie del padre.
4. sarebbe ammontata a: sarebbe diventata.
5. in incognito: senza rivelare il nome.

se ti è piaciuto, leggi anche... A. Campanile, *Il biglietto da visita,* in *Gli asparagi e l'immortalità dell'anima*

PAROLE e CULTURA

Giochi di parole

Sfogliando gli elenchi telefonici è possibile trovare nomi e cognomi che hanno a dir poco dell'incredibile. Viene da chiedersi per quale macabro senso dell'umorismo alcuni genitori hanno chiamato la loro bambina *Italia* quando il cognome era *Liberata*. Che cosa avrà ispirato i genitori di *Santa Pazienza*, o di *Assunto Licenziato*, o di *Margherita Pizza*? Per non parlare dei genitori di *Guido Di Rado* o di *Liberato Pollastrone* e di molti altri. Per questi bambini il nome deve essere stato davvero un peso! Se vuoi, puoi trovare altri esempi di nomi curiosi al sito www.nomix.it.

⊙ Attività

1. Leggi il titolo del racconto a p. 23, che è parte integrante del testo e del suo significato.

  a. Che cosa ti fa venire in mente?

2. Leggi il testo.

  a. Qual è il problema della protagonista riguardo al suo nome?

  b. Come decide di risolverlo?

  c. Qual è il risultato?

  d. Qual è l'informazione mancante che fa sì che il racconto abbia un finale a sorpresa?

3. Riconsidera l'intero racconto.

  a. Qual è il tono del racconto?
  ☐ poetico
  ☐ drammatico
  ☐ comico

  b. Sottolinea le espressioni che giustificano la tua risposta.

4. Ti piace il nome che hai? Ti ha mai creato difficoltà nei rapporti con gli altri?

5. Nel tuo Paese, per indicare una persona si usa un sistema simile a quello italiano, cioè nome proprio e cognome della famiglia? Se si usa un sistema diverso, spiegalo.

T 6 Pietro Grossi

T5 »
Nanni Delbecchi,
I favolosi anni zero   *iW*

Boxe

Pietro Grossi nasce a Firenze nel 1978. Esordisce come scrittore nel 2000 con *Touché*. Grande viaggiatore, si trasferisce a New York, dove studia regia e lavora come traduttore. Al rientro in Italia nel 2002 vive prima a Roma, poi a Milano, facendo svariati lavori e collaborando saltuariamente a progetti cinematografici. Nel 2006 esce la raccolta di racconti *Pugni*, finalista in vari premi letterari anche nella sua versione inglese *Fists*. Seguono il romanzo *L'acchito* (2007) e *Incanto* (2012), che vince il Premio Nazionale Letterario Pisa per la narrativa.

⦿ Verso il testo

1. Che aspettative ti crea il titolo riguardo al contenuto del racconto?

2. Guarda i disegni che rappresentano lo sport della boxe e leggi le spiegazioni nella pagina seguente.

   a. Inserisci le seguenti parole negli spazi appropriati.

     KO / *guantone* / *ring* / *gancio*

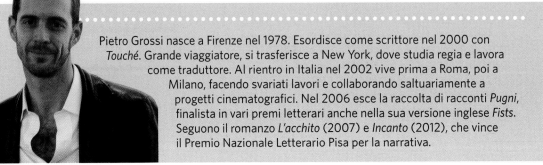

boxe parola francese che indica lo sport del "pugilato", combattimento di due atleti i cui colpi consentiti sono dati con i pugni e secondo precise regole. Ogni incontro è diviso in più riprese. Vince chi atterra l'avversario o viene giudicato migliore da una giuria.
ring spazio quadrato sopraelevato dove avviene l'incontro di pugilato.

guantone guanto imbottito usato dai pugili.
KO *knock out*, espressione inglese equivalente all'italiano "fuori combattimento", interruzione anticipata di un incontro di pugilato, che avviene quando uno dei due atleti non è più in grado di rialzarsi dopo aver ricevuto un colpo regolare dall'avversario.
gancio tipo di colpo eseguito a distanza ravvicinata con il braccio ad angolo retto.

b. Inserisci le parole qui sopra nel gruppo corretto.

termini con doppia dicitura straniera/italiana   **termini italiani**   **termini stranieri**

3. Abbina le parole e le espressioni idiomatiche ai significati corrispondenti.

a. ☐ imporre
b. ☐ impuntarsi
c. ☐ disciplinato
d. ☐ sfigato
e. ☐ incazzato
f. ☐ strizzacervelli
g. ☐ avere grilli per la testa

h. ☐ fare schifo
i. ☑4 tagliare corto
l. ☐ alzare la testa
m. ☐ fare scena muta
n. ☐ tirare avanti
o. ☑6 essere una bella rogna

1. termine scherzoso e informale per *psicanalista, psicologo* o *psichiatra*
2. proseguire
3. disgustare
4. terminare una comunicazione, spesso per non voler dare altre spiegazioni
5. rifiutarsi di cedere
6. persona o situazione che dà molto fastidio o crea guai
7. ribellarsi
8. che segue diligentemente le regole ed esegue i compiti
9. dal linguaggio giovanile, sfortunato e privo di attrattive
10. termine colloquiale per *arrabbiato*
11. ordinare
12. avere idee capricciose o strane
13. rifiutarsi di parlare

Nel brano che proponiamo un adolescente si oppone per la prima volta ai desideri della madre.

**» mp3
traccia 4**

Era mia mamma che mi aveva imposto di suonare il pianoforte. Mi faceva prendere lezioni da quella vecchia bavosa[1] cui puzzava il fiato e seminava tocchi [pezzi] di forfora[2] che parevano pezzi di giornale. Fu così che iniziai con la boxe. Ero il figlio perfetto: studioso, sfigato, senza grilli per la testa, ubbi-
5 diente, che andava a letto presto e se glielo chiedevi ti recitava pure due pre-ghierine prima di dormire. Ma non voleva suonare il piano. Il piano mi faceva schifo. Mi faceva schifo Mozart e Bach e quel fenomeno sordo malefico [dannoso] di Beethoven[3] e quella vecchia puzzolente della signora Poli. Forse solo Rach-maninov[4] buttavo giù [accettavo], perché quando suonava sembrava sempre in-
10 cazzato e perché tanto era troppo difficile per poterlo suonare.

Glielo dissi un giorno alla mamma che il piano mi faceva schifo. Lei disse che la musica era fondamentale, che dava disciplina. Disciplina? Ma come disciplina! Ero il figlio più disciplinato del mondo. Ero talmente disciplinato che stavo scom-parendo dalla faccia della terra.

15 La mamma mi guardò perplessa e mi disse di non dire idiozie [sciocchezze], e che la musica era importante. Era una situazione piuttosto fastidiosa.

«Allora voglio fare anche la boxe».

«Come?»

«Se suono il piano voglio fare anche la boxe».

20 «La boxe?»

«Sì, la boxe».

«Non dire idiozie», tentò di tagliare corto la mamma.

«Voglio fare la boxe».

«Con me la parola voglio non funziona».

Era la prima volta che mi impuntavo con mia mamma, e una parte di me si sentiva stranamente eccitata, come se al sesto round[5] di un duro incontro mi fossi risvegliato e avessi piazzato un sinistro-de-stro[6]. L'altra voleva piangere.

1. **bavosa**: che perde bava dalla bocca (termine dispre-giativo).
2. **forfora**: insieme di piccole squame bianche che si stac-cano dal cuoio capelluto.
3. **Mozart ... Beethoven**: sono tutti celebri musicisti. Wolf-gang Amadeus Mozart (1756-91) austriaco, Johann Seba-stian Bach (1685-1750) e Lud-wig van Beethoven (1770-1827) tedeschi.
4. **Rachmaninov**: Sergej Va-sil'evič Rachmaninov (1873-1943) è un musicista russo.

5. **round**: in italiano "ripre-sa", periodo di tre minuti in cui è suddiviso un incontro di pugilato, con l'intervallo di un minuto fra ogni ripre-sa. La durata massima di un incontro varia: 10 round per un incontro di campionato italiano, 15, abbassati a 12 negli anni Ottanta, se l'in-contro è per un campionato europeo o mondiale.
6. **avessi piazzato un sini-stro-destro**: avessi colpito con un pugno sinistro, se-guito da un destro.

«Voglio fare la boxe». Gancio destro al volto.

30 «Non se ne parla nemmeno. Chiuso il discorso».
Suono della campanella, salvataggio sul limite[7].
Ormai m'ero risvegliato, avevo alzato la testa. Una volta tanto il ragazzino graziosetto[8] e disciplinato lottava per qualcosa. Fu un incontro difficile, di quelli este-

35 nuanti [molto stancanti] sulle quindici riprese. Smisi di studiare, feci scena muta per due interrogazioni di fila, smisi di parlare e di suonare. Per ben tre volte la signora Poli dovette abbandonarmi dopo aver tentato per dieci minuti di farmi suonare o parlare. Si era

40 pure convinta di dovermi consolare, la vecchia[9]. Tirai avanti una settimana senza parlare. Nessuno ormai sapeva che fare, erano pronti a mandarmi dallo strizzacervelli, quando d'un tratto mia mamma una sera entrò in camera e mi disse

45 che ne aveva parlato con il babbo, e che se volevo potevo provare con la boxe.
«Bene», dissi. «Domani vado a iscrivermi».
Fu la mia prima vittoria: un K.O. tecnico alla quattordicesima ripresa, costruito con astuzia e pazienza. Forse avrei comunque vinto ai punti[10]. Non so, mia

50 mamma è sempre stata una bella rogna [un grosso problema].

(P. Grossi, *Pugni*, Sellerio, Palermo 2006)

---

7. Suono … limite: il suono della campanella indica la fine di una ripresa.
8. graziosetto: vezzeggiativo dell'aggettivo *grazioso*, qui usato in senso ironico.

9. la vecchia: l'espressione è qui usata con una connotazione negativa.
10. avrei comunque vinto ai punti: avrei vinto comunque senza mettere KO l'avversario. Se nessuno dei due

pugili cade al tappeto per un KO, il vincitore può essere dichiarato dai giudici di gara in base a un punteggio prestabilito.

 se ti è piaciuto, leggi anche...   G. Carofiglio, *Testimone inconsapevole*, cap. VI

◉ Attività

1. Leggi fino a riga 16.

a. Completa la tabella, usando sia espressioni del testo sia parole tue.

chi narra	come si descrive	a che cosa si oppone	quali sono i suoi desideri

b. Come descrive il narratore la sua maestra di pianoforte?

c. Perché è importante lo studio del pianoforte, secondo la madre?

d. Evidenzia le ripetizioni nel testo. Che effetto crea il loro uso?
   Sottolineano
   ☐ lo stile colloquiale del testo.
   ☐ i sentimenti del protagonista.
   ☐ la risolutezza del protagonista.
   ☐ l'atteggiamento infantile.

e. Quali termini ed espressioni contribuiscono a dare un tono colloquiale e giovanile al testo?

2. Leggi fino a riga 31.

a. Che tipo di accordo cerca di ottenere il ragazzo con la madre e qual è il risultato?

b. Sottolinea tutte le espressioni relative al pugilato. Che effetto crea, secondo te, l'uso della terminologia sportiva?
   ☐ Crea un'immagine visiva dello scontro fra madre e figlio.
   ☐ Sottolinea la difficoltà del dialogo con la madre.
   ☐ Evidenzia la determinazione a ottenere il risultato voluto.

c. L'espressione "salvataggio sul limite" significa
   ☐ che l'atteggiamento di chiusura della madre dà la possibilità al ragazzo di avere del tempo di recupero per studiare le future mosse.
   ☐ che il ragazzo non sa più come rispondere.
   ☐ che la madre vuole prendere tempo.

3. Termina la lettura.

a. Completa la tabella e poi riassumi, con parole tue, il proseguimento e l'esito dello scontro del ragazzo con la madre.

cambiamento di atteggiamento del ragazzo
....
....
....
....

azioni e comportamenti
....
....
....
....

reazione degli adulti
....
....
....
....

4. Quali sono gli aspetti del linguaggio che, secondo te, riflettono un modo di esprimersi tipico dei giovani?
   ☐ immagini concrete
   ☐ ripetizioni
   ☐ uso dell'elenco
   ☐ parole non in italiano standard
   ☐ uso di espressioni volgari o insultanti
   ☐ errori di grammatica

5. Fino a che punto il contenuto del brano corrisponde alle tue aspettative iniziali?

6. Ci sono alcuni aspetti del modo di parlare dei giovani del tuo Paese che in qualche modo sono paragonabili al modo di esprimersi del protagonista?

T7 Luciano De Crescenzo

Così parlò Bellavista

Nato a Napoli nel 1928, Luciano De Crescenzo, dopo una laurea
in Ingegneria e aver lavorato vent'anni nel campo dell'informatica,
si dedica alla scrittura. Il suo primo romanzo, *Così parlò Bellavista*
(1986), ottiene un immediato successo.
De Crescenzo ha pubblicato numerosissimi libri sulla filosofia
greca, la storia antica e i grandi cicli mitologici, riscuotendo sempre
un grande successo in Italia e all'estero. La caratteristica principale
della sua scrittura è la capacità di fare una divulgazione seria e
nello stesso tempo molto ironica. De Crescenzo è stato
anche autore televisivo, attore e regista.

📍 Verso il testo

1. Cancella le parole che non appartengono
al gruppo degli elettrodomestici.

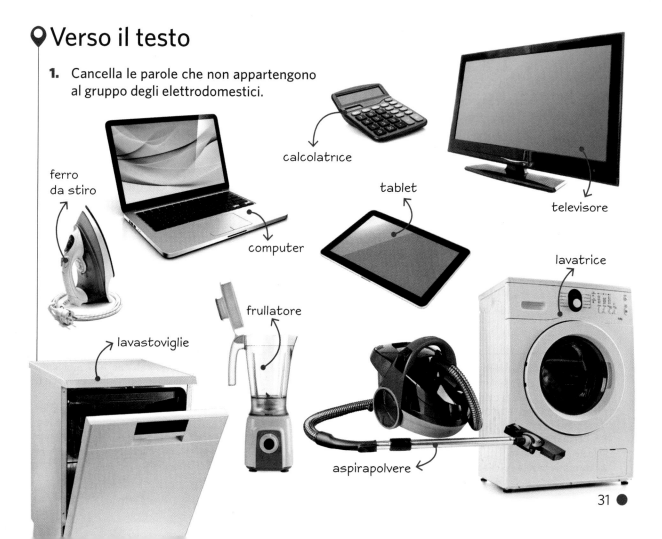

calcolatrice

ferro
da stiro

tablet

televisore

computer

lavatrice

frullatore

lavastoviglie

aspirapolvere

2. Guarda l'immagine e leggi la didascalia. Ti ricorda qualche usanza del tuo Paese? Se sì, quale?

● Un santino di sant'Antonio da Padova. Il *santino* è un'immagine di un santo che si porta sempre con sé perché si sente particolarmente vicino. È tipico della religiosità popolare. Sant'Antonio è noto come il santo che farebbe ritrovare le cose perdute. La devozione verso il santo è antichissima e molto viva ancora oggi. Migliaia di fedeli vengono da tutto il mondo ogni anno in pellegrinaggio a Padova alla Basilica di Sant'Antonio per rendere omaggio al santo e chiedere aiuti e miracoli. Nel corso del 2013 ne sono venuti ben 90 000.

Nel brano seguente il narratore racconta in prima persona le reazioni della sua famiglia all'annuncio di aver trovato un impiego.

›› mp3
traccia **5**

Mia mamma nacque nel 1883 [...]. Nella mia casa i miei genitori e soprattutto i miei nonni parlavano esclusivamente in napoletano.

Per tutta la mia famiglia per esempio, prendere un aereo equivaleva ad *[era come]* un tentativo deliberato *[voluto]* di suicidio. Dico questo perché il lettore possa comprendere a quali difficoltà andai incontro il giorno che, laureatomi in ingegneria, decisi d'impiegarmi nel campo dei calcolatori elettronici[1]. Il primo problema fu quello di comunicarlo a mia madre.

«Mammà[2] ho trovato il posto!»

«Bravo, *chillu [quel] figlio mio*! Bravo! Hai visto? Quello è stato Sant'Antonio che ti ha aiutato. Io sono anni che prego Sant'Antonio. Gli dicevo Sant'Antò, quello il ragazzo sta studiando perché si vuole laureare, ma la paura mia è che dopo laureato nessuno se lo piglia *[lo assume]*. E dentro di me dicevo: noi abbiamo sbagliato con questa ingegneria, era meglio che lo facevamo ragioniere[3], che così si trovava un posto in una banca, una cosa tranquilla, e non ci pensavamo più, e invece Sant'Antonio ci ha fatto la grazia. *Tu mò, bell' 'e mammà*, devi subito andarti a fare una bella comunione di ringraziamento a Sant'Antonio[4]. Hai capito? E dimmi dimmi; e dove l'hai trovato questo posto?»

«All'IBM[5]».

---

1. **calcolatori elettronici**: computer. Nel periodo in cui è ambientata la storia non esistevano i personal computer e i calcolatori elettronici erano macchine enormi, che facevano calcoli ed elaboravano dati, e si trovavano solo in certe aziende.
2. **Mammà**: parola del dialetto napoletano che corrisponde all'italiano "mamma".
3. **ragioniere**: contabile, persona che ha il compito di fare i conti.
4. *Tu mò ... a Sant'Antonio*: "tu, adesso, bello della mamma, per ringraziare Sant'Antonio devi andare a ricevere una comunione". Nella religione cattolica la comunione è il momento della messa in cui i fedeli ricevono il sacramento dell'Eucarestia.
5. **IBM**: abbreviazione di International Business Machines (Corporation). È una grandissima azienda americana che opera nel settore dell'informatica.

«Ma è una cosa sicura? Io non l'ho mai sentita nominare *[non la conosco]*!»

20   «Giulia», intervenne mia zia, più giovane di mammà e quindi molto più informata, «tu non capisci proprio niente! Oggi gli elettrodomestici sono di moda, c'è stato il marito della signora Sparano che con un negozietto da tre soldi[6] si è fatto un patrimonio. Tengono *[hanno]* la Mercedes, la governante[7] e fanno la villeggiatura a Ischia!»

25   «Ma che elettrodomestici! Io lavoro con i calcolatori elettronici! Mammà i calcolatori non sono elettrodomestici, sono macchine perfettissime e potentissime, capaci di fare migliaia di operazioni in un solo secondo!»

«Tu ti dovessi far male *[attento a non farti male]*».

«Mammà, ma quale male! Io lavoro nel settore commerciale, quello che si oc-

30   cupa della vendita e del noleggio[8] di questi calcolatori».

«Figlio mio, io non ti voglio scoraggiare *[toglierti il coraggio]*, ma tu chi vuoi che se li compra questi calcolatori, noi a Napoli non abbiamo niente da calcolare».

(L. De Crescenzo, *Così parlò Bellavista*, Mondadori, Milano 1977)

---

6. da tre soldi: molto modesto, che non vale niente.
7. governante: donna pagata per oc-

cuparsi della casa o dei bambini di altre persone.
8. noleggio: affitto di beni come auto-

mobili, biciclette ecc. per un periodo e un prezzo stabiliti.

---

se ti è piaciuto, leggi anche...   L. De Crescenzo, *Così parlò Bellavista*, cap. 1

● La fabbrica di macchine da scrivere Olivetti.

● Una delle prime lavatrici.

PAROLE e CULTURA

Economia e lavoro

«Mamma, ho trovato il posto!»
Il "posto" è il lavoro, l'impiego fisso. In passato in Italia le persone svolgevano lo stesso lavoro nello stesso posto fino alla pensione. Oggi, in generale, c'è più flessibilità e mobilità che in passato, anche se ancora meno che in altri Paesi e, purtroppo, negli ultimi anni, a causa della crisi economica che ha colpito tutti i Paesi occidentali, in Italia può essere difficile trovare un posto di lavoro, soprattutto in certi ambiti e per certe professioni.

I simboli del benessere
L'automobile, la governante e la villeggiatura sono alcuni dei simboli del boom economico italiano (avvenuto tra la seconda metà degli anni Cinquanta e la prima metà degli anni Sessanta), del nuovo benessere raggiunto dagli italiani dopo la Seconda guerra mondiale. Altri simboli sono, per esempio, lo scooter, il televisore e gli elettrodomestici.

◉ Attività

1. Leggi fino a riga 7 con l'aiuto delle note. Che informazioni ci dà il protagonista sulla sua famiglia e su di sé? Perché si trova in difficoltà?

2. Continua la lettura fino a riga 17.

    a. Quali preoccupazioni esprime la madre a Sant'Antonio? Come si rivolge al Santo? Come definiresti il suo atteggiamento?

      ☐ religioso   ☐ amichevole
      ☐ rispettoso   ☐ fiducioso

    b. Secondo la madre, che cosa deve fare il figlio per ringraziare il Santo?

3. Termina la lettura e completa le seguenti frasi.

    a. La madre è ancora preoccupata perché ....

      ....

    b. La zia tranquillizza la madre dicendo che

      ....

    c. Il figlio precisa che ....

4. Il testo contiene espressioni dialettali e del linguaggio quotidiano che elenchiamo di seguito in italiano standard. Completa le tabelle inserendo l'espressione del testo corrispondente a ciascuna costruzione.

costruzioni dialettali
Quello è stato Sant'Antonio che ti ha aiutato. È stato Sant'Antonio che ti ha aiutato.
Il ragazzo sta studiando perché si vuole laureare.
La mia paura è che dopo laureato nessuno lo assuma.
Sarebbe stato meglio se avesse studiato ragioneria.

espressioni colloquiali
Ho trovato il posto! Ho trovato un lavoro, sono stato assunto.
Prego Sant'Antonio da tanti anni.
Dove hai trovato da lavorare?
Chi vuoi che compri i calcolatori?

5. A quale dei tre componenti della famiglia si riferiscono le seguenti descrizioni?

    a. Crede alle superstizioni e ignora gli aspetti della società moderna. ....

    b. Crede di conoscere la società moderna, ma cade in gravi errori. ....

    c. Si rende conto della mentalità arretrata dei componenti della famiglia, ma li ama lo stesso. ....

6. Come consideri una persona che per risolvere i problemi di famiglia si rivolge a un Santo?

7. Leggi la scheda Parole e cultura a p. 33. Nel tuo Paese e nel mondo di oggi, quali sono i simboli del successo e del benessere?

● La Basilica di Sant'Antonio a Padova.

T 8 Natalia Ginzburg

Lessico famigliare

Natalia Ginzburg nasce a Palermo nel 1916 da una famiglia ebrea di origine triestina, di cultura antifascista. Si trasferisce a Torino e inizia presto a scrivere. Sposa Leone Ginzburg, uno dei primi collaboratori della prestigiosa casa editrice Einaudi, e lo segue quando viene costretto al confino in Abruzzo per le sue idee antifasciste. Dopo la morte del marito, Natalia Ginzburg continua a scrivere privilegiando il tema della memoria. Si risposa nel 1950 e si trasferisce a Roma. Negli anni Settanta all'attività di scrittrice e traduttrice aggiunge un'intensa attività politica nel Partito comunista. Muore a Roma nel 1991.

♀Verso il testo

1. Guarda la foto 1 e rispondi alle domande.

   a. Quante persone siedono a tavola?

   b. Che relazione pensi che ci sia tra di loro?

   c. Ti sembra un incontro quotidiano o un'occasione particolare?

   d. A quale ambiente sociale appartengono, secondo te, le persone sedute a tavola?

①   ②

2. Guarda la foto 2. Quali differenze noti con l'immagine precedente?

☐ tipo di stanza   ☐ numero delle persone a tavola

☐ tipo di tavola   ☐ cibo

☐ apparecchiatura   ☐ altro ....

Lessico famigliare *è un libro autobiografico in cui l'autrice ricostruisce, spesso attraverso episodi curiosi e divertenti, la vita della sua famiglia, dominata dalla figura del padre.*

Nella mia casa paterna, quand'ero ragazzina, a tavola, se io o i miei fratelli rovesciavamo *[facevamo cadere]* il bicchiere sulla tovaglia, o lasciavamo cadere un coltello, la voce di mio padre tuonava *[gridava]*: «Non fate malagrazie!».

Se inzuppavamo *[bagnavamo]* il pane nella salsa, gridava: «Non leccate i piatti!
5 Non fate sbrodeghezzi! Non fate potacci!».

Sbrodeghezzi e potacci erano, per mio padre, anche i quadri moderni, che non poteva soffrire *[sopportare]*.

Diceva: «Voialtri non sapete stare a tavola! Non siete gente da portare nei loghi!».

E diceva: «Voialtri che fate tanti sbrodeghezzi, se foste a una *table d'hôte*[1] in
10 Inghilterra, vi manderebbero subito via».

Aveva, dell'Inghilterra, la più alta stima. Trovava che era, nel mondo, il più grande esempio di civiltà.

Soleva *[era abituato a]* commentare, a pranzo, le persone che aveva visto nella giornata. Era molto severo nei suoi giudizi, e dava dello stupido a tutti. Uno stupido era,
15 per lui, «un sempio». «M'è sembrato un bel sempio», diceva, commentando qualche sua nuova conoscenza. Oltre ai «sempi» c'erano i «negri». «Un negro» era, per mio padre, chi aveva modi goffi *[incerti]*, impacciati e timidi, chi si vestiva in modo inappropriato, chi non sapeva andare in montagna, chi non sapeva le lingue straniere.

(N. Ginzburg, *Lessico famigliare*, Einaudi, Torino 2005)

---

1. *table d'hôte*: espressione francese che significa "pasto a prezzo e orari stabiliti" come quello che viene servito in un hotel.

 **se ti è piaciuto, leggi anche...** N. Ginzburg, *Le voci della sera*

Attività

1. **Leggi fino a riga 10.**

a. Qual è la scena descritta?

b. Abbina le parole usate dal padre dell'autrice alle parole italiane corrispondenti.

a. ☐ malagrazie 1. pasticci
b. ☐ sbrodeghezzi 2. mancanze di
c. ☐ potacci   buone maniere
d. ☐ loghi 3. luoghi
4. disgustosi miscugli

c. Elenca le azioni dei figli a tavola.

....
....
....

d. Perché il padre rimprovera i figli?
☐ Non si comportano bene.
☐ Gli fanno fare brutta figura.
☐ Non lo ascoltano.

e. Il dialetto rende la scena
☐ più realistica.   ☐ più intima.
☐ più viva.   ☐ più nobile.

2. **Termina la lettura.**

a. Quali comportamenti disapprova il padre?

b. Quali di questi aggettivi useresti per descrivere la personalità del padre?
☐ autoritario   ☐ severo
☐ razzista   ☐ gentile

T9 Luigi Meneghello

Libera nos a malo

Luigi Meneghello nasce a Malo, un paesino in provincia di Vicenza, nel 1922. Dopo la laurea in Filosofia, nel 1947 si trasferisce in Inghilterra, dove insegna Lingua e letteratura italiana all'Università di Reading. Scrive numerosi romanzi di tipo autobiografico. Nel 1980 rientra in Italia e risiede a Thiene fino alla sua morte nel 2007. Nel suo romanzo *Libera nos a malo* (1963), l'autore ricorda l'infanzia trascorsa a Malo.

⚲ Verso il testo

1. Scorri l'elenco delle varietà linguistiche dell'italiano nello Zoom sulla cultura a p. 45.

   a. Quanti tipi di italiano ci sono?

   b. Accade lo stesso per la tua lingua?

2. Guarda l'immagine e inserisci i nomi negli spazi appropriati.

   porticato / tetto / aia

Ⓐ .... Ⓑ .... Ⓒ ....

3. Abbina le parole alle definizioni corrispondenti.

a. ☐ intarsio
b. ☐ caleidoscopio
c. ☐ puzzle
d. ☐ macedonia
e. ☐ mosaico

1. decorazione da parete o pavimento ottenuta mettendo insieme pezzetti colorati di pietra, ceramica o vetro

2. gioco che consiste nel ricomporre un'immagine incastrando i pezzettini in cui è stata scomposta

3. decorazione del marmo, del legno o del metallo fatta con pezzi inseriti in modo da formare un disegno

4. cilindro di cartone che contiene pezzetti di vetro o di plastica che, grazie a un gioco di specchi, formano figure sempre diverse a ogni movimento

5. mescolanza di frutti di vario tipo tagliati in piccoli pezzi

*Nel breve brano che segue l'autore descrive le varietà linguistiche
dei dialetti parlati nella sua regione, il Veneto.*

L a lingua aveva strati sovrapposti *[uno sopra all'altro]*: era tutto un intarsio. C'era la gran divisione della lingua rustica *[di campagna]* e di quella paesana, e c'era inoltre tutta una gradazione *[variazione]* di sfumature per contrade *[quartieri]* e per generazioni[1]. Strambe *[strane]* linee di divisione tagliavano
5 i quartieri, e fino *[anche]* i cortili, i porticati, la stessa tavola a cui ci si sedeva a mangiare.

Sculièro [cucchiaio] a casa nostra, *guciàro [cucchiaio]* dalla zia Lena; *ùgnolo [singolo]* presso il papà, *sìnpio [singolo]* presso di noi [...].

La lingua si muove come una corrente: normalmente il suo flusso sordo non si
10 avverte *[si sente]*, perché ci siamo dentro, ma quando torna qualche emigrato si può misurare la distanza dal punto dove è uscito a riva. Tornano dopo dieci anni,

---

1. per generazioni: una generazione è l'insieme di persone della stessa età che discendono da un progenitore comune.

dopo venti anni dalle Australie, dalle Americhe: in famiglia hanno continuato a parlare lo stesso dialetto che parlavano qui con noi, che parlavamo tutti; tornano e sembrano gente di un altro paese o di un'altra età. Eppure non è la loro

15 lingua che si è alterata, è la nostra. È come se anche le parole tornassero in patria, si riconoscono con uno strano sentimento, spesso dopo un po' di esitazione: di qualcuna perfino ci si vergogna un poco.

(L. Meneghello, *Libera nos a malo*, Mondadori, Milano 1986)

 se ti è piaciuto, leggi anche... G. Celati, *Mio zio scopre l'esistenza delle lingue straniere*, in *Narratori delle pianure*

⦿ Attività

1. **Leggi fino a riga 8.**

   a. Quali delle varietà di lingua italiana presenti nell'elenco a p. 45 sono nominate?

   b. Elenca i luoghi in cui si usano parole diverse per indicare la stessa cosa.

   c. A quale realtà linguistica appartengono gli esempi che fa l'autore?

2. **Termina la lettura.**

   a. Completa il brano che segue scegliendo correttamente le parole elencate.

costruzioni / la / lingua / lingue / meno / modo / origine / sentire / trasforma

◆ Panorama di Malo.

Il ritorno in patria di un emigrante, che ha continuato a parlare la (1) .... che si parlava nel suo Paese d' (2) .... quando l'ha lasciato, ci fa (3) .... in modo immediato e diretto quanto (4) .... lingua, in un arco di tempo più o (5) .... lungo, cambi. Cambiano le parole, cambiano le (6) .... sintattiche, cambia lo stile dei testi. In (7) .... impercettibile, ma inarrestabile, la lingua si (8) ....

e si evolve. Si contamina a contatto con altre (9) ...., si arricchisce di nuove parole, ne vede morire altre. La lingua è una creatura viva e sempre in movimento.

3. **Quali aspetti della lingua sono messi in rilievo nel testo?**

   ☐ la trasformazione della lingua nel tempo
   ☐ la conservazione della lingua nelle comunità di emigranti
   ☐ l'uso locale della lingua
   ☐ le varietà regionali
   ☐ l'influenza delle lingue straniere

T 10 Alessandro Manzoni

I promessi sposi

Alessandro Manzoni nasce a Milano nel 1785. A vent'anni si trasferisce in Francia dove frequenta ambienti legati alla cultura illuminista. Nel 1810 torna con la moglie, Enrichetta Blondel, a Milano. Manzoni frequenta gli intellettuali romantici e sviluppa un pensiero politico liberale e moderato: è favorevole a un'Italia unita e libera dagli stranieri. In questi anni inizia la sua carriera di scrittore e compone poesie e opere teatrali. La prima pubblicazione del romanzo che diventerà poi *I promessi sposi* è del 1827. Da questa data in poi, Manzoni si impegna quasi esclusivamente a rivedere il suo romanzo, soprattutto dal punto di vista della lingua. Dopo la morte della moglie e di molti dei suoi figli, si risposa nel 1837. Nel 1861 è nominato senatore del nuovo Regno d'Italia. Muore nel 1873 e, a un anno dalla sua morte, il musicista Giuseppe Verdi (1813-1901) scrive in sua memoria una *Messa da requiem*.

◉ Verso il testo

1. Leggi le definizioni qui sotto e completa correttamente lo schema della gerarchia della Chiesa cattolica nella pagina seguente.

papa capo assoluto della Chiesa cattolica.
cardinali sacerdoti nominati dal papa, che hanno funzioni importanti e che possono partecipare al conclave per eleggere un nuovo papa.
vescovi ministri della Chiesa che sono a capo di una diocesi, cioè di un territorio posto sotto la loro guida spirituale e la loro amministrazione.
curati, parroci sacerdoti che sono a capo di una parrocchia, cioè di una parte di territorio di una diocesi.

● Francesco Gonin, *Don Abbondio*, 1840, incisione per *I promessi sposi*.

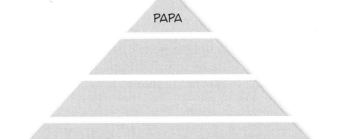

PAPA

2. Leggi il breve riassunto dell'inizio della vicenda del romanzo. Quale sarà, secondo te, lo sviluppo della trama?

I promessi sposi, il più importante e famoso romanzo italiano dell'Ottocento (vedi lo Zoom sulla cultura, p. 44), racconta la storia di Renzo e Lucia. La vicenda è ambientata nella Lombardia del 1600 occupata dagli spagnoli. In un paesino sul lago di Como, Don Rodrigo, un prepotente signore della zona, ordina al curato del paese, Don Abbondio, di non celebrare il matrimonio fra Renzo e Lucia perché vuole avere Lucia per sé. Il sacerdote continua a rimandare il matrimonio senza dire le vere ragioni ai due futuri sposi.

● Francesco Gonin, *Renzo, Lucia e Agnese*, 1840, incisione per *I promessi sposi*.

Renzo, il giorno fissato per le nozze, si reca da Don Abbondio per gli ultimi preparativi, ma il prete gli dice che quel giorno non potrà sposarli, senza dare una spiegazione chiara di ciò. Renzo si insospettisce per l'atteggiamento di Don Abbondio e si rivolge a Perpetua, la sua domestica, per farsi dire la verità.

«Buon giorno, Perpetua: io speravo che oggi si sarebbe stati allegri insieme».

«Ma! quel che Dio vuole, il mio povero Renzo».

«Fatemi un piacere: quel benedett'uomo[1] del signor curato m'ha impastoc-
5 chiate certe ragioni[2] che non ho potuto ben capire: spiegatemi voi meglio perché non può o non vuole maritarci *[sposarci]* oggi».

---

1. benedett'uomo: espressione usata nel passato per esprimere un senso di affettuoso rimprovero verso una persona.

2. m'ha impastocchiate certe ragioni: Renzo sospetta che Don Abbondio, per giustificare il rifiuto di celebrare il matrimonio, gli abbia dato motivazioni confuse e complicate proprio per imbrogliarlo.

«Oh! vi par egli ch'io sappia[3] i segreti del mio padrone?»

"L'ho detto io, che c'era mistero sotto", pen-

10 sò Renzo; e, per tirarlo in luce *[scoprirlo]*, conti-nuò: «Via, Perpetua; siamo amici; ditemi quel che sapete, aiutate un povero figliuolo[4]».

«Mala *[brutta]* cosa nascer povero, il mio caro Renzo».

15 «È vero», riprese questo, sempre più confer-mandosi ne' *[trovando conferma ai]* suoi sospetti; e, cercando d'accostarsi più alla questione, «è vero», soggiunse, «ma tocca ai preti a trattar male co' poveri[5]?»

20 «Sentite, Renzo; io non posso dir niente, perché... non so niente; ma quello che vi posso assicurare è che il mio padrone non vuol far torto *[ingiustizia]*, né a voi né a nessuno; e lui non ci ha colpa».

25 «Chi è dunque che ci ha colpa?», domandò Renzo, con un cert'atto trascurato, ma col cuor sospeso, e con l'orecchio all'erta[6].

«Quando vi dico che non so niente... In difesa del mio padrone, posso parlare; perché mi fa

30 male sentire che gli si dia carico *[colpa]* di voler far dispiacere a qualcheduno *[qualcuno]*. Po-ver'uomo! se pecca, è per troppa bontà. C'è bene a questo mondo de' birboni, de' prepotenti, degli uomini senza timor di Dio...»

"Prepotenti! birboni!", pensò Renzo: "questi non sono i superiori[7]". «Via», disse

35 poi, nascondendo a stento *[a fatica]* l'agitazione crescente, «via, ditemi chi è».

«Ah! voi vorreste farmi parlare; e io non posso parlare, perché... non so nien-te: quando non so niente, è come se avessi giurato di tacere. Potreste darmi la corda *[torturarmi]*, che non mi cavereste nulla di bocca *[fareste dire nulla]*. Addio; è tempo perduto per tutt'e due». Così dicendo, entrò in fretta nell'orto, e chiuse

40 l'uscio *[la porta]*.

(A. Manzoni, *I promessi sposi*, ristampa anastatica, Superpocket, Milano 1999)

◆ Renzo e Lucia in una raffigurazione contemporanea.

---

3. vi par ... sappia: in italiano contem-poraneo si dice "vi pare che io sappia".
4. un povero figliuolo: in italiano contemporaneo si dice "un povero ra-gazzo".
5. trattar male co' poveri: in italiano

contemporaneo si dice "trattar male i poveri".
6. con l'orecchio all'erta: "stare con l'orecchio all'erta" o semplicemente "stare all'erta" vuol dire stare attenti a non perdere neppure una parola di

quello che dice chi sta parlando.
7. i superiori: in questo caso Renzo al-lude ai sacerdoti che nella gerarchia della Chiesa stanno al di sopra di Don Abbondio, che è un semplice parroco di un paesino di campagna.

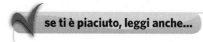

se ti è piaciuto, leggi anche... la pagina finale del cap. VIII che inizia con «Addio, monti sorgenti»

◉ Attività

1. Il testo di Manzoni contiene numerose espressioni dell'italiano dell'Ottocento, che, per facilitarti la lettura, sono elencate di seguito insieme alle espressioni corrispondenti in italiano contemporaneo. Abbina le espressioni che hanno lo stesso significato.

a. ☐ promessi sposi
b. ☐ vi par egli ch'io sappia
c. ☐ per tirarlo in luce
d. ☐ mala cosa
e. ☐ accostarsi
f. ☐ con un cert'atto trascurato
g. ☐ e con l'orecchio all'erta
h. ☐ c'è bene a questo mondo de' birboni
i. ☐ potreste darmi la corda
l. ☐ non mi cavereste nulla di bocca

1. potreste torturarmi
2. fidanzati che si sono scambiati una promessa di matrimonio
3. avvicinarsi
4. per farlo vedere
5. brutta cosa
6. non riuscireste a farmi parlare
7. ben attento ad ascoltare
8. facendo finta di non dare importanza alla cosa
9. ci sono delinquenti in questo mondo
10. le sembra che io sappia

2. Leggi fino a riga 8.

a. Chi sono i personaggi?
b. Che cosa sarebbe dovuto accadere in quella giornata?
c. Che cosa vorrebbe sapere Renzo?
d. Quale parola nella risposta di Perpetua «Oh! vi par egli ch'io sappia i segreti del mio padrone?» rivela a Renzo che c'è sotto un mistero?

3. Termina la lettura.

a. Sottolinea verbi ed espressioni che indicano la tattica di Renzo, cioè le varie mosse studiate per ricavare informazioni da Perpetua. Tieni presente che Don Abbondio, la sera prima, aveva confidato a Perpetua di essere stato minacciato e le aveva raccomandato: «Per amor del cielo! Non fate pettegolezzi […] ne va della mia vita!».

b. Come definiresti il modo in cui Renzo cerca di convincere Perpetua a dirgli il vero motivo per cui Don Abbondio non vuole celebrare il matrimonio?
☐ diretto
☐ indiretto
☐ sincero
☐ impetuoso
☐ abile

c. Evidenzia nel testo la frase che conferma il sospetto di Renzo che Perpetua non dica la verità.

d. Che cosa rivela la risposta di Perpetua?
☐ Che non sa nulla.
☐ Che sa, ma non vuole dire.
☐ Che non direbbe, anche se sapesse.

◉ Francesco Gonin, *Renzo*, 1840, incisione per *I promessi sposi*.

Le tappe dello sviluppo dell'italiano contemporaneo

1827 Pubblicazione dei *Promessi sposi*

Ancora prima della proclamazione dell'unità d'Italia, Alessandro Manzoni pubblicò *I promessi sposi*, il più importante e famoso romanzo dell'Ottocento, che segnò una svolta nello sviluppo della lingua e della letteratura italiana.

Secondo Manzoni, per raggiungere l'obiettivo di un'Italia linguisticamente unita, uno dei dialetti italiani doveva diventare la lingua di tutta la popolazione. Per il suo romanzo, quindi, scelse di usare una lingua vicina al fiorentino parlato dalle classi istruite. La sua opera contribuì ad avvicinare l'italiano scritto a quello parlato. La scelta di Manzoni fece sì che la lingua da lui utilizzata rimanesse per molti anni il modello per l'italiano scritto.

● Televisore anni Cinquanta sintonizzato sulla Rai.

1861 Unità d'Italia

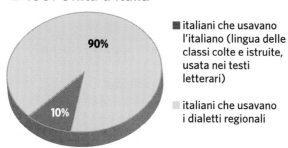

90%

10%

■ italiani che usavano l'italiano (lingua delle classi colte e istruite, usata nei testi letterari)

■ italiani che usavano i dialetti regionali

1861-1954

L'italiano si affermò come lingua nazionale e l'Italia divenne bilingue. Le classi popolari tendevano a usare solo il dialetto, mentre le classi sociali più alte usavano sia l'italiano sia il dialetto, a seconda dei diversi contesti familiari o sociali. Il dialetto da questo momento fu collegato a un giudizio di inferiorità sociale.

L'unità linguistica si completò nel tempo grazie ad alcuni fattori.

- **La formazione di un esercito nazionale:** soldati provenienti da diverse parti del nuovo Stato avevano bisogno di una lingua comune per comunicare.
- **Un sistema burocratico** comune a tutto il Paese.
- **L'industrializzazione e l'urbanizzazione:** la gra-

duale migrazione della popolazione dalla campagna alla città coincise con un parziale abbandono del dialetto.

- **La migrazione interna:** masse di persone si spostarono dalle regioni più povere a quelle più ricche in cerca di lavoro, con la necessità di una lingua comune per comunicare con i nuovi concittadini.
- **L'istruzione obbligatoria:** all'inizio solo per i primi due anni delle elementari (1859), poi fino ai cinque anni delle elementari (1904) e ai tre della scuola media (1962).
- **La stampa:** i giornali semplificarono molto il linguaggio per raggiungere un pubblico di lettori più vasto.
- **Il cinema, la radio e la televisione** (che iniziò le sue trasmissioni in Italia nel 1954)**:** proprio le trasmissioni televisive completarono definitivamente l'unità linguistica.

1954-60

Con l'ampliarsi delle trasmissioni televisive, che offrivano anche programmi di insegnamento della lingua nazionale, si diffuse l'uso dell'italiano in tutte le classi sociali, anche se i dialetti continuarono a essere parlati nell'ambito più intimo e privato e in maniera più consistente in alcune regioni (per esempio nel Veneto), meno in altre.

◎ 1961 a oggi

L'italiano oggi è un insieme di **varietà linguistiche** che dipendono dalle zone in cui la lingua viene usata, dai contesti comunicativi, dai media e dai gruppi sociali.

◎ Varietà linguistiche

- **Varietà temporali:** con il passare del tempo si verifica una naturale evoluzione linguistica (l'italiano dell'Ottocento, quello di oggi ecc.). Per esempio, se si collocano i testi in questo capitolo su una linea del tempo, si può vedere l'evo-

luzione della lingua da Manzoni (1827) a Grossi (2006).

- **Varietà geografiche:** la lingua varia in base alla zona in cui è parlata (l'italiano di Napoli, di Roma, di Firenze ecc.). Già in questo capitolo hai potuto "assaggiare" esempi di queste varietà geografiche in De Crescenzo (Campania), Meneghello (Veneto), Ginzburg (Venezia Giulia).

- **Varietà sociali:** la lingua varia in base alla classe o gruppo sociale che la parla (l'italiano delle persone colte, delle persone non istruite, dei giovani ecc.).

- **Varietà contestuali:** la lingua varia in base al contesto d'uso (linguaggio burocratico, della pubblicità, giuridico ecc.).

I prestiti

In alcuni testi di questo capitolo ci sono diverse parole straniere. Le parole straniere che vengono utilizzate nella lingua italiana si chiamano **prestiti**. Sono prestiti la parola *computer*, che viene dall'inglese, *relais* che viene dal francese, *bunker* che proviene dal tedesco.

Alcune parole, specialmente quelle introdotte più recentemente, mantengono la forma originaria che hanno nella lingua di provenienza, come *privacy*, *équipe*, *blitz*, e vengono riconosciute come parole straniere.

Altre parole come *bar*, *fon* e *autobus*, invece, anche se sono rimaste nella forma originaria, sono ormai considerate come parole italiane.

Spesso l'introduzione di una parola straniera avviene in campi specialistici, quando non esiste un termine equivalente per definire un nuovo oggetto o una nuova idea: è successo, per esempio, con i termini dell'informatica e delle nuove tecnologie, come *mouse*, *modem*, *newsletter*, *download*, *hacker* ecc.

Nel caso di altre parole straniere, invece, la loro introduzione avviene anche se l'italiano ha un termine equivalente. Questo tipo di prestito si sta diffondendo sempre di più: esempi di questa tipologia sono *check-up* (controllo), *show* (spettacolo), *weekend* (fine settimana), *boss* (capo) ecc.

I prestiti sono usati sia nella lingua scritta sia in

quella parlata, soprattutto nel linguaggio giovanile e nei linguaggi specialistici, come quello dei media e dello sport. Sono usati in modo creativo anche in letteratura, soprattutto in quella contemporanea, e in quella che cerca di riprodurre il linguaggio giovanile.

Infine, non possiamo ignorare l'**origine latina della lingua italiana** e il fatto che usiamo moltissime parole latine nella vita quotidiana, a volte senza saperlo. Alcuni termini sono così radicati che non è assolutamente necessario aver studiato il latino per usarli, come *gratis*, *amen*, *extra*, *bis*, *lapsus* ecc.

1. Leggi il brano qui sotto tratto da *Paso Doble* di Giuseppe Culicchia. Sostituisci le parole inglesi e le espressioni che contengono una parola inglese con l'equivalente italiano, scegliendolo tra le parole dell'elenco seguente.

abilità / a tempo pieno / conferenza / direzione generale / gruppo / negozio / ufficio / suggerimento / non abbiamo superato il limite di spesa / pianificazione dello sviluppo dell'impresa / riunione informativa

«Ieri ho partecipato a una convention ai massimi livelli. Visto che il lavoro aumenta e noi siamo in budget hanno stabilito di assumere un altro addetto alla vendita. Che cosa ne diresti di un cambiamento di orario in modo da passare a lavorare full-time sulle cassette? Il tuo contratto di formazione verrà rinnovato e trasformato in assunzione definitiva [...]».
   «Perché proprio io?»
«[...] Qui c'è bisogno di qualcuno che si occupi dei video con Egidio. Questo mi permetterà di ricevere i rappresentanti su nell'office e di dedicarmi al business-planning».
   «Capisco».
«Imparare nuovi skills ovviamente richiede tempo. Forse all'inizio dovrai fare altri straordinari. Ma i sacrifici pagano, credimi ... Io ne ho fatti molti e guarda dove sono arrivato», [...]. «Il nuovo assetto mi darà modo di seguire meglio la gestione strategica dello shop, secondo l'input ricevuto durante il briefing di ieri con il Top Management del Team».

(G. Culicchia, *Paso Doble*, Garzanti, Milano 1995)

2. In italiano esistono i falsi anglicismi, cioè parole inglesi che sono usate in italiano con un significato diverso rispetto alla lingua originale, o parole che sembrano inglesi, ma che invece in questa lingua non esistono. Completa le frasi inserendo correttamente i falsi anglicismi dell'elenco seguente.

zapping / spot / toast / ticket / pullman / jolly / golf / footing / beauty farm / autostop

a. Per fortuna avevo due .... in mano e così ho vinto la partita a carte.
b. Marco va a fare .... tutte le mattine per tenersi in forma.
c. Quando ero giovane e non avevo la macchina viaggiavo spesso in ....
d. Il mese prossimo vado in una .... per rilassarmi un po'. Non vedo l'ora... farò la sauna e l'idromassaggio tutti i giorni!
e. Metti un .... nella valigia perché potrebbe fare freddo in montagna.
f. In Italia le medicine non sono gratuite, ma non si pagano interamente, si paga una percentuale che si chiama ....
g. Hai visto l'ultimo .... sui telefoni cellulari in televisione? Hanno deciso di non usare più persone famose, ma gente comune. Mi sembra giusto!
h. Per pranzo ho avuto il tempo di mangiare solo un .... nel bar accanto all'ufficio.
i. Smettila di fare ....! Non riesco mai a vedere un programma televisivo completo con te.
l. Quando andavo a scuola, il momento più bello delle gite scolastiche era il viaggio in .... verso la nostra destinazione.

Palestra linguistica

1. Famiglie di parole **T1** P. 14 Completa la tabella con le parole che hanno la stessa radice o una parte di significato in comune.

rapire / rilasciare / sequestro / riscatto / rapinatore / ricattatore

verbo	nome di cosa	nome di persona
	rapimento	rapitore
sequestrare		sequestratore
rapinare	rapina	
	rilascio	–
riscattare		–
ricattare	ricatto	

2. Campi semantici di corpo umano, computer, automobile **T1** P. 14, **T2** P. 18, **T5** Inserisci le seguenti parole nel gruppo corretto.

virus / video / palpebre / pistoni / software / pilota / piede / telecamera / orecchio / occhio / naso / monitor / mailing list / lunotto / labbra / hardware / gippone / fuoristrada / faccia / display / cruscotto / compact disc / collo / cilindri / casello / capelli / autostrada

a. corpo umano ....

b. computer ....

c. automobile ....

3. Campo semantico del lavoro **T7** P. 31 Rileggi il testo di De Crescenzo e completa lo schema con le parole collegate per significato alla parola *lavoro*.

LAVORO

4. Aggettivi e loro contrario **T8** P. 35 Completa le frasi con il contrario degli aggettivi indicati tra parentesi.

a. Aveva un tavolo .... (*moderno*) che completava l'arredamento della sua stanza.

b. La giacca che indossava aveva un taglio perfetto e gli dava un'aria .... (*sgraziato*).

c. Era sempre molto .... (*impacciato*) con le ragazze, che lo amavano molto.

d. La parola era perfettamente .... (*inappropriato*) alla situazione e al contesto.

e. La mamma era più .... (*severo*) di papà e ci lasciava fare di tutto.

f. Luisa era .... (*stupido*) e molto sveglia.

g. Il tempo passava .... (*lento*).

h. Mio padre era molto .... (*duro*) con noi.

i. L'atmosfera era spesso .... (*rilassato*) e .... (*gradevole*).

47

5. DIVERSI SIGNIFICATI DELLA PAROLA *campagna* **T9** P. 37
La parola *campagna* può avere i seguenti significati.

1. estensione di terra coltivata o incolta fuori dalla città
2. insieme di battaglie e azioni militari
3. periodo intenso in cui si fa pubblicità e si lancia sul mercato un determinato prodotto

Leggi le frasi e indica in ciascuna il significato che ha la parola *campagna*.

a. Sono rimasto favorevolmente colpito dall'originalità della campagna della Ferrari.
(significato 1. ☐ / 2. ☐ / 3. ☐)
b. Abitava in un luogo solitario in aperta campagna, lontano dalla città e dalla confusione del traffico.
(significato 1. ☐ / 2. ☐ / 3. ☐)
c. La campagna di Russia fu lunga ed estenuante e alla fine il freddo inverno vinse le truppe di Napoleone.
(significato 1. ☐ / 2. ☐ / 3. ☐)

6. DEFINIZIONE DI SIGNIFICATO **T10** P. 40 **Completa le frasi con l'espressione corretta.**

a. Scostarsi vuol dire
☐ allontanarsi un po'.
☐ andare lontano dalla costa.
b. Discostarsi vuol dire
☐ cambiare posizione.
☐ deviare.
c. Accostarsi vuol dire
☐ avvicinarsi.
☐ seguire la costa.

7. SCELTA DI SIGNIFICATO **In ciascuna frase indica quale significato ha l'aggettivo sottolineato, scegliendolo tra i due indicati tra parentesi.**

a. Con il passare degli anni era diventato completamente sordo (*che non ci sente / insensibile*), perciò non era facile comunicare con lui.
b. La sua passione per Luisa lo rendeva cieco (*privo della vista / irragionevole*) e lo faceva cadere spesso in errore.
c. È stata una decisione storica (*che riguarda la storia / degna di essere ricordata*) che avrà conseguenze per molto tempo in futuro.

d. In quel punto della costa il mare era molto profondo (*che sta a grande distanza dalla superficie / intenso, forte*).
e. Andrea aveva un modo di ragionare sottile (*di forma snella e slanciata / acuto, intelligente*), che gli faceva sempre cogliere gli aspetti più nascosti di un problema.
f. La sua faccia era rossa e congestionata (*colpita da un afflusso di sangue oltre il normale / affollata*) e il suo respiro affannoso.

8. MODI DI DIRE **Abbina i modi di dire alle spiegazioni corrispondenti, come nell'esempio.**

a. ☑3 essere alle strette
b. ☐ dare dello stupido
c. ☐ crepare di caldo
d. ☐ stare in santa pace
e. ☐ essere di moda
f. ☐ allungare il collo
g. ☐ stare col cuore sospeso

1. stare tranquilli
2. essere nell'incertezza
3. essere in una situazione particolarmente difficile
4. curiosare, guardare con curiosità
5. soffrire moltissimo per il caldo
6. essere corrispondente ai gusti del momento
7. rivolgersi a qualcuno insultandolo

9. SUFFISSO *-mento* **Completa le frasi come nell'esempio.**

a. Nella parola *ringraziamento* trovo la parola grazie.
b. Nella parola *scoraggiamento* trovo la parola
....
c. Nella parola *rapimento* trovo la parola
....
d. Nella parola *rovesciamento* trovo la parola
....
e. Nella parola *arricchimento* trovo la parola
....
f. Nella parola *popolamento* trovo la parola
....
g. Nella parola *insegnamento* trovo la parola
....

10. Suffisso -zione Scrivi i nomi che si formano dai seguenti verbi con l'aggiunta del suffisso -zione, come nell'esempio.

a. continuare ⟶ continuazione
b. sovrapporre ⟶ ....
c. esitare ⟶ ....
d. misurare ⟶ ....
e. imporre ⟶ ....
f. graduare ⟶ ....

11. Elisione e troncamento **T1** P. 14 Completa le frasi scegliendo la parola corretta tra le due indicate tra parentesi.

a. Si avvicinò .... (all' / allo) ingresso dell'apertura e guardò dentro.
b. .... (L' / La) immagine diventava sempre più sfocata.
c. .... (Da / D') ora in poi .... (lo / l') avrei avuto sempre davanti agli occhi.
d. .... (Nessun / Nessuno) essere umano avrebbe potuto dire .... (quello / quel) che provavo in .... (quello / quel) momento.
e. Potresti andare un .... (po' / poco) più in là?
f. Aveva dei .... (belli / bei) capelli neri.
g. Mi ero svegliato con un forte .... (male / mal) di testa.

12. Nomi con doppio plurale **T1** P. 14 Completa le frasi scegliendo l'espressione corretta tra le due indicate tra parentesi.

a. Avrebbe voluto trovarsi tra .... (i bracci / le braccia) della mamma.
b. Si toccava con un'espressione di sofferenza .... (i labbri / le labbra) della ferita.
c. Aveva .... (i ginocchi / le ginocchia) doloranti per le ferite.

d. Michele aveva sempre la sorella più piccola .... (alle calcagna / ai calcagni).
e. .... (I diti / Le dita) della sua mano erano .... (tozzi / tozze) e .... (arrossati / arrossate).
f. Era così magro che gli si vedevano .... (tutti / tutte) .... (gli ossi / le ossa).
g. Michele voleva assicurarsi che il bambino avesse ancora .... (gli orecchi / le orecchie).

13. Plurale dei nomi Completa le frasi con il plurale dei nomi indicati tra parentesi.

a. La stazione degli .... (autobus) si trovava a pochi metri dall'hotel.
b. Tra tutti i .... (fuoristrada) che avevo visto, il primo era quello che mi piaceva di più.
c. Mancavano ancora un paio di .... (match) alla fine del campionato.
d. I .... (trend) di vendita erano aumentati dopo che era partita la campagna pubblicitaria.
e. I .... (monitor) si erano spenti improvvisamente e non potevamo più controllare i dati.
f. Con ben tre .... (fuoricampo) spettacolari si era aggiudicata la terza partita.
g. Gli .... (autista) procedevano lentamente a causa della lunga fila che si era formata al casello dell'autostrada.
h. I .... (problema) tra di noi erano sempre gli stessi.
i. Ci eravamo incontrati qualche volta nei .... (bar) del quartiere.

14. FEMMINILE DEI NOMI **Completa le frasi con il femminile dei nomi indicati tra parentesi.**

a. Quand'era piccola, era una grande
.... (*giocatore*) di carte.

b. È arrivata la nuova ....
(*insegnante*) di italiano. Sembra simpatica.

c. Era una brava .... (*ragazzo*),
generosa e comprensiva.

d. La protagonista del romanzo che sto
leggendo è una .... (*conte*)
russa.

e. Hanno cambiato la ....
(*dirigente*) dell'associazione , speriamo che
sia più capace di quella che c'era prima.

f. Non dimenticare che la ....
(*padrone*) di casa sono io!

g. Sono stato dalla mia ....
(*avvocato*) e mi sono fatto spiegare bene
i miei diritti.

15. NOMI ALTERATI **In ciascuna frase indica il significato che ha la parola sottolineata, scegliendolo tra i due indicati tra parentesi.**

a. È stata proprio una <u>seratina</u>
(*piccola sera / serata particolare*)
da ricordare. Specialmente quando Mario
si è messo a cantare nel cuore della notte.

b. Siete stati alla fiera dei <u>fumetti</u> (*racconti
formati da una serie di disegni / vapori piccoli
e continui*) che hanno allestito sul
lungofiume? È una delle più interessanti
che c'è in Italia.

c. Sto facendo una dieta: il medico mi ha
consigliato di mangiare del <u>nasello</u>
(*naso grazioso / tipo di pesce*) al vapore,
ma è davvero poco saporito.

d. Sono arrivati un paio di <u>cervelloni</u>
(*cervelli grandi / studiosi*) dalla facoltà
di Economia dell'università e hanno
immediatamente risolto il problema.

e. Ho ritrovato una vecchia <u>cassetta</u>
(*piccola cassa / contenitore di plastica
che contiene un nastro registrato*) con
registrate le voci dei nostri zii emigrati
in America.

f. Siamo rimasti colpiti dalla bellezza del
<u>rosone</u> (*grande fiore / grande finestra
circolare molto decorata*) di quella
cattedrale medievale.

g. Il pittore ha rimosso il quadro dal
<u>cavalletto</u> (*piccolo cavallo / supporto per
quadri*), perché ormai era finito.

h. Mi piacevano tanto gli <u>spaghetti</u> (*piccoli
spaghi / tipo di pasta*) che cucinava mia
nonna.

16. VERBI IMPERSONALI **T6** P. 26 **Completa le frasi con
la forma corretta dei verbi *bisognare*, *parere*,
sembrare.**

a. Mi .... di essere
completamente disorientato dal rumore
e dalla folla.

b. .... che fossero su una
pista da corsa, non su una strada
normale.

c. Quando arriva l'inverno, ...
cambiare abitudini.

d. .... di essere nella cabina
di pilotaggio di un aeroplano invece che
in una macchina.

e. La tua opinione non mi ....
sufficientemente motivata.

f. Domani .... che prendiamo
una decisione.

17. ESSERE / ESSERCI **Completa le frasi con l'indicativo imperfetto del verbo *essere* o *esserci*.**

a. Il bambino .... rannicchiato
sotto la coperta.

b. .... una puzza tremenda
tutto intorno.

c. I denti gli .... diventati tutti
neri.

d. In negozio .... monitor,
telecamere e computer.

e. Al corso di italiano .... una
bella ragazza bionda che viene da New York.

f. .... questo il mio stato
d'animo, mentre correvo in autostrada.

18. USO DELL'AUSILIARE **Completa le frasi scegliendo la forma verbale corretta tra le due indicate tra parentesi.**

a. Alessandro Manzoni ....
   (*è trascorso / ha trascorso*) alcuni anni in Francia.

b. Natalia Ginzburg .... (*si è sposata / si ha sposato*) due volte.

c. Luciano De Crescenzo ....
   (*è ottenuto / ha ottenuto*) grande successo sia come scrittore che come autore televisivo.

d. Enrico Brizzi .... (*è pubblicato / ha pubblicato*) il suo primo romanzo nel 1994.

e. Dal primo romanzo di Culicchia .... (*è stato ricavato / ha stato ricavato*) un film che ha avuto grande successo.

f. Niccolò Ammaniti ....
   (*ha diventato / è diventato*) famoso quando ha pubblicato *Io non ho paura*.

19. PARTICIPIO PASSATO **Completa le frasi con il participio passato dei verbi indicati tra parentesi.**

a. La coperta lo copriva tutto. L'ho .... (*tirare*) via per permettergli di respirare.

b. Il direttore la decisione l'ha .... (*prendere*) dopo avere esaminato i risultati delle vendite del mese.

c. Siamo .... (*rimanere*) impegnati per tutta la durata del nostro soggiorno in Inghilterra.

d. Si sono .... (*sentire*) molto soddisfatti delle prestazioni della loro auto.

e. Il posto di lavoro l'ho .... (*trovare*) nel campo dei calcolatori elettronici.

20. CONNETTIVI TEMPORALI **Unisci le coppie di frasi creando tra loro un rapporto di tempo attraverso uno dei seguenti elementi di connessione:** *quando, nello stesso tempo, dopo che, mentre.*

a. Fu chiaro che non voleva più stare con lui.
   Si decise a lasciarla andare via.
   ....

b. Vide che non si muoveva.
   Si preoccupò.
   ....

c. Leggeva un libro.
   Ascoltava la musica per radio.
   ....

d. Capì che non stava dicendo la verità.
   Pensò di rivolgersi a un altro.
   ....

e. Taceva.
   Parlava con l'espressione del viso e degli occhi.
   ....

f. È arrivata la posta.
   Luigi stava scrivendo la sua lettera ad Andrea.
   ....

g. Spuntò il sole.
   Aveva preso la sua decisione.
   ....

h. È arrivato il treno.
   Salgo nella carrozza numero 7.
   ....

i. Ascolto spesso la mia musica preferita.
   Studio.
   ....

Paesaggi, città e paesi

L'Italia è molto varia dal punto di vista geologico e climatico e ha una ricca varietà di paesaggi sia montani che marini. I brani scelti per questo capitolo descrivono zone, ambienti naturali, città e paesi tipici dell'Italia, alcuni dei quali sono mete turistiche molto frequentate e conosciute anche dai turisti stranieri.

1 **Abbina le didascalie alle immagini corrispondenti della pagina precedente.**

a. ☐ Veduta di Pisa con la torre pendente.
b. ☐ Veduta dell'Etna, vulcano siciliano ancora molto attivo.
c. ☐ Venezia con il Palazzo Ducale in primo piano.
d. ☐ Roma e il Colosseo.
e. ☐ Veduta del Monte Bianco, il più alto monte italiano.
f. ☐ Panorama di una tipica costa marina della Sardegna.

2 **Confronta le tre coppie di immagini e scrivi dei paragoni usando gli aggettivi dell'elenco seguente.**

abitato / affollato / deserto / elegante / popolare / selvaggio / invitante / noioso / pittoresco / stressante

① a. Canazei, nota località turistica delle Dolomiti.
   b. La Croda dei Toni, montagna delle Dolomiti alta più di 3000 m.

② a. Spiaggia di Cattolica, in Emilia-Romagna.
   b. Spiaggia di Tropea, in Calabria.

③ a. Piazza delle Erbe a Verona.
   b. Galleria Vittorio Emanuele a Milano.

T1   Giorgio Scerbanenco

Traditori di tutti

Giorgio Scerbanenco nasce a Kiev nel 1911, da madre italiana e padre ucraino, e si stabilisce a Milano a 16 anni. Nonostante le sue origini, si considera italiano. Inizia la carriera come collaboratore di riviste femminili. Pubblica numerosi romanzi di genere, dal western alla fantascienza, alla letteratura rosa, ma ottiene un grande successo con i romanzi gialli, perlopiù ambientati nell'Italia del dopoguerra. Muore nel 1969. In sua memoria è istituito il Premio Giorgio Scerbanenco, il più importante riconoscimento per la narrativa italiana di genere *noir*.

Verso il testo

1. Guarda le due fotografie di Milano, una degli anni Settanta e una dei giorni nostri. Quali dei seguenti aspetti rivela maggiormente la diversità fra le due epoche?

   ☐ i mezzi di trasporto
   ☐ l'abbigliamento delle persone
   ☐ l'acconciatura delle persone
   ☐ i negozi
   ☐ gli edifici
   ☐ le insegne
   ☐ la presenza o assenza di alcune strutture

● Il canale del Naviglio a Milano.

Nel breve brano che segue il protagonista del romanzo, Duca Lamberti, e il suo aiuto Mascaranti, che stanno indagando sull'omicidio di una giovane donna, si fermano a fare benzina in una piazza di Milano.

Dopo il temporale il cielo di Milano, perché Milano ha un cielo, divenne di un azzurro più acceso [intenso] del cielo del Plateau Rosa[1]; al di là dei palazzi, dai terrazzi agli ultimi piani, si vedevano chiarissimamente le montagne dalle cime nevose. L'uomo del distributore di benzina in piazza della

5 Repubblica, dal quale Mascaranti si era fermato, aveva una tuta celeste, era volonteroso, non leggeva i giornali e non sapeva nulla, ogni notte a Milano muoiono diverse persone, oltre che di giorno, per i motivi più diversi, dalla broncopolmonite al mitragliamento in Ripa Ticinese[2], lui non poteva compiangerle [aver pietà di] tutte e del resto non tutte erano da compiangere; non avevano mai neppure

10 pure tentato di rapinarlo dell'incasso del distributore, e quindi tutto il suo mondo aveva una dimensione normale, vivibile, se non felice. Duca Lamberti osservò il contatore del distributore, sotto il sole trionfale, nel verde ruggente di primavera dei geometrici praticelli della piazza.

(G. Scerbanenco, *Traditori di tutti*, la Repubblica-L'Espresso, Roma 2009)

---

1. Plateau Rosa: ghiacciaio delle Alpi Pennine, appena oltre il confine svizzero.

2. Ripa Ticinese: zona di Milano, che si estende lungo il canale del Naviglio, a sud della città. All'epoca era ritenuta una zona di malavita e perciò malfamata.

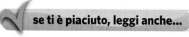 **se ti è piaciuto, leggi anche...** G. Scerbanenco, *Venere privata*

Attività

1. Leggi il testo.

  a. Sottolinea tutte le espressioni che descrivono i luoghi e le condizioni atmosferiche.

  b. Prevalgono immagini della natura o della città? Creano una sensazione positiva o negativa?

2. Rileggi il testo ed esamina gli aspetti della vita cittadina descritti.

  a. Quali valori opposti emergono?

  b. Quale aspetto viene enfatizzato dalla descrizione dell'elemento naturale?

3. Secondo te, gli aspetti opposti sono una caratteristica tipica di tutte le città? Perché?

●●○○○○○○○

T2 Marco Paolini

I cani del gas

Nato a Belluno nel 1956, Marco Paolini è attore e autore teatrale. Il suo principale interesse è il recupero di episodi storici, di attualità o di particolare significato sociale, spesso riguardanti la sua regione, il Veneto. Il primo spettacolo che lo fa conoscere al grande pubblico è *Il racconto del Vajont* (1999): nella notte del 9 ottobre 1963 una gigantesca frana precipita sul bacino della diga costruita sul torrente Vajont, sopra Belluno, il bacino trabocca e inonda il paese sottostante, causando migliaia di morti. Tra gli spettacoli più recenti, *Ausmerzen: vite indegne di essere vissute* (2011), sulle teorie dell'eugenetica nazista, e *ITIS Galileo* (2012), sul rapporto tra scienza e superstizione.

⚲ Verso il testo

1. **Abbina le didascalie alle immagini corrispondenti.**

a. ☐ Le Alpi: questa importante catena montuosa separa l'Italia dal resto d'Europa.

b. ☐ Il Veneto è una regione italiana situata a nord-est. Il suo capoluogo è Venezia.

c. ☐ Le Torri del Vajolet si trovano nelle Dolomiti, catene montuose situate fra Veneto, Trentino e Alto Adige.

① ② ③

2. **Abbina le parole della geografia alle definizioni corrispondenti.**

a. ☐ acque sorgive   b. ☐ pascoli   c. ☐ alpeggi   d. ☐ monocoltura   e. ☐ prato

1. zone di montagna dove gli animali d'estate sono portati per mangiare
2. coltivazione, effettuata per un lungo periodo, di un unico vegetale su uno stesso campo
3. acque delle sorgenti che escono dal terreno per poi ingrossarsi e dare origine ai fiumi e ai torrenti
4. terreno coperto d'erba
5. terreni incolti in cui il bestiame mangia l'erba

3. Guarda l'immagine. Esiste questo tipo di paesaggio nel tuo Paese?

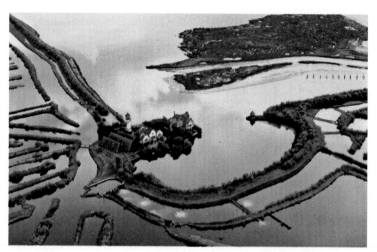

● Vista della laguna tra Venezia e Chioggia. La laguna è un tratto di mare vicino alla costa, con acqua bassa, che comunica con il mare aperto dal quale è separato da isole e strisce di terra o sabbia.

I cani del gas, da cui è tratto il seguente brano, è un libro costituito da appunti di viaggio che Paolini ha raccolto durante gli spostamenti su e giù per l'Italia, per i suoi spettacoli. Su questi appunti Paolini ha costruito poi il monologo teatrale Bestiario italiano *(2000). Nel testo che segue l'autore descrive alcune caratteristiche del paesaggio del Veneto e poi parla delle Dolomiti.*

>> mp3
traccia 6

Sono nato in collina (in base all'altimetro[1]), nella Valle del Piave[2], ai piedi delle prime Alpi. I miei avi *[antenati]* sono sepolti in quella che prima era la loro terra, espropriata[3] per allargare il cimitero.

Sono cresciuto in una città di pianura, di acque sorgive che l'attraversano in
5   una rete di canali fitti.

L'erba di montagna cresce soffice, fitta, compatta, nasconde il terreno, più si sale e meno cresce in fretta e nei pascoli degli alpeggi si mantiene bassa come se avesse imparato a regolarsi da sé, invita a distendersi *[sdraiarsi]*. Quella di pianura è più rigogliosa e invasiva, cresce nei campi ai bordi delle strade, s'infila nelle
10   crepe urbane[4] e non mette voglia di rotolarsi, di far capriole[5], solo voglia di tagliarla.

Anche se sono orgoglioso dell'erba buona dove sono nato, ho passato quasi tutta la mia vita tra le erbacce e non mi dispiace, anche perché lì ho trovato storie da raccontare. [...]
15   Arriviamo a Bolzano dopo la tournée[6] al Sud, è freddo, ma c'è il sole.

---

1. altimetro: strumento che indica l'altitudine di un punto rispetto al livello del mare. Le alture si definiscono colline fino a 600/700 metri di altezza e poi si definiscono montagne.
2. Valle del Piave: il fiume Piave attraversa il Veneto da Sappada sulle Dolo-

miti, a nord, fino allo sbocco al mare a Cortellazzo.
3. terra, espropriata: terra che i proprietari sono stati obbligati a vendere alle autorità locali.
4. crepe urbane: fessure che si aprono ai bordi delle strade e sui muri della città.

5. capriole: giravolte che si fanno appoggiandosi a terra con le mani o la testa e spingendo in aria le gambe per compiere un intero giro su se stessi.
6. tournée: serie di spettacoli che una compagnia teatrale compie in diversi luoghi, seguendo un preciso percorso.

Non mi piace la campagna della Val d'Adige[7], troppo invasiva la monocoltura delle mele e della vite, non c'è nemmeno un prato libero, bisogna salire in alto e allora tutto diventa più sopportabile.

Sono giorni bellissimi, salgo all'Alpe di Siusi e sull'Altipiano di Renon[8]. Perché
20 il Rosengarten in italiano si chiama Catinaccio?

Non ci sono fiori rosa lassù, ma le Torri del Vajolet, invisibili dal fondovalle[9], spiccano come denti in un paesaggio nudo e screpolato di cattedrali di roccia[10] per chi sale dalla ferrata del Passo Santner[11], lo sguardo non abbraccia vegetazione e si può fantasticare. Una notte lassù fa sentire nelle Ande[12], dove per chilometri non
25 c'è un filo d'erba. Qui lo spazio è più stretto, ma si lascia immaginare immenso.

È essenziale [fondamentale] trovare dei posti dove ti senti piccolo ogni tanto, essenziale come il silenzio, come il vuoto dell'orizzonte.

Nel Veneto tutto pieno solo alcune montagne e la laguna ti permettono questa sensazione, pochi vuoti a bilanciare un pieno rumoroso.

(M. Paolini, *I cani del gas*, Einaudi, Torino 2000)

---

7. Val d'Adige: è l'ampia e lunga valle, tra l'Alto Adige e il Trentino, percorsa dal fiume Adige.

8. Alpe di Siusi ... Renon: sono due altipiani dell'Alto Adige, ovvero zone pianeggianti ma alte sul livello del mare. Il primo è il più vasto altipiano d'Europa. Il secondo, nei pressi di Bolzano, parte dai 500 metri di altitudine e arriva fino a 2260 metri.

9. dal fondovalle: dal basso, in valle.
10. paesaggio nudo ... cattedrali di roccia: pieno di crepe; queste intagliano e scolpiscono un paesaggio che diventa così simile a una grande chiesa per via della sua grandezza e bellezza.
11. ferrata del Passo Santner: la strada "ferrata" è un passaggio nella roccia facilitato da sostegni di ferro su cui ci

si arrampica per superare i punti più ripidi. Il Passo Santner (2734 m) è un passaggio che attraversa un gruppo di cime del Catinaccio e, partendo dalla località trentina di Ciampedie ("campo di Dio", 2000 m), porta alle Torri del Vajolet.
12. Ande: grande catena montuosa dell'America meridionale, la cui cima più alta raggiunge i 6962 metri.

---

 se ti è piaciuto, leggi anche... M. Paolini, *Il racconto del Vajont*

Attività

1. Leggi fino a riga 14.

   a. In queste righe vengono nominati tre tipi di territorio, quali sono?

   b. Qual è l'elemento naturale che li accomuna?

2. Considera le descrizioni del paesaggio.

   a. Individua gli aggettivi riferiti all'erba e trascrivi quelli che corrispondono alle seguenti spiegazioni.

   1. L'erba è formata da tanti fili.

   2. L'erba cresce alta e forte.

   3. L'erba è morbida al tatto.

   4. I fili d'erba sono vicinissimi e formano come un tutto unico.

   5. L'erba cresce dappertutto.

   b. Quali sono i diversi effetti prodotti dall'erba di montagna e da quella di pianura, secondo l'autore? Quale è più positivo e perché?

3. L'autore dice di apprezzare anche le «erbacce». Per quale motivo? Che relazione trovi tra le erbacce, termine spregiativo, e le storie? Scegli una o due risposte.

☐ Le storie nascono solo dove ci sono cose brutte.

☐ Solo guardando con attenzione tutta la realtà, anche quella poco bella, si scoprono cose interessanti da raccontare.

☐ Per fare dei racconti bisogna ispirarsi comunque alla natura e al verde.

☐ Dove c'è abbondanza di cose si trovano anche storie interessanti.

4. Termina la lettura.

a. Che cosa descrive l'autore nella seconda parte del testo e che opinioni esprime?

b. Secondo te, perché salendo in alto, verso le montagne, «tutto diventa più sopportabile»?

☐ L'altitudine dà alla testa, ubriaca e rende leggeri.

☐ Le cose e le situazioni, viste dall'alto, perdono la loro forza schiacciante.

☐ In alto le persone si sentono più vicine al cielo, meno legate ai bisogni materiali.

☐ L'isolamento permette un più profondo contatto con se stessi.

☐ Altro ....

....

5. Leggi la scheda Parole e cultura qui sotto e trova la risposta alla domanda che si pone l'autore sul nome Catinaccio.

6. Guarda l'immagine delle Torri del Vajolet a p. 57 e considera la parte del testo in cui l'autore parla di queste montagne.

a. A che cosa sono paragonate e perché?

b. Quale caratteristica di questo paesaggio contrasta con la prima parte del testo? Che pensieri suscita?

c. Che cosa afferma l'autore a questo proposito?

PAROLE $\mathcal{C}$ CULTURA

Rosengarten/Catinaccio

Il Rosengarten è un gruppo montagnoso che si trova in Alto Adige, regione che, con il Trentino, forma il Trentino-Alto Adige. La regione, che prima era territorio austriaco, fu annessa all'Italia nel 1919, dopo la Prima guerra mondiale. Nel 1946, alla fine della Seconda guerra mondiale, all'Alto Adige fu riconosciuta l'autonomia amministrativa, per proteggere la minoranza linguistica tedesca. Si tratta di una minoranza a livello nazionale, ma di una maggioranza a livello locale. Ancora oggi, infatti, più della metà della popolazione dell'Alto Adige è di lingua tedesca, il che spiega perché ogni località, strada ecc. riporta sia la denominazione italiana sia quella tedesca.

Le cose, però, non sono andate sempre in questo modo. Tra il 1922 e il 1943 l'Italia fu governata dal regime fascista che, nel tentativo di esaltare l'importanza della nazione e della sua lingua, impose in Alto Adige un'italianizzazione forzata. Impedì l'uso ufficiale della lingua tedesca e tradusse in italiano i nomi propri di paesi e località. In questo caso vietò l'espressione tedesca *Rosengarten* ("giardino delle rose") e decise di adottare il nome Catinaccio, riprendendo il termine *Ciadenac* ("catenaccio"), che era quello usato dalla popolazione locale di lingua ladina per indicare il gruppo di montagne.

T3 Guido Piovene

Viaggio in Italia
La Toscana

Nato nel 1907, Guido Piovene inizia la sua carriera come giornalista.
È corrispondente estero per il «Corriere della Sera» da Parigi e da Londra e in
seguito collabora con «La Stampa». Nel dopoguerra si dedica al reportage di viaggio
e alla saggistica: *Viaggio in Italia* (1957) è una delle sue opere più famose. Con il
romanzo *Le stelle fredde* (1970) vince il Premio Strega. Muore nel 1974 a Londra.

◯ Verso il testo

1. **Guarda la cartina d'Italia. Individua le tre regioni Veneto, Toscana e Umbria e completa le frasi.**

   a. Il Veneto è nel nord-est d'Italia. Confina a nord
   con (1) ...., a ovest con
   (2) ...., a sud con
   (3) .... e a est con
   (4) ....

   b. La Toscana è (1) ....
   Confina a nord con (2) ....,
   (3) ....

   c. L' Umbria è (1) ....
   ....

2. **Abbina gli aggettivi ai gruppi di sinonimi o definizioni corrispondenti.**

   a. ☐ morbido
   b. ☐ duro
   c. ☐ selvaggio
   d. ☐ dolce
   e. ☐ severo
   f. ☐ preciso

   ① rigido, austero, sobrio, grave

   ② non coltivato, crudele, che non obbedisce a regole

   ③ esattamente delimitato, chiaro, nitido

   ④ che non si spezza, rigido, difficile

   ⑤ soffice, liscio, delicato, tenue

   ⑥ gradevole al gusto, gradevole alla vista, piacevole, affettuoso, armonioso

3. Guarda l'immagine. Quali aggettivi useresti per descrivere il paesaggio ritratto?

● Paesaggio toscano vicino a Siena.

Il testo seguente è tratto dalla parte iniziale di un lungo capitolo che parla della Toscana e di tutte le sue principali città.

La Toscana è tra le regioni del mondo più famose per la loro bellezza. È un luogo comune[1] parlare della dolcezza e della grazia dei suoi paesaggi. Le valli intorno a Firenze, nel Pistoiese, in Lucchesia[2] e altrove, con i loro giochi d'olivi chiari e di cipressi scuri, hanno una veste incantevole che sa di *[fa*
5 *pensare a]* pittura e di prospettiva artistica. Pure, ad osservarla bene, la dolcezza non è la più intima caratteristica della terra toscana, come invece dell'Umbria. Anche nelle parti più amene *[piacevoli]*, quali la valle del Mugello[3] ed il Chianti[4], sotto l'involucro *[il rivestimento]* grazioso si scopre una precisione, una purezza di contorni, uno scarno *[essenziale]* rigore *[precisione]* di disegno: mentre l'occhio s'in-
10 canta sulla *[resta affascinato dalla]* dolcezza delle prime trasparenze, scivola dentro l'anima una lezione più severa.

La bellezza toscana è una bellezza di rigore, di perfezione, talvolta di ascetismo[5], sotto l'aspetto della grazia. A differenza della collina veneta, languida *[sensuale]* e fantasiosa, quella toscana si direbbe disegnata da un artista cosciente, che
15 non lasci nulla al caso, e aborra dal *[non sopporti il]* superfluo, anche se poi, a lavoro finito, cosparge di[6] gentili ornati *[decorazioni]* la fondamentale secchezza della sua concezione. Il rigore del paesaggio toscano emerge in plaghe *[luoghi]* dove, come

---

1. luogo comune: opinione condivisa da molte persone, spesso senza basi reali.
2. nel Pistoiese, in Lucchesia: territori toscani intorno alle province di Pistoia e Lucca, rispettivamente.

3. Mugello: area geografica, a nord di Firenze, intensamente coltivata a viti e ulivi.
4. Chianti: area geografica, tra le province di Firenze e Siena, famosa per la produzione di un vino rosso che porta

lo stesso nome.
5. ascetismo: stile di vita di persone che vivono in solitudine, nella preghiera e nel digiuno, per raggiungere la perfezione dello spirito.
6. cosparge di: mette in abbondanza.

intorno a Siena e a Volterra[7], la creta[8] biancastra traluce *[emerge]* fra le vegetazioni, fissando come nel diamante i contorni di un paesaggio netto, duro e supremamente perfetto. Dunque un paesaggio intellettivo, imbevuto d'intelligenza, che sembra pensare esso stesso intorno all'uomo e nella maniera più alta.

20

(G. Piovene, *Viaggio in Italia*, Baldini Castoldi Dalai, Milano 2003)

7. a Siena e a Volterra: famose città d'arte nella parte meridionale della Toscana.

8. creta: roccia facilmente malleabile usata per la fabbricazione della ceramica.

 se ti è piaciuto, leggi anche... G. Piovene, *Spettacolo di mezzanotte*

Attività

1. Leggi fino a riga 11.

    a. Completa il seguente paragrafo, che riassume il pensiero dello scrittore sul paesaggio toscano, inserendo le parole elencate.

    forme / disegno / quadro / verde / dolce / paesaggio

    La maggior parte della gente definisce
il (1) .... toscano
grazioso e (2) .... ,
perché a prima vista sembra un
(3) .... d'artista per
le sue prospettive armoniose e le sue diverse
sfumature di (4) ....
Ma se si osserva più in profondità il
(5) .... delle sue
(6) .... si scopre che
il paesaggio nasconde una studiata
regolarità geometrica.

    b. A quale altra regione d'Italia lo scrittore paragona la Toscana e quali sono le differenze?

2. Termina la lettura.

    a. Sottolinea le parole e le espressioni che descrivono la vera essenza del paesaggio toscano secondo lo scrittore.

    b. A quale altra regione è paragonata la Toscana e che aspetto mette in luce il paragone?
    ☐ la somiglianza
    ☐ la bellezza
    ☐ il contrasto

3. Riguarda la fotografia del paesaggio toscano a p. 62 e la fotografia di un paesaggio veneto qui sotto.

    a. Descrivi le differenze più evidenti fra i due tipi di paesaggio.

    b. Quale di questi due paesaggi assomiglia di più a quelli della tua terra?

● Paesaggio dei Colli Euganei.

T4 Elsa Morante

L'isola di Arturo

Elsa Morante nasce a Roma nel 1912 e trascorre l'infanzia nel quartiere popolare di Testaccio. Fin da giovanissima mostra grandi doti intellettuali e creative: le sue storie e le poesie sono spesso pubblicate su riviste per ragazzi. Dopo il liceo, si iscrive all'università, ma non completa gli studi a causa delle difficoltà economiche. Comincia a dedicarsi completamente alla letteratura e riesce a introdursi con successo in un mondo letterario tradizionalmente chiuso e diffidente verso le donne. Nel 1941 pubblica il suo primo libro di racconti, *Il gioco segreto*, seguito dai romanzi *Menzogna e sortilegio* (1948), *L'isola di Arturo* (1957), dal poema in versi liberi *Il mondo salvato dai ragazzini* (1968) e, infine, dal suo romanzo più importante, *La Storia* (1975). Muore a Roma nel 1985.

◊ Verso il testo

1. Guarda l'immagine, che rappresenta l'isola in cui si svolge la vicenda del romanzo, e scrivi le parole che ti suggerisce.

....

....

....

....

◊ L'isola di Procida.

Il brano che segue è tratto dal romanzo L'isola di Arturo: *Arturo, il protagonista, racconta da adulto la storia della sua infanzia trascorsa sull'isola di Procida, negli anni Trenta. L'isola fa parte delle isole Flegree, situate nel golfo di Napoli.*

L e isole del nostro arcipelago, laggiù, sul mare napoletano, sono tutte belle. Le loro terre sono per grande parte di origine vulcanica; e, specialmente in vicinanza degli antichi crateri, vi nascono migliaia di fiori spontanei, di cui non rividi mai più i simili sul continente[1]. In primavera, le colline si coprono

5 di ginestre[2]: riconosci il loro odore selvatico e carezzevole [*piacevole*], appena ti

---

1. continente: terraferma, in contrapposizione a un'isola.
2. ginestre: arbusti con fiori gialli e odorosi.

avvicini ai nostri porti, viaggiando sul mare nel mese di giugno. Su per le colline verso la campagna, la mia isola ha straducce [*piccole strade*] solitarie chiuse fra muri antichi, oltre i quali si stendono frutteti e vigneti che sembrano giardini imperiali. Ha varie spiagge dalla sabbia chiara e delicata, e altre rive più piccole, coperte di ciottoli[3] e conchiglie, e nascoste fra grandi scogliere. Fra quelle rocce torreggianti[4], che sovrastano l'acqua, fanno il nido i gabbiani e le tortore selvatiche[5], di cui, specialmente al mattino presto, s'odono [*si sentono*] le voci, ora lamentose, ora allegre. Là, nei giorni quieti [*tranquilli*], il mare è tenero [*dolce*] e fresco, e si posa sulla riva come una rugiada[6].

(E. Morante, *L'isola di Arturo*, Einaudi, Torino 1957)

---

3. ciottoli: piccoli sassi tondi e lisci per l'azione dell'acqua.
4. torreggianti: che dominano dall'alto, come una torre.

5. i gabbiani e le tortore selvatiche: i gabbiani sono uccelli acquatici bianchi, con il becco grosso e le ali grandi e grigie; le tortore selvatiche sono uccelli

piccoli dai colori delicati, che emettono un verso monotono e ripetuto a lungo.
6. rugiada: deposito di piccole gocce d'acqua che si forma durante la notte.

se ti è piaciuto, leggi anche... C. Brandi, *Procida, un amore a prima vista*

Attività

1. Leggi il testo.

a. Scorri velocemente le parole che hai scritto nell'attività a p. 64 guardando l'immagine e sottolinea quelle che sono presenti nel testo della Morante. Quante sono?

b. Quale parola ci indica che il narratore rievoca i suoi ricordi da un luogo lontano da Procida?

c. Cerchia gli aggettivi che si riferiscono ai fiori: che tipo di natura descrivono?
La natura appare
☐ selvaggia.
☐ tranquilla.
☐ amica.
☐ vitale.
☐ inospitale.

d. Trova nel testo gli elementi del paesaggio che il narratore percepisce con i sensi e inseriscili nella tabella.

ciò che vede il narratore	ciò che odora il narratore	ciò che sente il narratore

2. A un certo punto la descrizione dell'isola diventa più soggettiva. Quale elemento linguistico lo suggerisce?

3. Hai mai provato a vivere per un po' una vita selvaggia e libera, a contatto con la natura oppure hai mai sognato di farlo? Ci sono aspetti della società che trovi difficili e da cui vorresti fuggire?

 Guido Piovene

Viaggio in Italia

Venezia

Nato nel 1907, Guido Piovene inizia la sua carriera come giornalista. È corrispondente estero per il «Corriere della Sera» da Parigi e da Londra e in seguito collabora con «La Stampa». Nel dopoguerra si dedica al reportage di viaggio e alla saggistica: *Viaggio in Italia* (1957) è una delle sue opere più famose. Con il romanzo *Le stelle fredde* (1970) vince il Premio Strega. Muore nel 1974 a Londra.

📍 Verso il testo

1. Guarda la mappa di Venezia e individua i quattro punti centrali della città: il Canal Grande, il ponte di Rialto, piazza San Marco e il canale della Giudecca.

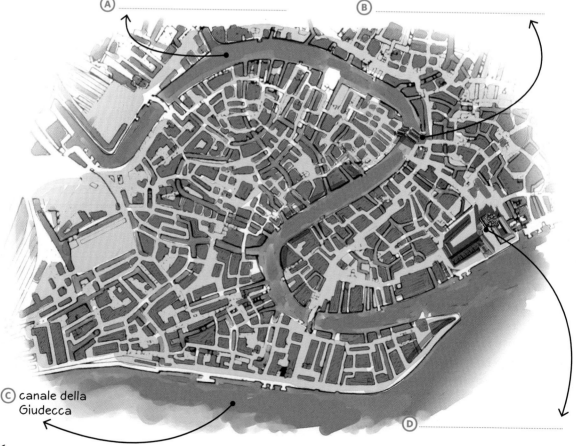

(A) ....

(B) ....

(C) canale della Giudecca

(D) ....

2. Completa la tabella: abbina le parole usate a Venezia, per indicare i luoghi della città, alle parole italiane corrispondenti elencate qui sotto.

via d'acqua / piccolo canale / quartiere / piazza / cantiere / vicolo, stradina stretta / piazzetta / magazzino

calle	vicolo, stradina stretta	fondaco	magazzino
campo		rio	piccolo canale
campiello		canale	
squero		sestiere	

PAROLE e CULTURA

Lo squero di San Trovaso

Lo squero è un tipico cantiere veneziano dove si costruiscono e si riparano le gondole, le caratteristiche imbarcazioni della laguna di Venezia.
Il termine *squero* deriva dalla parola *squara* che indica una squadra di persone che cooperano per costruire le imbarcazioni.
Lo squero di San Trovaso è il più antico della città e risale al 1600.

Il brano seguente è tratto da Viaggio in Italia *e dal capitolo intitolato* Le tre Venezie. *Numerose pagine sono dedicate alla città di Venezia.*

» mp3 traccia 7

È una città che va a piedi. Un'abitudine mentale fa credere che i veneziani si muovano soprattutto in barca. Invece il mezzo di locomozione *[trasporto]* più usato è il più umano, le gambe. I veneziani prendono raramente la gondola, troppo lenta e costosa, fuorché *[eccetto che]* per brevi traghetti[1] nei punti fissi. [...] Venezia è soprattutto, come dicevo, una città di pedoni, un formicaio in movimento. Non vi sono distanze; le isole su cui sorge sono collegate tra loro da oltre 400 ponti, qualcuno di più dei gondolieri[2]: e non v'è abitazione che, pur allacciata sull'acqua, non abbia accesso alla terra.

5

---

1. brevi traghetti: punti dove è possibile attraversare da una sponda all'altra di un canale stando in piedi su una gondola e pagando pochi soldi.

2. gondolieri: rematori che guidano le gondole stando in piedi a poppa, cioè nella parte posteriore di un'imbarcazione.

10 I famosi campi e campielli sono le pause di respiro negli itinerari scavati dal traffico cittadino, pari ad un'acqua che cerca la via più facile di scolo [di uscita], tra il labirinto delle calli³. Chi gira e guarda Venezia soltanto in barca ne ha un'immagine morta [...].

(G. Piovene, *Viaggio in Italia*, Baldini Castoldi Dalai, Milano 2003)

---

3. labirinto delle calli: insieme fitto e intricato di strade e stradette veneziane.

se ti è piaciuto, leggi anche... gli altri capitoli del libro

⦿ Attività

● Una gondola, la tipica imbarcazione veneziana.

1. Leggi fino a riga 5.

  a. Su quale aspetto della vita cittadina focalizza la sua attenzione lo scrittore?

  b. Quale caratteristica della città può indurre a credere che i veneziani si muovano soprattutto in barca?
  ☐ La città è costruita sull'acqua.
  ☐ La città ha un'antica tradizione marinara.
  ☐ La città ha numerosi palazzi e monumenti antichi.

  c. Perché i veneziani non usano la gondola per muoversi in città?

2. Termina la lettura.

  a. Che cosa rende Venezia facile da percorrere a piedi?

  b. Perché, secondo l'autore, girare Venezia in barca vuol dire avere della città un'immagine morta?

  c. Quale suggerimento implicito dà l'autore al turista che visiti Venezia? Gira Venezia
  ☐ a piedi.
  ☐ in barca.
  ☐ con i traghetti.

3. Esiste, nel tuo Paese, un mezzo di trasporto poco usato dalla popolazione? Se sì, qual è il motivo del suo scarso utilizzo?

4. Esiste, nel tuo Paese, una città che abbia le stesse caratteristiche urbanistiche di Venezia?

5. Come immagini che debba essere la vita degli abitanti di Venezia rispetto a quella di chi abita in una grande città? Dai una motivazione per la tua risposta.
  ☐ più tranquilla
  ☐ più stressante
  ☐ più noiosa
  ☐ altro ....

T6 Luigi Meneghello

Libera nos a malo

Luigi Meneghello nasce a Malo, un paesino in provincia di Vicenza, nel 1922. Dopo la laurea in Filosofia, nel 1947 si trasferisce in Inghilterra, dove insegna Lingua e letteratura italiana all'Università di Reading. Scrive numerosi romanzi di tipo autobiografico. Nel 1980 rientra in Italia e risiede a Thiene fino alla sua morte nel 2007. Nel suo romanzo *Libera nos a malo* (1963), l'autore ricorda l'infanzia trascorsa a Malo.

Verso il testo

1. **Tra i paesi italiani famosi per la loro bellezza ne abbiamo scelti cinque. Guarda le immagini e abbinale alle descrizioni corrispondenti.**

   a. ☐ Orta San Giulio, in provincia di Novara, piccolo gioiello che si affaccia sul Lago d'Orta.
   b. ☐ Locorotondo, in provincia di Bari, con i tipici trulli, le abitazioni con i tetti a forma di cono.
   c. ☐ Pitigliano, in provincia di Grosseto, uno splendido borgo di origini etrusche dove le case si confondono con la roccia sottostante.
   d. ☐ Castiglione di Garfagnana, in provincia di Pistoia, ornato di mura antiche e dalla rocca medievale.
   e. ☐ San Candido, in provincia di Bolzano, dall'architettura curata ed elegante, d'inverno è spesso sotto la neve ed è una meta ambita dagli sciatori.

①  ②  ③

④  ⑤

2. Il titolo del libro di Meneghello, da cui è tratto il testo che ti presentiamo, è la frase conclusiva in latino della preghiera cristiana del *Padre nostro*. L'invocazione *Libera nos a malo* vuol dire "Liberaci dal male", ma Malo è anche il paese in cui l'autore ha trascorso la sua infanzia e di cui rievoca alcuni episodi. In quale provincia del Veneto si trova Malo? Cercalo sulla cartina.

3. Completa la tabella con i nomi che derivano dagli aggettivi elencati, come nell'esempio.

aggettivo	nome
organico	organicità
naturale	....
stabile	....
ordinato	....
duraturo	....
parsimonioso	....
serio	....

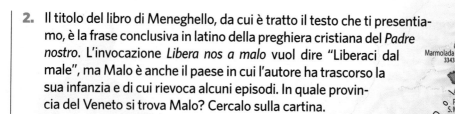

Regioni, province e comuni

Lo Stato italiano si divide in regioni, province e comuni, che sono autonomi dal punto di vista amministrativo. Una **regione** è una parte del territorio nazionale in cui si ritrovano caratteristiche linguistiche, storiche e culturali simili; dal punto di vista amministrativo comprende più province. La sede del governo regionale è nella città capoluogo. Per esempio il capoluogo del Veneto è la città di Venezia. Una **provincia** è una parte del territorio di una regione che dal punto di vista amministrativo comprende più comuni. La sede del governo della provincia si trova in una delle principali città della regione. Per esempio, nel Veneto, Vicenza è una delle città capoluogo di provincia. Un **comune** è una parte del territorio provinciale. La sede del governo del comune è nei paesi e nelle città. Le città capoluogo di provincia sono al tempo stesso sede del governo provinciale e del governo comunale.

Nel brano che segue l'autore rievoca la vita trascorsa a Malo, il paesino della sua infanzia, e descrive le caratteristiche della società dell'epoca.

» mp3 traccia 8

Il paese di una volta aveva un suo pregio *[valore]*: formava una comunità umana modesta ma organica[1]. Ci conoscevamo tutti, il rapporto tra i vecchi e i giovani era più naturale, il rapporto tra gli uomini e le cose era stabile, ordinato, duraturo *[che si mantiene nel tempo]*. Duravano le case, le piccole opere pubbliche, gli arre-

---

1. organica: articolata in modo armonioso ed equilibrato.

5 di, gli oggetti dell'uso: tutto era incrostato di esperienze e di ricordi ben sovrapposti gli uni agli altri. Gli utensili [oggetti] domestici avevano una personalità più spiccata [decisa], si sentiva la mano dell'artigiano che li aveva fatti; la parsimonia[2] stessa del vivere li rendeva più importanti. Perfino i giochi dei bambini erano più seri: meno giocattoletti di plastica, meno sciocchezze. Tutto costava e valeva di

10 più: perfino le palline "di marmo"[3], le figurine con cui si giocava erano tesori.

Le stagioni avevano più senso, perché vedute negli stessi luoghi, sopportate nelle stesse case.

Sembrava quasi che anche la
15 vita privata avesse più senso, o almeno un senso più pieno, proprio perché era indistinguibile dalla vita pubblica di ciascuno.

Si veniva al mondo [si nasceva]
20 con una persona pubblica[4] già ben definita: Chi sei tu? Un Rana, un Cimberle, un Marchioro? Di quali Marchioro: Fiore, Risso, Còche, Culatta,

● Album di figurine della squadra di calcio del Napoli.

25 Culattella? Dove non bastavano i nomi di famiglia, intervenivano i soprannomi[5] di famiglia a definire l'identità di ciascuno. Si era al centro di una fitta rete di genealogie[6], di occupazioni ereditarie[7], di tradizioni, di aneddoti [episodi divertenti].

C'erano "signori", gente e poveri; ma molte parti della vita si condividevano (in certi sensi di più, per esempio, che non sarebbe pensabile in Inghilterra[8]): i
30 servizi pubblici erano in comune, in comune la lingua, le scuole, le osterie, le chiese, i confessionali[9]. Non era in comune il cibo: e più volte vedendo i poveri mangiare ebbi lo *shock* di sentire una differenza che in seguito avrei potuto chiamare di *classe*. Il culmine del successo mondano per i nostri vecchi era quello: «Mangia bene».

(L. Meneghello, *Libera nos a malo*, Mondadori, Milano 1986)

---

2. la parsimonia: il senso del risparmio, la mancanza di spreco, che aggiungeva valore agli oggetti della casa.
3. le palline "di marmo": palline fatte di marmo o di vetro, anche chiamate bilie, con cui giocavano una volta i ragazzini.
4. con una persona pubblica: l'autore intende dire che il nuovo nato era contraddistinto dal fatto di appartenere a una famiglia e questa appartenenza lo dotava già di caratteristiche specifiche.

5. soprannomi: termini aggiunti al nome e al cognome per individuare una persona. Spesso il soprannome traeva origine da una caratteristica fisica o dal mestiere che praticava la persona ed era espresso in dialetto. Per esempio, *Peppe Russo o Curto* ("basso", in napoletano), Giuseppe Russo detto il Basso, a causa della scarsa altezza.
6. genealogie: l'insieme degli antenati e dei discendenti di una persona.
7. occupazioni ereditarie: lavori

che si tramandavano di padre in figlio.
8. che non sarebbe pensabile in Inghilterra: Paese dove, tradizionalmente, la divisione tra le classi sociali è più evidente.
9. confessionali: parte dell'arredamento che si trova nelle chiese cattoliche, il confessionale è una specie di cabina, la cui funzione è quella di garantire la riservatezza di chi si accosta al sacramento della confessione.

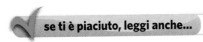
se ti è piaciuto, leggi anche... L. Meneghello, *Fiori italiani*

PAROLE *e* CULTURA

Le "figurine"

Le "figurine" erano delle immagini adesive, vendute in pacchetti, da incollare su un apposito album. Negli anni Sessanta erano famose quelle della ditta Panini, che fin dalla prima uscita vendette ben 3 milioni di copie.
Le figurine erano imbustate in modo casuale, quindi era probabile avere delle figurine doppie o triple e, per riuscire a completare la collezione, spessissimo i ragazzi dovevano effettuare scambi e contrattazioni.

Con le figurine si potevano fare molti giochi: uno dei più noti era "muretto", un gioco che si faceva a coppie. Dopo aver sorteggiato chi doveva iniziare per primo, il gioco si svolgeva in questo modo: a turno ogni giocatore appoggiava una figurina al muro, a un'altezza di circa un metro, tenendola con un dito, e poi la lasciava andare. Se la figurina si posava a terra, il gioco proseguiva, se invece cadeva sopra un'altra già caduta, il giocatore vinceva tutte le figurine. Poi si ricominciava.

Attività

1. Leggi fino a riga 10.

   a. Sottolinea gli aggettivi che l'autore usa per descrivere la vita del paese e indica quali valori evidenziano.

   b. Quale aspetto particolare della vita del paese è messo in evidenza nel testo?
     ☐ lo scorrere del tempo e delle stagioni
     ☐ la differenza esistente tra vita privata e vita pubblica
     ☐ i luoghi comuni a tutte le classi sociali
     ☐ i valori differenti che esistevano una volta nel paese

2. Termina la lettura e considera l'intero testo.

   a. Individua l'ordine in cui vengono trattati i seguenti temi.
     a. ☐ ieri/oggi
     b. ☐ cibo
     c. ☐ luoghi comuni a tutte le classi sociali
     d. ☐ vita privata/vita pubblica
     e. ☐ identità familiare
     f. ☐ stagioni

3. Quali luoghi del paese sono comuni a tutti gli abitanti?

....

....

4. Tra le seguenti parole trova un sinonimo per il termine *signori* nel significato in cui viene usato nel testo.
   ☐ ricchi   ☐ persone istruite
   ☐ persone oneste   ☐ autorità

5. Come si distinguevano le classi sociali nel paese?

6. In relazione al tono della descrizione, indica se le seguenti affermazioni sono vere o false.

   a. Esprime il distacco nei confronti di uno stile di vita superato.   Ⅴ Ⅎ
   b. Esprime nostalgia per un mondo che non c'è più.   Ⅴ Ⅎ
   c. È la cronaca della vita di un paese, senza partecipazione emotiva.   Ⅴ Ⅎ
   d. È un'esortazione dell'autore a visitare la sua zona di origine.   Ⅴ Ⅎ

7. Quali criteri useresti oggi nella tua realtà per esprimere i valori che danno prestigio sociale?
   ☐ il possesso di case e di auto
   ☐ la possibilità di fare molte vacanze
   ☐ vestirsi con capi di lusso e firmati
   ☐ conseguire un livello d'istruzione elevato

T7 Dacia Maraini

Bagheria

Dacia Maraini nasce a Fiesole (Firenze) nel 1936. Passa una parte dell'infanzia in Giappone, per un certo periodo internata in un campo di concentramento con la famiglia, per il rifiuto del padre, l'etnologo Fosco Maraini, di riconoscere il governo militare giapponese. Al ritorno in Italia vive prima a Bagheria, in Sicilia, presso i nonni materni, poi a Roma, dove completa gli studi e dove vive tuttora. Nel 1963 pubblica il suo primo romanzo, *L'età del malessere*. Nei suoi romanzi tratta soprattutto temi riguardanti la condizione della donna.

Verso il testo

1. Guarda questa immagine di Bagheria e descrivila.

● Veduta di Bagheria, vicino a Palermo, in Sicilia.

2. Quando parla di Bagheria, Dacia Maraini usa espressioni come: «splendore architettonico», «giardino d'estate», «disordine edilizio», «centro di villeggiatura». Quali idee sul contenuto del testo ti fanno venire in mente?

BAGHERIA

Nel brano seguente, tratto dal romanzo autobiografico Bagheria, *l'autrice mette a confronto il passato e il presente di Bagheria, cittadina siciliana da cui proveniva la famiglia di sua madre.*

● Capo Zafferano.

›› mp3
traccia **9**

Il nome Bagheria pare che venga da *Bab el gherib* che in arabo significa porta del vento. Altri dicono invece che Bagheria provenga dalla parola *Bahariah* che vuol dire marina.

Io preferisco pensarla come porta del vento, perché di marino ha molto poco,
5 Bagheria, sebbene abbia il mare a un chilometro di distanza. Ma è nata, nel suo splendore architettonico, come villeggiatura di campagna dei signori palermitani del Settecento e ha conservato quell'aria da "giardino d'estate" circondata di limoni e ulivi, sospesa in alto sopra le colline, rinfrescata da venti salsi[1] che vengono dalle parti del Capo Zafferano[2].

10 Cerco di immaginarla com'era prima del disordine edilizio degli anni Cinquanta[3], prima della distruzione sistematica delle sue bellezze. Ancora prima, quando non era diventato il centro di villeggiatura preferito dai nobili palermitani, prima delle carestie[4], delle pesti[5], in un lontano passato che assomiglia al grembo *[pancia]* di una antica madre da cui nascevano le città e le cose.

15 [...] Ha la forma di un triangolo con la punta rocciosa del Capo Zafferano che sporge sul mare come la prua[6] di una nave. Un lato comprende i paesi di Santa Flavia, Porticello e Sant'Elia; l'altro lato, il più selvaggio e battuto dal mare era occupato, fino al dopoguerra, solo dal paese dell'Aspra con le sue barche da pesca tirate in secca[7] sulla rena *[sabbia]* bianca. Al centro, appoggiata fra le colline,

---

1. salsi: che contengono sale.
2. Capo Zafferano: piccolo promontorio sul mar Tirreno da cui inizia il golfo di Palermo.
3. disordine edilizio degli anni

Cinquanta: vedi lo Zoom sulla cultura a p. 77.
4. carestie: periodi in cui mancano i generi di prima necessità, particolarmente il cibo.

5. pesti: malattie infettive gravi che si diffondono rapidamente, epidemie.
6. prua: la parte davanti della nave.
7. tirate in secca: portate a riva.

20 in mezzo a una folla di ulivi e di limoni, ecco Bagheria lambita [*sfiorata*] da un fiume oggi ridotto a uno sputo, l'Eleuterio che, ai tempi di Polibio[8], era navigabile fino al mare.

Lecci, frassini, sugheri, noci, fichi, carrubi, mandorli, aranci, fichi d'India, erano queste le piante più diffuse. E lo sguardo poteva scorrere da un lato all'altro

25 del triangolo fra onde verdi più scure e meno scure immaginando di vedere sbucare da qualche parte un gigante nudo con un occhio solo in mezzo alla fronte[9].

Oggi il panorama è deturpato orrendamente da case e palazzi costruiti senza discernimento, avendo buttato giù alberi, parchi, giardini e costruzioni antiche.

Eppure qualcosa è rimasta della vecchia grandezza di Bagheria, ma a pezzi e

30 bocconi, fra brandelli di ville abbandonate, nello sconcio[10] delle nuove autostrade che si sono aperte il varco fino al centro del paese, distruggendo selvaggiamente giardini, fontane, e tutto quello che si trovavano fra i piedi.

(D. Maraini, *Bagheria*, Rizzoli, Milano 1993)

---

8. Polibio: storico greco (200/205 a.C.-123/118 a.C.) deportato a Roma. Nelle *Storie*, la sua opera più importante, ha analizzato la storia della potenza politica di Roma.

9. un gigante nudo ... fronte: il riferimento è a Polifemo, mitico gigante con un occhio solo presentato nell'*Odissea* di Omero.
10. sconcio: cosa indecente, di cui vergognarsi.

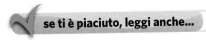

se ti è piaciuto, leggi anche...   S. Agnello Hornby, *Via XX Settembre*

⊙ Attività

1. Leggi fino a riga 14.

a. Nella parte in cui l'autrice immagina Bagheria, quali aspetti vengono sottolineati?
- ☐ la bellezza del luogo
- ☐ la ricchezza della vegetazione
- ☐ l'antichità dell'insediamento umano
- ☐ la sacralità della natura
- ☐ la nostalgia di un mondo antico

b. L'autrice a che cosa paragona Bagheria?

c. L'autrice fa riferimento ad alcune epoche della storia di Bagheria. Individuale nel testo e mettile in ordine cronologico sulla seguente linea del tempo.

① lontano passato   ② ....   ③ prima degli anni Cinquanta   ④ ....   ⑤ ....

2. **Termina la lettura e considera tutto il testo.**

a. Abbina i termini della colonna di sinistra a quelli della colonna di destra e forma delle espressioni.

a. ☑3 lambito
b. ☐ rinfrescato
c. ☐ sporgere
d. ☐ battuto
e. ☐ sospeso
f. ☐ aprirsi

1. il varco
2. dal mare
3. da un fiume
4. sul mare
5. dal vento
6. in alto

b. Trova nel testo l'equivalente delle seguenti parole.

1. ripetuta e continua (r. 11) **sistematica**
2. viene fuori, in avanti (r. 16) ....
3. include (r. 16) ....
4. toccato, bagnato (r. 17) ....
5. grande numero (r. 20) ....
6. comparire improvvisamente (r. 25) ....

7. rovinato (r. 27) ....
8. criterio, giudizio (r. 28) ....

c. Completa il testo che descrive Bagheria con le parole dell'elenco seguente.

fiume Eleuterio / autostrade / valle / chilometro / limoni / sono stati distrutti

Bagheria è situata in una (1) .... a forma di triangolo fra le colline vicino a Capo Zafferano a un (2) .... di distanza dal mare. È circondata da (3) .... e ulivi ed è attraversata dal (4) ....
Parecchi giardini e parchi (5) .... per fare spazio al passaggio delle (6) ....

d. L'autrice nomina i seguenti alberi e piante: limone, ulivo, leccio, frassino, sughero, noce, fico, carrubo, mandorlo, arancio, fico d'India. Se non li conosci tutti, cercane il significato e un'immagine da associargli.

e. Completa il diagramma qui sotto inserendo le informazioni come segue: nell'ovale a sinistra scrivi gli aspetti tipici del passato di Bagheria; nell'ovale a destra gli aspetti tipici del suo presente; al centro gli aspetti che accomunano il passato e il presente. Guardando il diagramma completato, che cosa ti colpisce?

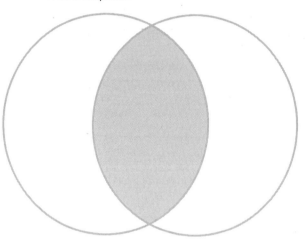

f. Che tipo di paesaggio emerge dal testo? Continua la lista degli aggettivi.
assolato, verdeggiante ....

g. Quali espressioni confermano il decadimento di Bagheria nel presente rispetto al passato e il disinteresse verso la sua bellezza?

h. Bagheria è un esempio di località trasformata in peggio dall'intervento dell'uomo. Conosci altre località che hanno avuto questo destino? Come sono cambiate?

i. Abbina le espressioni ai significati corrispondenti.

a. ☐ onde verdi
b. ☐ brandelli
c. ☐ a pezzi e bocconi

1. pezzi, resti
2. mare
3. un poco alla volta

T8 ≫ iW
Elio Vittorini, Conversazione in Sicilia

Il Bel Paese fra tradizione e trasformazione

Nel 1875 il geologo Antonio Stoppani scrisse un libro per descrivere le bellezze del Regno d'Italia, nato da poco: *Il Bel Paese*. Egli definiva l'Italia con un'espressione già usata da Petrarca (1304-74): «Il bel paese che Appennin parte e'l mar circonda e l'Alpe» cioè "il bel paese che è diviso a metà dagli Appennini ed è circondato dal mare e dalle Alpi". In questa descrizione si mette in evidenza un'unità territoriale che non rispecchia la varietà di ambienti naturali e urbani che caratterizza l'Italia, né ammette l'esistenza di "brutture", di ieri o di oggi. Così, l'espressione «Il Bel Paese» è talvolta usata in tono ironico.

Le città e i paesi italiani

Un tempo il termine *città* si riferiva soltanto ai capoluoghi di provincia (vedi la scheda Parole e cultura a p. 70), tutti gli altri centri abitati erano definiti "paesi" ed erano in genere di dimensioni abbastanza ridotte. Dopo lo sviluppo economico degli anni Cinquanta del Novecento, molti paesi sono cresciuti di dimensione e spesso sono addirittura diventati capoluoghi di nuove province.
Le città e i paesi italiani sono ricchi di bellezze architettoniche molto diverse fra loro. Quasi ogni regione si differenzia per storia e per evoluzione e, di conseguenza, ciascuna località ha tratti distintivi. Alcune città e paesi sono noti perché hanno soprattutto monumenti che risalgono a un'epoca in

particolare, come il Rinascimento a Firenze o il Barocco a Lecce, altri per la ricchezza dei loro siti archeologici.
La ricca presenza di castelli o palazzi del potere è dovuta al fatto che prima dell'unità d'Italia molte località erano capitali di Stati più o meno grandi. Per esempio, Torino è stata capitale del Regno di Sardegna e, in seguito, è stata la prima capitale italiana. Oltre al tradizionale nucleo costituito dalla chiesa principale e dalla piazza del mercato, che caratterizza tutte le città europee, le città italiane presentano un centro più allargato che può estendersi su varie strade, con edifici pubblici di estrema importanza.

La speculazione edilizia

Il periodo tra il 1950 e il 1960 in Italia è conosciuto come il periodo del "boom economico". Una delle sue conseguenze fu lo sviluppo incontrollato dell'attività edilizia: si iniziarono, cioè, a costruire tantissimi palazzi abitativi, per accogliere il gran numero di persone che dalle campagne si spostava nelle città, soprattutto nelle regioni del Nord Italia, in forte crescita. Nello stesso tempo si registrava anche un cambiamento nello stile di vita degli italiani, che volevano dimenticare il passato e la miseria della guerra, e godere il nuovo benessere. Le città si espansero troppo rapidamente per riuscire a tenere il fenomeno sotto controllo. Cominciò quindi un periodo di urbanizzazione selvaggia. Questo fu un vantaggio per i costruttori, ma uno svantaggio dal punto di vista urbanistico: in molte città sorsero quartieri bruttissimi, che possia-

● Firenze.

● Lecce.

mo vedere ancora oggi. Fu uno svantaggio anche per molti cittadini, che abitavano in case costruite spesso senza le autorizzazioni necessarie e senza i servizi adeguati. Per questa ragione questo tipo di costruttori erano definiti "speculatori" (cioè persone che approfittano di una situazione per trarne un vantaggio personale) e il fenomeno diventò noto come "speculazione edilizia". I danni irreversibili di questo periodo della storia italiana hanno ispirato, per le loro opere, molti scrittori e registi cinematografici.

Gli italiani e l'ambiente

In tempi recenti è sensibilmente cresciuta negli italiani, soprattutto nei giovani, l'attenzione verso la protezione dell'ambiente e del paesaggio. Vi si dedicano numerose associazioni, tra cui le più grandi sono le seguenti.

- **Legambiente**: è impegnata a controllare e a denunciare le operazioni che causano inquinamento e danni all'ambiente e si batte a favore delle energie pulite contro l'uso dell'energia nucleare.
- **FAI (Fondo Ambiente Italiano)**: ha salvato, restaurato e aperto al pubblico importanti esempi del patrimonio artistico e naturalistico.
- **Italia Nostra**: opera per diffondere nel Paese la cultura della conservazione del paesaggio, dei monumenti e delle città.
- **WWF Italia (World Wildlife Found)**: dal 1966 si dedica alla conservazione del paesaggio naturale e ha promosso la realizzazione di parchi naturali.

Queste associazioni riuniscono numerosi cittadini che dedicano gratuitamente il loro tempo alla realizzazione di molte iniziative, sia per salvaguardare i mari e le coste italiane dagli abusi edilizi sia impegnandosi per il recupero di monumenti o siti archeologici. In alcuni casi sono riusciti persino a far demolire costruzioni abusive che rovinavano il paesaggio.

La connotazione

Il termine *denotazione* indica il significato letterale di una parola, cioè quello che serve semplicemente a definire una cosa o una persona.

Il termine *connotazione*, invece, indica le associazioni e i significati che si aggiungono alla parola, che sono collegati spesso alla cultura e alla storia di una determinata lingua. Questi significati "in più" possono esprimere **positività**, **negatività** o **ironia**.

Sinonimi, suffissi, metafore e altro

Nella lingua italiana il valore connotativo può essere espresso in vari modi. Molti **sinonimi** hanno sfumature connotative diverse.

sinonimi	significato denotativo	sfumature connotative
colloquio	conversazione	conversazione tra due persone, piuttosto formale
chiacchierata	conversazione	conversazione amichevole e informale
bugia	affermazione falsa	affermazione falsa ma non molto grave
menzogna	affermazione falsa	affermazione falsa detta con consapevolezza e determinazione
casa	abitazione	abitazione fatta per abitarvi, adeguata
stamberga	abitazione	abitazione brutta e squallida

Un altro modo per connotare una cosa o una persona è quello di fare ricorso a **suffissi**. Per esempio, per connotare negativamente si usa molto il suffisso *-accio/-accia*: *film/filmaccio*, *giornata/giornataccia*, *tempo/tempaccio*.

La **metafora** è il fenomeno linguistico per eccellenza che esprime la connotazione. Facciamo un esempio. La parola *volpe*, nel significato letterale, cioè denotativo, definisce un piccolo animale, abile predatore di animali domestici. Se la usiamo riferita a un essere umano, indica una persona furba che ha le stesse caratteristiche che noi attribuiamo alla volpe sulla base del suo comportamento. In questo caso, *volpe* ha un valore connotativo. *Roberto era una volpe*, cioè *Roberto era furbo come una volpe*.

Va sottolineato che la connotazione è strettamente legata a un contesto culturale, per cui le associazioni possibili in una lingua non sono necessariamente valide in un'altra.

Vediamo qualche esempio.

parola	denotazione	connotazione
cane	animale domestico	persona che non sa fare bene il suo mestiere
crosta	la parte esterna del pane	quadro che non vale niente
nero	colore	persona molto arrabbiata
frana	crollo di terreno da un pendio	persona buona a nulla
buco	piccola apertura	ambiente molto piccolo

Cogliere il livello connotativo di un termine è molto importante per capire e apprezzare pienamente il punto di vista e lo stato d'animo di chi parla o scrive.

Ci sono anche altre parole dal significato assolutamente neutro che però diventano negative o positive **quando si combinano**. Vediamo alcuni esempi.

parola 1	parola 2	espressione risultante
tiro: atto del tirare	**mancino**: persona che scrive con la mano sinistra	**tiro mancino**: cattiva azione contro qualcuno
pecora: animale	**nero**: colore	**pecora nera**: persona che emerge in un gruppo per le sue qualità negative o che è malvista dagli altri membri del gruppo

1. Leggi le frasi e indica se le parole sottolineate danno una connotazione positiva (+) o negativa (–).

   a. In collegio vivevamo sottoposti a una disciplina <u>militaresca</u> (.......).

   b. Le nostre stanze avevano solo una <u>finestrella</u> (.......), dalla quale non ci si poteva affacciare.

   c. Si rivolse agli amici per chiedere aiuto e trovò molte <u>porte aperte</u> (.......).

   d. Luigi era di umore <u>nero</u> (.......), perché nulla era andato come avrebbe voluto.

   e. Per noi era sempre stato un <u>padre</u> (.......).

   f. Jacopo era l'<u>amico del cuore</u> (.......) di Andrea, lo amava più di un fratello.

2. Leggi le seguenti espressioni e indicane il significato corrispondente tra i due che ti suggeriamo.

   a. non essere né carne né pesce
   ☐ essere paziente
   ☐ non avere una personalità ben definita

   b. essere un pezzo di pane
   ☐ essere molto buono
   ☐ essere stupido

   c. avere poco sale in zucca
   ☐ essere timido
   ☐ essere poco intelligente

   d. non muovere un dito
   ☐ non fare assolutamente nulla
   ☐ avere dolore alle mani

   e. stare con i piedi per terra
   ☐ avere senso pratico
   ☐ avere poca fantasia

   f. far girare la testa a qualcuno
   ☐ fare innamorare qualcuno
   ☐ distrarre una persona

Palestra linguistica

1. COMPOSTI DEL VERBO *piangere* E LORO SIGNIFICATO **T1** P. 55 Completa le frasi con una delle due definizioni che ti proponiamo.

a. Compiangere vuol dire
☐ provare pietà per qualcuno.
☐ accontentare qualcuno.
b. Rimpiangere vuol dire
☐ abbandonarsi alle emozioni.
☐ ricordare con nostalgia.
c. Piangere vuol dire
☐ versare lacrime.
☐ provare rimpianto.

2. CAMPO SEMANTICO DEL PAESAGGIO **T2** P. 57 Rileggi il testo di Paolini e trascrivi qui sotto le parole collegate per significato alla parola *paesaggio*. Ce ne sono almeno dieci.

a. ....
b. ....
c. ....
d. ....
e. ....
f. ....
g. ....
h. ....
i. ....
l. ....
m. ....

3. CAMPO SEMANTICO DEL PAESAGGIO **T4** P. 64 Rileggi il testo di Elsa Morante e trascrivi qui sotto le parole collegate per significato alla parola *paesaggio*. Ce ne sono almeno nove.

a. ....
b. ....
c. ....
d. ....
e. ....
f. ....
g. ....
h. ....
i. ....
l. ....

4. CAMPI SEMANTICI DI PIANTE, UCCELLI, PESCI **T4** P. 64 Completa la tabella inserendo le seguenti parole nel gruppo corretto.

abete / alice / cipresso / colombo / delfino / gabbiano / ginestra / merluzzo / olivo / orata / passero / pino / rondine / sogliola / tonno / tortora / usignolo / vite

piante	uccelli	pesci
....	....	....
....	....	....
....	....	....
....	....	....
....	....	....
....	....	....
....	....	....

5. LESSICO DEL PAESAGGIO Inserisci le seguenti parole nel gruppo corretto.

cielo / montagne / cime nevose / piazza / terrazzi / distributori / aiuole / verdi colline / cimitero / pianure / campi / campagna / strade / laguna / valli / vegetazione / prati / palazzi

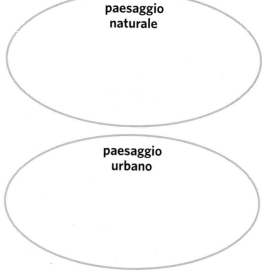

paesaggio
naturale

paesaggio
urbano

6. ESPRESSIONI DI TEMPO **T8** Rileggi il testo di Vittorini da «Egli gridava» a «il cielo» e sottolinea parole ed espressioni che scandiscono il tempo del racconto.

7. AGGETTIVI E LORO CONTRARIO Completa le frasi con il contrario dei seguenti aggettivi nella forma corretta.

acceso / fitto / largo / normale / rumoroso / sopportabile / visibile / vivibile

a. Salivamo lungo il fianco della montagna per un sentiero molto ripido e la vegetazione si faceva sempre più **rada**.
b. Oggi la temperatura atmosferica è così alta che ha reso la città ....
c. Non crederai di essere diventato .... ! Ho visto chiaramente che hai preso la mia felpa.
d. Il dolore alla gamba si faceva sempre più .... e mi impediva di camminare.
e. Il suo comportamento negli ultimi mesi è diventato alquanto ....
f. Viveva in una zona della città particolarmente ....
g. La luce era .... e nella stanza regnava un buio inquietante che faceva paura.
h. Sono ingrassata e i pantaloni mi sono diventati ....

8. SUFFISSI *-ico, -ale, -oso* **T2** P. 57, **T4** P. 64 Completa le frasi come nell'esempio.

a. Nella parola *paesaggistico* trovo la parola **paesaggio**.
b. Nella parola *panoramico* trovo la parola
....
c. Nella parola *economico* trovo la parola
....
d. Nella parola *selvatico* trovo la parola
....
e. Nella parola *vulcanico* trovo la parola
....
f. Nella parola *organico* trovo la parola
....
g. Nella parola *trionfale* trovo la parola
....
h. Nella parola *sistematico* trovo la parola
....
i. Nella parola *roccioso* trovo la parola
....

9. SUFFISSO *-oso* **T2** P. 57, **T3** P. 61 Completa la tabella inserendo gli aggettivi che si formano dai seguenti nomi con l'aggiunta del suffisso *-oso*, come nell'esempio. Attenzione: qualche volta si modifica l'intera parola.

neve	nevoso
pioggia	
volontà	
orgoglio	
parsimonia	
rumore	
fama	
lamento	
vento	
roccia	

10. PRONOMI PERSONALI **T6** P. 69 Riscrivi le frasi sostituendo una delle due parole o espressioni ripetute con il pronome corretto.

a. Una volta gli oggetti che si usavano in casa avevano l'impronta della mano dell'artigiano che aveva fatto gli oggetti.
....

b. Si conservavano gli oggetti con cura perché il senso del risparmio rendeva preziosi gli oggetti.
....

c. Tutti gli abitanti del paese si conoscevano e avevano rapporti con gli abitanti del paese.
....

d. Facevamo sempre il gioco delle figurine. Ricordo il gioco come se fosse ora.
....

e. La vita privata aveva più senso perché non si distingueva la vita privata dalla vita pubblica di ciascuno.
....

f. Signori e poveri avevano in comune le scuole e frequentavano le scuole insieme.

11. PREPOSIZIONI **T7** P. 73 Completa le frasi con la preposizione corretta, semplice o articolata.

a. Bagheria dista un chilometro .... mare.

b. I nobili palermitani .... Settecento passavano le loro vacanze .... campagna.

c. Il paese era circondato .... alberi .... limone e .... ulivi.

d. L'aria era rinfrescata .... venti che soffiavano .... punta rocciosa .... Capo Zafferano.

e. Fino .... dopoguerra le barche .... pesca stavano .... sabbia.

f. Bagheria è bagnata da un fiume e adagiata .... le colline.

g. .... tempi antichi il fiume che passava vicino .... paese era navigabile fino .... mare.

h. La gente immaginava di veder spuntare un gigante .... un occhio in mezzo .... fronte.

12. NOMI ALTERATI Completa le frasi con l'espressione corretta.

a. Un praticello è
☐ un piccolo prato.
☐ un prato secco e abbandonato.
☐ un prato di grandi dimensioni.

b. Le erbacce sono
☐ fili d'erba appena nati.
☐ erbe che soffocano le altre piante.
☐ piante rare.

c. Una straduccia è
☐ una piccola strada di campagna.
☐ una strada di grande traffico.
☐ una strada del centro della città.

d. Un trenino è
☐ un treno economico.
☐ un treno formato da pochi vagoni.
☐ un treno che funziona solo in certi periodi dell'anno.

e. Un casotto è
☐ una casa di campagna.
☐ un'abitazione molto piccola.
☐ una piccola costruzione usata da una persona che ha responsabilità di controllo.

13. DERIVAZIONE DI AGGETTIVI DA VERBI Scrivi gli aggettivi che derivano dai verbi seguenti, come nell'esempio. Di tutti trovi un esempio nei testi del capitolo.

a. accendere → acceso
b. vivere → ....
c. trionfare → ....
d. invadere → ....
e. sopportare → ....
f. rumoreggiare → ....
g. incantare → ....
h. accarezzare → ....
i. lamentarsi → ....
l. distinguere → ....
m. ereditare → ....
n. screpolare → ....
o. scavare → ....

14. DERIVAZIONE DI VERBI E AGGETTIVI DA NOMI Completa la tabella con le parole che hanno la stessa radice o una parte di significato in comune.

nome	verbo	aggettivo
esproprio	....	proprio
invasione	invadere	....
....	rumoreggiare	rumoroso
mitragliamento	....	
larghezza	allargare	....
....	avvicinarsi	
carezza	....	
neve	....	

15. COLLOCAZIONE NOMI E AGGETTIVI Sottolinea in rosso nell'elenco gli aggettivi riferibili a *campagna*.

coltivata / luccicante / incolta / bassa / abbondante / verde / rigogliosa / bella / ricca / selvatica / aperta / scoppiettante

16. COLLOCAZIONE NOMI E AGGETTIVI Sottolinea in blu nell'elenco gli aggettivi riferibili a *mare*.

profondo / arido / azzurro / incerto / tempestoso / spumeggiante / roccioso / verde / sconfinato / ampio / trasparente / gigantesco

17. POSIZIONE DELL'AGGETTIVO Indica quale delle due frasi è corretta rispetto all'espressione sottolineata.

a. ☐ Entrerò in campo nella seconda metà della partita.
☐ Entrerò in campo nella metà seconda della partita.

b. ☐ Nel Veneto, tutto pieno, solo montagne alcune e la laguna ti permettono questa sensazione.
☐ Nel Veneto, tutto pieno, solo alcune montagne e la laguna ti permettono questa sensazione.

c. ☐ Porta sempre una piena borsa di documenti.
☐ Porta sempre una borsa piena di documenti.

d. ☐ Il completo per le occasioni speciali era blu.
☐ Il completo per le speciali occasioni era blu.

e. ☐ Mettevo in fila le colorate magliette e i pantaloncini.
☐ Mettevo in fila le magliette colorate e i pantaloncini.

18. POSIZIONE DELL'AGGETTIVO In ciascuna frase indica il significato che ha l'aggettivo sottolineato scegliendolo tra i due indicati tra parentesi.

a. Da giorni non avevamo notizie certe (*sicure / alcune*) sulla sorte dei passeggeri dell'aereo precipitato.

b. Il dirigente della Fiat era alto (*di grande statura / con una carica importante*) e di corporatura massiccia.

c. Era un vecchio (*anziano / che conosceva da tanto tempo*) amico di Marco che frequentava dai tempi della scuola.

d. Era un pover'uomo (*uomo senza soldi / uomo sfortunato*), che non sapeva più a chi chiedere aiuto.

e. Ho appena finito di leggere un bel (*interessante / bello di aspetto*) libro.

f. Mario è arrivato con una nuova (*appena comprata / appena uscita sul mercato*) macchina.

19. COLLOCAZIONE NOMI E AGGETTIVI Abbina ciascun nome all'aggettivo a cui spesso si accompagna.

a. ☐ animale
b. ☐ gioco
c. ☐ comunità
d. ☐ servizio
e. ☐ senso
f. ☐ rete

1. fitta
2. domestico
3. divertente
4. civico
5. umana
6. pubblico

20. COMPARATIVO DEGLI AGGETTIVI QUALIFICATIVI Scrivi delle frasi in cui si stabilisca un paragone tra le coppie di elementi elencati, usando i seguenti aggettivi: *bello, caldo, frequente, diffuso, profumato, grande.*

a. le montagne del Veneto / le montagne della Val d'Aosta

b. l'uso del treno / l'uso dell'aereo

c. l'aria della mattina / l'aria della sera

d. il sole di dicembre / il sole di agosto

e. l'uso del telefonino / la posta elettronica

f. l'isola di Procida / l'isola della Sardegna

21. SUPERLATIVO DEGLI AGGETTIVI QUALIFICATIVI Riscrivi le frasi con il superlativo degli aggettivi sottolineati.

a. La giornata era fredda e minacciava di piovere.

....

b. Venezia è una città famosa per essere costruita sull'acqua.

....

c. Era stato gentile a prestarmi la sua bicicletta per andare a casa.

....

d. Nel museo di Capodimonte sono conservati reperti archeologici antichi.

....

e. Era sempre allegro e di buon umore.

....

f. Il racconto non era breve, ma neppure troppo lungo.

....

capitolo 3

Gente d'Italia

I brani scelti per questo capitolo offrono scorci su alcuni aspetti importanti della vita sociale degli italiani: la famiglia, la scuola e il lavoro. Queste letture permettono di farsi un'idea di come sia cambiata l'Italia negli ultimi sessant'anni.

La famiglia

La scuola

Il lavoro

1 Abbina le tipologie di famiglie presenti oggi in Italia alle definizioni corrispondenti.

a. ☐ 4 famiglia nucleare
b. ☐ 5 famiglia estesa
c. ☐ 1 famiglia allargata
d. ☐ 3 famiglia di fatto
e. ☐ 2 famiglia unipersonale (o single)

1. formata da genitori e figli, inclusi i figli nati da precedenti unioni dei genitori
2. formata da una sola persona, con o senza figli
3. formata da persone che convivono senza essersi sposate
4. formata da genitori e figli
5. formata da genitori e figli e uno o più parenti conviventi

2 Quale tipologia di famiglia prevale nel tuo Paese?

3 Leggi questa breve sintesi sulla scuola italiana, poi completa le frasi sottostanti inserendo i termini elencati.

Nel 2003 la scuola italiana è stata riformata e, tra l'altro, sono state cambiate le denominazioni dei vari ordini di scuola: l'*asilo* o *scuola materna* è stato chiamato *scuola dell'infanzia*, la scuola *elementare* è stata chiamata scuola *primaria*, la scuola *media*, scuola *secondaria di primo grado*, la scuola *superiore*, scuola *secondaria di secondo grado*. Nell'uso comune, tuttavia, rimangono ancora le vecchie denominazioni.

università / scuola elementare o primaria / scuola materna o dell'infanzia /
scuola media o secondaria di primo grado / scuola superiore o secondaria di secondo grado

a. La _scuola materna_ è frequentata dai bambini dai 3 ai 5 o 6 anni.
b. La _scuola elementare_ è obbligatoria, dura cinque anni ed è frequentata dai bambini dai 5/6 anni ai 10/11 anni.
c. Anche la _scuola media_, che dura tre anni, è obbligatoria ed è frequentata da allievi dai 10/11 anni fino ai 13/14 anni.
d. La _scuola superiore_ è il secondo ciclo di istruzione e si articola in licei, istituti tecnici e istituti professionali. Ha una durata di cinque anni.
e. L'esame al termine della scuola superiore permette di iscriversi all'_università_, che è divisa in varie facoltà (per esempio Medicina, Lettere, Ingegneria...). Attualmente esistono due livelli di laurea: il primo dura tre anni e il secondo due.

4 Quale dei seguenti settori associ all'Italia?

- ☐ artigianato
- ☐ ricerca scientifica
- ☐ industria automobilistica
- ☐ turismo
- ☐ industria alimentare
- ☐ gallerie d'arte e musei
- ☐ moda

- ☐ industria metalmeccanica
- ☐ ceramica
- ☐ agricoltura
- ☐ cantieri navali
- ☐ industria informatica
- ☐ vetrerie
- ☐ design

La famiglia

I brani di questa sezione coprono un arco di tempo che va dagli inizi del Novecento ai giorni nostri e presentano alcuni temi forti che caratterizzano la famiglia italiana, vista nei suoi cambiamenti come nucleo di affetti e come struttura sociale.

1 Leggi la scheda Parole e cultura sulla famiglia italiana. Quali elementi di continuità esistono fra il vecchio modello di famiglia e le tendenze attuali?

PAROLE *e* CULTURA

L'evoluzione della famiglia italiana

Fino agli anni Cinquanta l'Italia era un Paese prevalentemente agricolo e il modello familiare più comune era quello della famiglia patriarcale contadina in cui l'uomo più anziano esercitava il potere su tutti gli altri componenti della famiglia. La famiglia patriarcale era composta da nonni, figli maschi, le loro mogli e i loro figli, in genere molto numerosi. Le figlie, invece, dopo il matrimonio andavano a vivere nella famiglia del marito. Alla morte dei nonni la famiglia poteva dividersi per creare nuovi nuclei. Gli uomini lavoravano, mentre le donne si occupavano della casa e dei figli. La famiglia borghese invece aveva nuclei più ristretti con un minor numero di figli, ma la

divisione dei ruoli fra marito e moglie era uguale. Dopo la fine della Seconda guerra mondiale (1945) e il successivo boom economico, la famiglia tradizionale si è rapidamente trasformata. Il modello prevalente era quello di una famiglia composta solo dai genitori (che spesso lavoravano entrambi) e dai figli, che talvolta ospitava anche i nonni. Con l'introduzione della legge sul divorzio nel 1970, la famiglia ha subito ulteriori trasformazioni, ma permangono ancora numerose tracce delle vecchie tradizioni familiari, nei legami affettivi e nella tendenza a riunire i vari gruppi familiari in occasioni di ricorrenze e feste tradizionali.

T1 Niccolò Ammaniti

Io non ho paura

Niccolò Ammaniti nasce a Roma nel 1966. È autore di racconti e molti romanzi, da cui sono stati tratti anche dei film. Diventa famoso con il romanzo *Io non ho paura* (2001); altrettanto famoso è l'omonimo film diretto da Gabriele Salvatores nel 2003. Pubblica poi *Come Dio comanda* (2006), *Che la festa cominci* (2009), *Il momento è delicato* (2012) e il racconto a fumetti *Fa un po' male* (2004). È apprezzato anche all'estero e i suoi libri sono tradotti in molte lingue.

⦿ Verso il testo

1. Cancella l'intruso presente in ciascun gruppo di parole.

    a. cucinare / lavare / spolverare / telefonare / stirare
    b. salumiere / panettiere / fruttivendolo / macellaio / meccanico
    c. insegnante / camionista / malattia / postino / medico

2. Nella tua esperienza, quale dei due coniugi svolge i seguenti compiti in famiglia? Indicalo nella tabella.

	marito	moglie	entrambi
tiene i conti			
fa la spesa			
fa i lavori di casa			
cucina			
mantiene economicamente la famiglia			
fa riparazioni in casa			
si prende cura dei bambini			
sceglie l'auto			
educa i bambini			
decide dove andare in vacanza			

*Nei due brani seguenti vengono presentati il padre di Michele (vedi anche
cap. 1 p. 14), il protagonista del romanzo, che è appena rientrato da un
viaggio di lavoro al Nord, e la madre, che è casalinga.*

«**È** arrivato papà!», ha gridato mia sorella. Ha buttato la bicicletta ed
è corsa su per le scale.

Davanti a casa nostra c'era il suo camion, un Lupetto Fiat[1] con il
telone verde.

5 A quel tempo papà faceva il camionista e stava fuori per molte settimane.
Prendeva la merce e la portava al Nord. Aveva promesso che una volta mi ci
avrebbe portato pure a me al Nord[2]. Non riuscivo tanto bene a immaginarmi
questo Nord. Sapevo che il Nord era ricco e che il Sud era povero. E noi eravamo poveri. Mamma diceva che se papà continuava a lavorare così tanto, presto
10 non saremmo stati più poveri, saremmo stati benestanti[3]. E quindi non dovevamo lamentarci se papà non c'era. Lo faceva per noi.

[...] Poi mi ha preso per un braccio. «Fammi sentire il muscolo». Ho piegato
il braccio e l'ho irrigidito.

Mi ha stretto il bicipite[4]. «Non mi sembra che sei[5] migliorato. Le fai le fles-
15 sioni [*i piegamenti*]?»

«Sì».

Odiavo fare le flessioni. Papà voleva che le facevo[6] perché diceva che ero ra-
chitico [*poco sviluppato*].

«Non è vero», ha detto Maria, «non le fa».

20 **M**amma non sedeva mai a tavola con noi.
Ci serviva e mangiava in piedi. Con il piatto poggiato sopra il frigo-
rifero. Parlava poco, e stava in piedi. Lei stava sempre in piedi. A cucinare. A lavare. A stirare. Se non stava in piedi, allora dormiva. La televisione
la stufava [*annoiava*]. Quando era stanca si buttava sul letto e moriva[7].

1. **Lupetto Fiat**: veicolo da lavoro prodotto dall'industria automobilistica
Fiat.
2. **mi ci avrebbe portato pure a me
al Nord**: forma colloquiale dell'italiano meridionale. In italiano standard:
"avrebbe portato anche me al Nord".
3. **benestanti**: in buone condizioni economiche.
4. **bicipite**: muscolo del braccio.
5. **Non mi sembra che sei**: forma colloquiale per "non mi sembra che tu sia".
6. **voleva che le facevo**: forma colloquiale per "voleva che le facessi".
7. **moriva**: forma colloquiale: "si ad-
dormentava immediatamente" perché
era "stanca morta".

● Una scena dal film *Io non ho paura*.

25   Al tempo di questa storia mamma aveva trentatré anni. Era ancora bella.
Aveva lunghi capelli neri che le arrivavano a metà schiena e li teneva sciolti.
Aveva due occhi scuri e grandi come mandorle, una bocca larga, denti forti e
bianchi e un mento a punta. Sembrava araba. Era alta, formosa[8], aveva il petto
grande, la vita stretta e un sedere che faceva venire voglia di toccarglielo e i
30 fianchi larghi.

     Quando andavamo al mercato di Lucignano vedevo come gli uomini le ap-
piccicavano [incollavano] gli occhi addosso. Vedevo il fruttivendolo che dava una
gomitata a quello del banco accanto e le guardavano il sedere e poi alzavano la
testa al cielo. Io la tenevo per mano, mi attaccavo alla gonna.

35   È mia, lasciatela in pace, avrei voluto urlare.

(N. Ammaniti, Io non ho paura, Einaudi, Torino 2001)

---

8. formosa: con le forme pronunciate, ben fatta.

✔ **se ti è piaciuto, vedi anche...**   il film di G. Salvatores, *Io non ho paura*

◉ Attività

1. Leggi il primo brano.

  a. Che cosa rivela la frase iniziale sul rapporto del padre con la famiglia?

  b. Come venivano giustificate le frequenti assenze del padre di Michele?

  c. Sottolinea le parole-chiave usate nel confronto tra Sud e Nord: che realtà sociale emerge?

  d. Che cosa chiede il padre a Michele? Che valori emergono dalla richiesta?

  e. Secondo te, che cosa rivela Michele di sé con la sua disubbidienza al desiderio espresso dal padre?
    ☐ Che è un debole.
    ☑ Che non condivide i valori del padre.
    ☐ Che è un mite.

2. Leggi il secondo brano.

  a. Raggruppa le frasi che descrivono la madre di Michele e inseriscile nella tabella.

aspetto fisico	azioni quotidiane

  b. Che cosa rivelano le azioni quotidiane della madre sul suo ruolo in famiglia?

  c. Sottolinea le espressioni che descrivono il fascino che la madre esercita sugli uomini.

  d. Che sentimenti prova Michele per la madre? Individua la frase che li sintetizza.

3. Da questi brevi brani, che sentimenti e valori sembrano prevalere nella famiglia?

  ☑ paura   ☑ amore
  ☐ felicità   ☑ ribellione
  ☑ rispetto   ☑ maschilismo
  ☑ sottomissione

T2 Susanna Agnelli

let's be young, be wearing baby clothes

Vestivamo alla marinara

Nata a Torino nel 1922, Susanna Agnelli appartiene alla storica famiglia torinese proprietaria della Fiat, la principale azienda automobilistica italiana. Si impegna per tutta la vita sia in campo imprenditoriale sia in campo politico, anche a livello europeo. Scrive opere di narrativa e tiene alcune rubriche fisse su settimanali popolari. Il suo libro più famoso è la sua autobiografia, *Vestivamo alla marinara*, che vince il Premio Bancarella nel 1975 e diventa un best seller in Italia e all'estero. Muore a Roma nel 2009.

newspaper columns

Verso il testo

1. Guarda le immagini e leggi le didascalie, poi rispondi alle domande nella pagina seguente.

① Fra la fine dell'Ottocento e l'inizio del Novecento si diffuse in Italia la moda dell'abito alla marinara per i bambini di entrambi i sessi. Di colore blu o bianco, assomigliava alla divisa dei marinai, con la gonna per le bambine e i calzoncini per i bambini. In seguito, la moda si estese anche agli abiti per adulti.

La divisa della Marina Militare italiana: di panno blu quella invernale, di tela bianca quella estiva.

②

Il vestire alla marinara viene periodicamente ripreso dalla moda moderna e viene definito stile *navy*. Questo stile è caratterizzato dall'uso di tre colori, blu, bianco e rosso, e da decorazioni di ancore e nodi che si estendono anche agli accessori come scarpe, borse e occhiali.

③

a. Quali sono gli aspetti che caratterizzano la moda del "vestito alla marinara"?

- ☑ il colore
- ☐ i pantaloni
- ☐ il tessuto
- ☑ le decorazioni a nodi e ancore
- ☐ la gonna
- ☐ la forma del colletto (✓)
- ☐ i bottoni dorati

b. Quali innovazioni sono state introdotte in epoca moderna nella moda alla marinara?

2. Abbina i nomi alle definizioni corrispondenti, come nell'esempio.

- a. [5] rapa
- b. [4] crème caramel
- c. [2] crema
- d. [3] marzapane
- e. [1] fondant

1. dolcetto o caramella fatto di pasta di zucchero
2. composto fatto generalmente con uova, zucchero, farina e latte, usato per farcire o per decorare dolci
3. pasta di mandorle, con cui si creano dolcetti modellati in varie forme, spesso di frutta
4. dolce al cucchiaio fatto con il latte e ricoperto di caramello
5. radice commestibile di forma rotonda, polposa e poco saporita

Il testo è tratto dalle pagine iniziali del libro, in cui la scrittrice descrive la routine familiare della sua infanzia, vissuta insieme alle sorelle e ai fratelli, sotto le cure di una governante inglese, Miss Parker.

»» mp3
traccia **10**

Vestivamo sempre alla marinara: blu d'inverno, bianca e blu a mezza stagione e bianca in estate. Per pranzo ci mettevano il vestito elegante e le calze di seta corte. Mio fratello Gianni[1] si metteva un'altra marinara. L'ora del bagno era chiassosa, piena di scherzi e spruzzi; ci affollavamo nella camera da bagno, nella bagnarola[2], e le cameriere impazzivano. Ci spazzolavano e pettinavano i capelli lunghi e ricci, poi li legavano con enormi nastri neri.

Arrivava Miss Parker. Quando ci aveva radunati tutti: «Let's go»[3], diceva, «e non fate rumore». Correvamo a pazza velocità lungo il corridoio, attraverso l'entrata di marmo, giravamo l'angolo appoggiandoci alla colonnina dello scalone e via fino alla saletta da pranzo dove ci fermavamo ansimanti [*senza fiato*].

«Vi ho detto di non correre», diceva Miss Parker, «one day[4] vi farete male e la colpa sarà soltanto vostra. A chi direte grazie?»

Ci davano da mangiare sempre quello che più odiavamo; credo che facesse parte della nostra educazione britannica. Dovevamo finire tutto quello che ci

---

1. Gianni: Gianni Agnelli, fratello maggiore di Susanna, nato nel 1921 e noto come "l'Avvocato". Ha guidato l'azienda automobilistica Fiat fino al 1996, pochi anni prima della sua morte, avvenuta nel 2003.
2. bagnarola: recipiente di legno o di ghisa usato per fare il bagno.
3. Let's go: "andiamo".
4. one day: "un giorno o l'altro".

● Torino, Piazza d'Armi nel 1939 durante una manifestazione fascista.

15 veniva messo sul piatto. Il mio incubo erano le rape e la carne, nella quale apparivano piccoli nervi bianchi ed elastici. Se uno non finiva tutto quello che aveva nel piatto se lo ritrovava davanti al pasto seguente.

Il dolce lo sceglievamo a turno, uno ogni giorno. Quando era la volta di Maria Sole noi le dicevamo: «Adesso, per l'amor del cielo, non scegliere "crème cara-
20 mel" che nessuno può soffrire». Invariabilmente Miss Parker chiedeva: «So⁵, Maria Sole, che dolce, domani? It's your turn⁶». Maria Sole esitava, arrossiva e sussurrava: «Crème caramel».

«Ma perché continui a dire "crème caramel" se non ti piace?»

«Non mi viene in mente nient'altro».

25 Ancor oggi non ho scoperto se quella dannata [odiata] "crème caramel" le piacesse davvero e non osasse ammetterlo o se fosse troppo grande lo sforzo di pensare a un altro dolce.

Dopo colazione facevamo lunghe passeggiate. Attraversavamo la città fino a piazza d'Armi, dove i soldati facevano le esercitazioni. Soltanto se pioveva ci era
30 permesso camminare sotto i portici (i famosi portici di Torino) e guardare le vetrine dei negozi. Guardarle senza fermarsi, naturalmente, perché una passeggiata è una passeggiata e non un trascinarsi in giro che non fa bene alla salute.

Torino era, anche allora, una città nota per le sue pasticcerie. Nella luce artificiale delle vetrine apparivano torte arabescate [decorate], paste piene di crema,
35 cioccolatini, marzapani, montagne di brioches, fondants colorati disposti in tondo sui piatti come fiori, ma noi non ci saremmo mai sognati di poter entrare in un negozio a comprare quelle tentatrici delizie. «Non si mangia tra i pasti; it ruins your appetite⁷» era una regola ferrea⁸ che mai ci sarebbe venuto in mente di discutere.

---

5. **So:** "allora".

6. **It's your turn:** "è il tuo turno, tocca a te".

7. **it ruins your appetite:** "ti rovina l'appetito".

8. **regola ferrea:** regola che non si può assolutamente infrangere.

40   Così camminavamo dalle due alle quattro, paltò *[cappotto]* alla marinara e ber-
rettino tondo con il nome di una nave di Sua Maestà Britannica scritto sul nastro, Miss Parker in mezzo a due di noi da una parte e uno o due di noi dall'altra
finché non era l'ora di tornare a casa.

(S. Agnelli, *Vestivamo alla marinara*, Mondadori, Milano 1975)

se ti è piaciuto, leggi anche... S. Agnelli, *Addio, addio mio ultimo amore*

● Attività

1. Leggi fino a riga 27.

  a. Che parte della giornata viene descritta?

  b. Chi si occupa dei bambini?

  c. Che cosa suggerisce il fatto che i genitori non vengono nominati?

2. Rileggi questa parte.

  a. Evidenzia tutte le azioni che fanno i bambini.

  b. Che tempo verbale viene usato e qual è la sua funzione?
- ☐ Indica eventi particolari nella giornata dei bambini.
- ☑ Indica azioni abituali ripetute nel tempo.
- ☐ Indica azioni che si riferiscono a giochi infantili.

  c. Che tipo di educazione rivela questa descrizione?
- ☐ amorevole
- ☐ permissiva
- ☑ soggetta a regole precise

3. Termina la lettura.

  a. Sottolinea le azioni e cerchia i divieti.

  b. L'atmosfera evocata dalla prima parte del brano viene confermata o modificata? In che modo?

  c. Secondo te, che tipo di istitutrice è Miss Parker?
- ☐ Comprende i bambini.
- ☑ Fa solo rispettare delle regole.
- ☐ Mitiga le regole con la fantasia.

d. Quali ricordi sono positivi, negativi o neutri per l'autrice? Completa la tabella.

ricordi positivi	
ricordi negativi	
ricordi neutri	

4. Che ambiente sociale viene evocato da questa descrizione?

5. Quali regole caratterizzano l'educazione tipica di un bambino che appartiene a questo ambiente? Fa' riferimento ai seguenti punti.
abbigliamento / disciplina / pasti / attività pomeridiane

6. Secondo te, al giorno d'oggi in quali ambienti esiste ancora un tipo di educazione simile e per quale motivo?

T3 Daria Bignardi

Non vi lascerò orfani

Daria Bignardi, nata a Ferrara nel 1961, è una giornalista, scrittrice e conduttrice televisiva. Collabora con giornali e riviste nazionali.
Esordisce come scrittrice con il libro autobiografico *Non vi lascerò orfani* (2009), che riceve numerosi premi letterari, seguito da altri due romanzi.

Began

Verso il testo

1. Abbina gli aggettivi alle definizioni corrispondenti.

a. ☐4 apprensivo
b. ☐2 autoritario
c. ☐1 autorevole
d. ☐5 irrazionale
e. ☐3 conservatore

influential

1. chi esercita autorità morale
2. chi impone con la forza la propria autorità
3. che tende a non cambiare, difensore dei valori tradizionali
4. chi si preoccupa eccessivamente
5. chi agisce senza basarsi sul ragionamento

2. Completa la tabella con i termini mancanti.

aggettivo	nome
protestatario	il protesto
contestatore	la contestazione
egualitario	l'egualità
solidale	solidarietà
pacifista	la pace
libero	la libertà
aperto	l'apertura
idealista	l'ideale
creativo	la creatività
apprensivo	l'apprensione
autorevole *autoritario*	l'autorevolezza
anziano	anzianità
caloroso	calore

anti-establishment

3. Leggi la scheda Parole e cultura sul termine *sessantottino* a p. 98. Sulla base delle informazioni che ricavi dalla lettura, quali tra gli aggettivi degli esercizi 1 e 2 useresti per descrivere un sessantottino?

Il brano che proponiamo è tratto dalla parte finale del libro. L'autrice, che ha una sorella maggiore di dieci anni, descrive i componenti della sua famiglia soffermandosi sull'atteggiamento della mamma e del papà, diventati genitori in età avanzata.

»» mp3
traccia **11**

Io sono nata negli anni Sessanta. Loro, all'inizio del secolo: 1914 lui e 1923 lei.
La Gianna[1] aveva quasi quarant'anni quando *mi ha messo al mondo [partorito]*. Vico quasi cinquanta.

A quei tempi non usava fare figli tardi, come adesso: a loro è capitato per
5   caso, come quasi tutto nella vita, anche se amavano molto i bambini piccoli e
non c'era neonato a cui non facessero mille complimenti e che non volessero
prendere in braccio. [...] Il babbo diceva sempre che era contentissimo di avere avuto due figlie femmine e gli dispiaceva che diventassimo grandi, avrebbe
voluto che restassimo sempre piccole e, se proprio dovevamo crescere, avremmo dovuto sposare lui.
10
A scuola ho sempre avuto i genitori più anziani, ma allora i genitori erano
tutti uguali: più o meno autoritari e più o meno autorevoli.

Figli di sessantottini ne ho frequentati solo da adulta, e allora ho capito che
sono diversi da me. Meglio o peggio non lo so, ma diversi. Più sicuri, più pigri,
15   più leggeri. Figli della fine del Novecento, e io dell'inizio: io cresciuta con il
libro *Cuore*[2], loro con Rodari[3].

In mezzo, un mondo, anche se siamo nati a pochi anni di distanza.

Credo di avere avuto la peggiore educazione possibile: apprensiva, irrazionale e conservatrice.
20
Un comportamento tipico della mamma era fare una sfuriata *[scenata]*, magari darmi una sberla *[uno schiaffo]* e poi, pentita, portarmi a spasso *[passeggio]* e
comprarmi un regalo.

Sono cresciuta con la convinzione che amore e dolore siano inscindibili *[inseparabili]* l'uno dall'altro: un'impronta impossibile da cancellare, ma che cerco
25   di non trasmettere. Se ci riesco, non lo so.

---

1. La Gianna: Gianna è il nome della madre.
In molte varianti regionali dell'italiano (soprattutto al Nord) si usa l'articolo determinativo davanti ai nomi di donna. Più raramente, in alcune regioni, come per esempio
la Lombardia, si usa l'articolo anche davanti
ai nomi di uomo.
2. Cuore: il libro *Cuore* di Edmondo De
Amicis (1846-1908) è un classico per ragazzi della letteratura italiana, molto popolare
fino agli anni Cinquanta del Novecento.
Ambientato in una classe elementare, racconta episodi della vita dei ragazzi con un
forte insegnamento morale.
3. Rodari: Gianni Rodari (1920-80), pedagogo, giornalista e scrittore, ha rinnovato
profondamente la letteratura italiana per
ragazzi con racconti, filastrocche e poesie
all'insegna della creatività e del fantastico.

Perché nessuno mai ti dice, quando sei ragazzino, che anche se la mamma rotea [*gira*] gli occhi e urla come una pazza non è veramente pazza e non lo diventerà mai, e nemmeno tu diventerai pazzo come lei. Per anni ho avuto il terrore che mia madre potesse perdere la ragione, e io con lei. Ora so che una madre stressata e
30 nervosa può ululare e ringhiare[4] e dare sberle ma non per questo impazzirà.

Ma quante angosce di meno, se lo avessi capito prima.

[...]

A me però la mia infanzia è piaciuta.

C'era calore in quel caos di emozioni: non c'è stato un giorno della vita con i miei in cui non l'abbia sentito.
35 Lo sento anche adesso che non ci sono più: mi scalda e mi riempie.

(D. Bignardi, Non vi lascerò orfani, Mondadori, Milano 2010)

---

4. ululare e ringhiare: versi tipici dei lupi e dei cani.

se ti è piaciuto, leggi anche... D. Bignardi, *L'acustica perfetta*

PAROLE e CULTURA

Sessantottino

Sessantottino è il termine con cui si definisce chi ha partecipato, più o meno attivamente, al movimento di protesta e contestazione giovanile, sociale e politica, che ha caratterizzato il 1968. Il movimento nacque alla metà degli anni Sessanta negli Stati Uniti con le organizzazioni per i diritti civili, l'opposizione alla società dei consumi, che poneva il denaro e l'acquisto di beni al centro dei valori, e i gruppi antimilitaristi contro la guerra del Vietnam. Gli ideali di questa "controcultura", l'uguaglianza, la solidarietà e il pacifismo, ben presto coinvolsero quasi tutti i Paesi del mondo e nel 1968 dilagarono in Europa.
I due Paesi maggiormente coinvolti furono la Francia, dove il movimento iniziò con le rivolte studentesche del cosiddetto "maggio francese", e l'Italia. Studenti e operai si ritrovarono uniti nella lotta contro il principio di autorità nelle scuole, nelle università e nelle fabbriche, spesso attraverso la modalità dell'"occupazione", vivendo cioè all'interno degli edifici che le ospitavano e gestendole in autonomia. In famiglia i figli contestavano l'autorità dei genitori. I movimenti femministi, insieme ai movimenti di liberazione sessuale e ai gruppi di omosessuali, mettevano in discussione l'istituzione della famiglia e proponevano di sperimentare forme nuove di nuclei familiari molto aperti, quali "le comuni", in cui convivevano persone che si sceglievano non perché appartenenti alla stessa famiglia, ma perché legati da ideali comuni. Alla fine, il sentire di questi movimenti arrivò a influenzare anche la famiglia tradizionale, con tempi e modalità diversi da nazione a nazione. Iniziarono a essere accettati la convivenza prima del matrimonio e i matrimoni civili, e iniziarono a diffondersi consultori per la salute della donna e pratiche anticoncezionali.

Attività

1. Leggi fino a riga 17.

   a. Che aspetto sottolinea l'autrice riguardo alla sua nascita? *attitude*

   b. Qual è l'atteggiamento dei suoi genitori nei riguardi dei bambini e verso quali, in particolare?

   c. Come si riflette questo atteggiamento nel rapporto del padre con le figlie?

   d. Quale caratteristica dei genitori del tempo non fa pesare all'autrice il fatto di avere genitori più vecchi degli altri bambini?

   e. Sottolinea gli aggettivi che utilizza l'autrice per descrivere i figli dei sessantottini e abbinali ai loro contrari elencati qui sotto.

     1. attivi _____ *pigri*
     2. responsabili _____ *leggeri*
     3. insicuri _____ *sicuro*

   f. Che metafora usa l'autrice per sottolineare la distanza fra la sua generazione e quella dei figli dei sessantottini?

2. Termina la lettura.

   a. Quali sono i due aspetti che l'autrice giudica negativi nella sua educazione familiare e che ha cercato di non trasmettere?

   b. Quale sentimento le ha permesso di superare le difficoltà e ha ancora effetti positivi sulla sua vita?

   c. L'autrice paragona implicitamente la madre a un cane o a un lupo. Che immagine della madre ne emerge?

   d. Rifletti ora su come l'autrice presenta i genitori in questo brano.
     La differenza tra loro è dovuta al fatto che
     ☐ l'autrice aveva un buon rapporto con il padre, ma non con la madre.
     ☐ la madre aveva grossi problema psicologici.
     ☑ a quel tempo erano le madri ad avere la responsabilità dell'educazione dei figli, per cui erano più stressate.

● G. Castellani, *La piccola vedetta lombarda*, illustrazione per il libro *Cuore* di E. De Amicis.

3. Quale dei due tipi di educazione familiare delineati nel testo giudichi più efficace e perché? *conservatrice? progressista?*

4. Come descriveresti i rapporti familiari dominanti nel tuo Paese? *aperto, giusto, equanime*

5. Com'è cambiato il ruolo dei padri nelle famiglie dal periodo in cui è ambientato il brano? *più coinvolte*

T4 Paolo Cognetti

Una cosa piccola che sta per esplodere

Nato a Milano nel 1978, Paolo Cognetti studia Matematica e in seguito si diploma in Sceneggiatura. Si dedica alla produzione di documentari su diversi temi, da quello sociale e politico a quello letterario. Appassionato di letteratura americana, esordisce come scrittore nel 2004 con la raccolta di racconti *Manuale per ragazze di successo*, seguito, nel 2007, da *Una cosa piccola che sta per esplodere*. I personaggi principali di questa seconda opera sono tutti adolescenti o quasi, e Cognetti descrive le loro storie d'amore o familiari.

♀Verso il testo

1. Scrivi sopra ciascuna immagine la didascalia corrispondente.

tenda / bombola del gas / roulotte / fornello da campo / torcia

Ⓐ ....torcia....

Ⓑ ....roulotte....

Ⓒ ....tenda....

Ⓓ ....fornello da campo....

Ⓔ ....bombola del gaz....

2. Abbina le espressioni alle spiegazioni del loro significato, o ai loro equivalenti in italiano standard.

a. ⑤ essere alla resa dei conti
b. ③ meditare sul da farsi
c. ⑥ cercarsela
d. ① fregare
e. ④ metterla giù facile
f. ② qua la mano!

1. imbrogliare
2. ok / bene, siamo d'accordo!
3. cercare di capire quali azioni intraprendere
4. presentare come facile qualcosa che non lo è affatto
5. prendersi la responsabilità delle conseguenze delle proprie azioni
6. agire in modo da attirare guai

3. Completa ciascun verbo con una delle espressioni che contengono il nome di una parte del corpo umano.

a. ⑥ guardarsi
b. ④ darsi
c. ⑦ stringersi
d. ③ aggrottare
e. ① tenere qualcosa
f. ② comunicare
g. ⑤ stringere una cosa

1. tra le ginocchia
2. con gli occhi
3. le sopracciglia
4. un bacio
5. con tutte le dita
6. negli occhi
7. la mano

Il testo seguente è la parte iniziale del racconto che narra le vicende di una famiglia composta da padre, madre e un figlio unico.

Era l'estate del 1987. L'anno dell'alluvione, come poi l'avremmo sempre chiamato, e della resa dei conti tra i miei genitori. In casa non c'erano soldi, così un amico di famiglia ci aveva prestato questa roulotte in montagna, dove io e la mamma ci saremmo trasferiti mentre papà meditava sul da farsi.

5 Era stato l'inverno dei ritardi e delle scuse, delle telefonate notturne, dei litigi sottovoce che ascoltavo dal mio letto, appoggiando un bicchiere al muro. Ormai sapevo della relazione di mio padre e dell'ultimatum[1] che la mamma gli aveva dato: due mesi di tempo per decidere se lasciare la sua ragazza o noi, oppure inventarsi una terza possibilità, incasinando[2] tutto com'era nel suo stile. Mio padre

10 è sempre stato un ottimista quando si tratta di risolvere i problemi. [...]

«Senti», disse mio padre. «Ti ricordi quando ci siamo promessi di dirci sempre la verità, io e te? Ti ricordi che abbiamo deciso di guardarci negli occhi, perché due che si guardano negli occhi non possono dire bugie?»

Mi ricordavo. Era stata un'idea sua, come tutte le altre [...].

15 «C'è qualcosa che ti preoccupa?», chiese.

«Mi pare di no».

«Non è proprio un albergo a cinque stelle[3], però a noi piacciono le avventure, giusto?»

---

1. ultimatum: scadenza definitiva entro la quale prendere una decisione.

2. incasinando: modo colloquiale per dire "creando una situazione ancora peggiore".

3. a cinque stelle: una delle categorie più alte di albergo.

«Per me va bene», dissi. «È la
20 mamma che mi sembra triste».

Mio padre smise di sorridere
e aggrottò le sopracciglia. Erano nere e folte e quando si piegavano in giù gli cambiavano
25 tutta la faccia. Io strinsi la
bombola che tenevo tra le ginocchia, sentendo il brivido
del metallo sulla pelle nuda. In
fondo se l'era cercata: era lui
30 che aveva deciso di parlare, no?
E se aveva preparato un discorso, perché non lo faceva e basta, saltando la parte delle domande inutili? Tanto io ero
35 abituato a chiedere spiegazioni e ricevere risposte che non c'entravano niente.

Disse: «Non abbiamo mai parlato di donne, noi due».

«Non mi pare».

«È che volevo arrivarci più tardi. Uno rimanda [rinvia] e rimanda, pensando
che avrà sempre tempo per affrontare certe cose, e va a finire che non le affronta
40 mai. Ma forse adesso sei abbastanza grande, che ne dici?»

Ecco come cominciava a fregarti. Non per niente di mestiere faceva il venditore. Ti lasciava annusare un grande affare e tu subito abbassavi le difese.

«Credo di sì», dissi. «Credo di essere pronto».

«Allora ascolta. Le donne hanno un loro linguaggio. Quello che dicono con le
45 parole è molto meno importante di quello che comunicano con gli occhi, o con i
vestiti che si mettono, o facendo le cose di tutti i giorni. Mi segui?»

«Sì», dissi. In qualche modo confuso l'avevo notato anch'io.

«La mamma adesso è in una di queste fasi. Parla poco, fa rumore spostando le
sedie. Gli occhiali da sole li ha sempre odiati, ti ricordi? Sembra triste o arrab-
50 biata, ma in realtà ci sta mandando un messaggio. *Ehi ragazzi! Guardate qui! Da
questa parte, guardate, ci sono anch'io! Ho bisogno di un po' d'attenzione!*»

«Sei sicuro?»

«Sicuro. Io la conosco bene. E sono tranquillo, perché in questa famiglia per
fortuna siamo in due. Se sto via per un po' puoi pensarci tu, giusto?»

55 «Penso di sì», dissi. Non ero del tutto convinto. Sapevo che la stava mettendo
giù troppo facile, ma sotto sotto forse mi piaceva crederci.

«Me lo prometti?»

«Promesso».

«Qua la mano», disse lui. Questo era il colpo finale. Io e mio padre non ci bacia-
60 vamo più dal mio ultimo compleanno. Uomini e donne si baciano. Donne e donne
pure. Uomini e uomini si danno la mano, ed è una cosa che, se fatta bene, stringen-
do con tutte le dita e guardandosi dritti negli occhi, vale anche più di un bacio.

(P. Cognetti, *Una cosa piccola che sta per esplodere*, minimum fax, Roma 2007)

 se ti è piaciuto, leggi anche... P. Cognetti, *Il ragazzo selvatico: quaderno di montagna*

⦿ Attività

1. Leggi fino a riga 10.

   a. Completa lo schema.

> • chi narra la storia _Il solo figlio_
> _della famiglia_
> _plans_
> • che programmi hanno i personaggi
> _La madre e il figlio_
> _trasferiran in un culotte_
> _e il padre deciderà che_
> _va fare. Ha una scelta afare_
> • perché _Non c'erano soldi_
> _e il padre ha una ragazza_

                          litigano

   b. Che cosa ha scoperto il figlio sui rapporti dei genitori e come lo ha saputo?

   c. Evidenzia la frase e l'aggettivo che delineano i tratti fondamentali della personalità del padre. Quale altro aggettivo useresti per definirlo?

     ☐ preoccupato
     ☑ superficiale
     ☐ serio
     ☑ irresponsabile

2. Termina la lettura.

   il comportamento delle donne particolare di situazioni

   a. Di che cosa vuole parlare il padre con il figlio e perché non ha affrontato l'argomento prima?

   b. Chi conduce la conversazione fra padre e figlio? Quali parti del testo lo rivelano?

   c. Sottolinea le espressioni che rivelano l'atteggiamento del ragazzo nei riguardi del padre. Quali aggettivi useresti per descriverlo?

     ☐ fiducioso   ☐ speranzoso
     ☑ sospettoso   ☑ diffidente

3. Rileggi il dialogo.

   a. Quando il padre descrive il "linguaggio delle donne", che immagine di donna comunica al figlio?
      La donna è un essere

     ☑ irrazionale.
     ☐ incoerente.
     ☑ contraddittorio.
     ☐ incomprensibile.

   b. Secondo te, che cosa rivela la spiegazione che il padre fornisce al figlio riguardo al comportamento della madre?

     ☐ affetto
     ☐ solidarietà
     ☑ ipocrisia
     ☐ preoccupazione

   c. Quali frasi o espressioni rivelano che la sua spiegazione non risulta convincente per il figlio?   _4,55_

   d. Con quale gesto si conclude la conversazione tra padre e figlio? In che senso il gesto costituisce il colpo finale?
     si stringono la mano
     Sa che il papa si frega

   e. Perché nel codice di comportamento paterno gli uomini non si baciano? _Respetto falso - è adulto adora_

4. Che tipo di famiglia si delinea in questo racconto?

   ☐ confusa, ma stabile
   ☑ in piena crisi
   ☐ completamente disgregata
   ☐ alla ricerca di un nuovo equilibrio

5. Il bacio è una delle manifestazioni che possono accompagnare i saluti.

   a. In base alla tua conoscenza degli italiani, quali delle seguenti opzioni sono vere?
     ☑ Si baciano uomini e donne.
     ☑ Si baciano donne e donne.
     ☐ Si baciano uomini e uomini.

   b. L'abitudine di baciarsi negli incontri tra amici va aumentando o diminuendo?

   c. Quali sono le usanze del tuo Paese a questo proposito? _customs_

   dare un abbraccio (hug)

T5 Umberto Saba

Ernesto

Umberto Saba nasce a Trieste nel 1883. Vive una situazione familiare molto difficile che gli procurerà sofferenza per tutta la vita. La madre, ebrea, viene abbandonata dal marito e, come conseguenza, lo scrittore rifiuta il padre e il suo cognome (Poli). Sceglie di seguire la cultura ebraica e si fa chiamare Saba. Partecipa alla Prima guerra mondiale e nel 1919 apre un negozio di libri antichi a Trieste.
Pubblica più volte il suo capolavoro, il *Canzoniere*, una raccolta di poesie che ripercorrono la storia della sua vita, tra il 1921 e il 1948. Nel 1953 scrive il romanzo *Ernesto* che rimane incompiuto perché Saba muore a Gorizia nel 1957. Solo nel 1975 la figlia riesce a farlo pubblicare.

⦿ Verso il testo

1. Il tema del brano è l'omosessualità. Secondo te, quali dei seguenti atteggiamenti riguardo al tema erano prevalenti in Europa nella prima metà del Novecento?

- ☑ discriminazione
- ☑ ostilità *(v)*
- ☑ vergogna
- ☐ accettazione *(v)*
- ☑ punizione

- ☑ emarginazione
- ☑ silenzio
- ☐ indifferenza *(v)*
- ☑ paura
- ☑ pregiudizio *(v)*

2. Quali atteggiamenti tra quelli elencati sopra permangono ancora oggi e quale prevale nel tuo Paese?

3. Abbina le espressioni alle spiegazioni corrispondenti.

- a. ☑ far andare in dispiaceri   *have a word with*
- b. ☑ dirgli quattro parole (dirgliene quattro)
- c. ☑ buttarsi in mare dalla vergogna
- d. ☑ un caso di vita o di morte
- e. ☑ prendersela   *to take offense*
- f. ☑ mandare al diavolo

f 1. mandare via qualcuno sgarbatamente   *rudely*
d 2. una situazione gravissima
c 3. vergognarsi al punto di non voler più vivere
e 4. arrabbiarsi
a 5. creare problemi
b 6. rimproverare con parole secche e dure

Il romanzo è ambientato nella Trieste di fine Ottocento e racconta le prime esperienze erotiche e amorose di Ernesto. Il protagonista ha 16 anni, vive con la madre ed è impiegato presso un commerciante di farine. A un certo punto, però, lascia il lavoro perché non vuole più incontrare un operaio dell'azienda. Tra loro era nata, infatti, una relazione omosessuale. Ernesto l'ha vissuta quasi come un gioco e se ne è stancato. Nel brano che segue ha appena confessato tutto l'accaduto alla madre Celestina.

**» mp3
traccia 12**

«Non chiedermi nulla», implorò Ernesto quando, fra le dita delle mani di cui si faceva schermo [*riparo*] alla faccia, lesse negli occhi di sua madre il turbamento [*l'agitazione*] causato dalla sua confessione. Temeva di averle inferto [*dato*] un colpo mortale, di vederla, da un momento all'altro stramaz
5 zare [*cadere*] dalla sedia, morta per colpa sua... Se non fosse stato egli stesso così turbato, avrebbe visto che le sue parole avevano procurato invece a sua madre un senso quasi di sollievo [*liberazione*]. Dall'agitazione del figlio attendeva anche peggio...

«Adesso capirai», continuò Ernesto, «perché non posso più ritornare dal signor Wilder. Non devo più rivedere quell'uomo».

10 La signora Celestina non vedeva che il lato materiale del fatto, che gli sembrava, più che altro, incomprensibile. Le sfuggiva del tutto il suo significato – la sua determinante psicologica[1]. Se no, avrebbe anche dovuto capire che il suo matrimonio sbagliato, la totale assenza di un padre, la sua severità eccessiva ci avevano la loro parte... Senza contare, bene inteso [*ovviamente*], l'età, e più ancora la "grazia" partico
15 lare di Ernesto, che forse traeva [*prendeva*] la sua origine proprio da quelle assenze.

«Mascalzone[2]», esclamò, prendendosela, a ogni buon conto [*comunque*], con l'uomo, «mascalzone, assassino, peggio di tuo...[3] Abusare [*approfittare*] così di un ragazzo! Saprò bene io trovarlo, e dirgli quattro parole. Al solo vedermi, deve buttarsi in mare dalla vergogna, e subito, se non vuole che io...»

20 «No», disse Ernesto, «egli non ha tutta la colpa. Devi anzi, se non vuoi far andare in dispiaceri anche me, giurarmi che non cercherai mai né di vederlo né di parlargli. Perché tu non sai, mamma... Adesso è finito; ma se ritornassi dal signor Wilder... Diceva di volermi bene, e non mi lasciava più pace... Mi portava perfino le paste».

«E vorresti che io lo lasciassi impunito [*senza punizione*], dopo quello che ha
25 fatto a mio figlio, a un ragazzo per bene...»

«Non sono più per bene, e non sono più un ragazzo», disse, suo malgrado, Ernesto. «[...] E, se io non avessi voluto...»

«Non mi dirai, adesso, che sei stato tu a pregarlo?»

«No, mamma, a pregarlo no. Ma,... ma gli sono andato incontro a più di mez
30 za strada. Ecco perché non devi dire niente a nessuno, meno di tutti allo zio Giovanni» [...].

«Giurami», continuò, «che non dirai nulla allo zio; giurami, mammina. Se no...» E si mise a piangere.

---

1. la sua determinante psicologica: le sue cause psicologiche. L'autore parte dal presupposto che l'inclinazione all'omosessualità sia causata dal bisogno di trovare l'affetto che non si è avuto dal padre presso un altro uomo adulto.
2. Mascalzone: imprecazione che significa "disonesto, furfante, malfattore", cioè persona cattiva e sleale.
3. assassino, peggio di tuo...: la madre sta per dire "peggio di tuo padre". Così, infatti, era solita chiamare il marito, non perché fosse davvero un assassino, ma come forma di insulto particolarmente grave.

La signora Celestina (e fu un miracolo) capì, questa volta, che suo figlio ave-
35 va più bisogno di essere consolato che rimproverato. Il fatto – va da sé – le ri-
pugnava [*disgustava*] e, più ancora le riusciva – come si è detto – quasi incomprensibile. Ma non ne fece – come temeva Ernesto – un caso di vita o di morte.
Si accontentava che, per il buon nome di suo figlio, rimanesse tutto segreto;
che nessuno, nemmeno l'aria, ne sapesse o sospettasse nulla.

40 [...] «Figlio, povero figlio mio!», s'intenerì, a un tratto, la signora Celestina. E
seguendo questa volta l'impulso del cuore, mandò al diavolo (cioè al suo vero
padre) la morale e le sue prediche inette [*sciocche*]. Si piegò sul ragazzo, e lo
baciò in fronte.

«Devi giurarmi», disse, «che non lo farai più. Sono cose brutte indecenti[4],
45 [...] indegne di un bel ragazzo come te. Solo i "muloni[5]" le fanno, quelli che
vendono limoni agli angoli delle strade, in Rena Vecchia[6], non il mio Pimpo».
(Nei suoi rari momenti di espansione [*spontaneità affettuosa*], la signora Celestina
dava a suo figlio il nome che questi [*il figlio*] aveva dato al merlo).

Dopo il bacio della madre, e sentendo avvicinarsi il perdono, Ernesto si sen-
50 tiva rinascere. Era uno dei pochi baci che avesse ricevuti da lei. La povera donna ci teneva molto a essere – e più ad apparire – una "madre spartana"[7].

«No pensarghe più, fio mio»[8], disse, passando all'improvviso, e senza accorgersene, al dialetto, cosa anche questa che le accadeva di raro, «quel che te xe
nato xe assai bruto, ma no ga, se nissun vien a saverlo, tanta importanza. No ti
55 xe, grazie a Dio, una putela»[9].

---

4. indecenti: contrarie alla morale, in particolare in materia di comportamenti sessuali.

5. muloni: in dialetto triestino *mulo* significa "ragazzo"; i "muloni" sono i ragazzi di strada, costretti dalla povertà a prostituirsi.

6. Rena Vecchia: il rione più centrale di Trieste.

7. madre spartana: una madre severa e inflessibile, che non concede nulla alla manifestazione dei sentimenti. È detta "spartana" perché, storicamente, si dice

fossero così le madri dell'antica città greca di Sparta (VIII-IV sec. a.C.). Consegnavano i figli allo Stato perché ne facesse dei guerrieri e quando partivano per la guerra li incitavano a tornare vincitori o morti.

8. No pensarghe più, fio mio: "Non pensarci più, figlio mio" in dialetto triestino.

9. quel che te xe nato ... una putela: "quello che ti è successo è molto brutto, ma non ha, se nessuno viene a saperlo, tanta importanza. Non sei, grazie a Dio, una ragazza".

● Trieste, Piazza Unità d'Italia.

«No son una putela», protestò Ernesto, «son anche sta una volta da una dona»[10].
E scoppiò in singhiozzi, come quando – fanciullo di dieci anni – aveva letto, la
prima volta, il *Cuore*[11] di Edmondo de Amicis. Singhiozzava proprio di gusto.

(U. Saba, *Ernesto*, Einaudi, Torino 1975)

---

10. son anche sta una volta da una dona: "sono anche stato una volta con una donna". Con ciò Ernesto conferma la propria "normalità".

11. *Cuore*: il libro *Cuore* di Edmondo De Amicis (1846-1908) è un classico per ragazzi della letteratura italiana, molto popolare fino agli anni Cin-

quanta del Novecento. Ambientato in una classe elementare, racconta episodi della vita dei ragazzi con un forte insegnamento morale.

se ti è piaciuto, leggi anche... P.V. Tondelli, *Camere separate*

Attività

1. Leggi fino a riga 15.

  a. Quale reazione teme di causare il ragazzo alla madre con la sua confessione?

  b. Evidenzia l'espressione che rivela, invece, la vera reazione della madre.

  c. Elenca le cause che hanno provocato il comportamento di Ernesto.

2. Continua la lettura fino a riga 27.

  a. Che cosa vuole fare la madre e perché?

  b. Come reagisce Ernesto?

  c. Alla luce della sua reazione, come ti sembra che consideri le sue passate esperienze?
- ☑ con vergogna
- ☐ con rabbia
- ☑ con delicatezza e pudore
- ☐ con rimpianto
- ☑ con senso di responsabilità

3. Termina la lettura.

  a. Come reagisce la madre alla richiesta del figlio di mantenere il silenzio con tutti sull'accaduto?

  b. Sottolinea l'espressione che rivela che la signora Celestina capisce a fondo i bisogni del figlio.

  c. In che modo il comportamento della madre è diverso rispetto al passato?

  d. Come si sente Ernesto di fronte a questa "nuova" madre?

  e. Quali sono le parole e gli atteggiamenti con cui Celestina ed Ernesto manifestano reciproca tenerezza?

  f. Crea un profilo di Ernesto con le informazioni che hai appreso o che puoi dedurre su di lui.

Ha 16 anni ....
....
....
....
....

4. Esamina il linguaggio.

  a. Che aspetto sottolinea, secondo te, il passaggio all'uso del dialetto da parte della madre?

  b. Quali parole ed espressioni del testo esprimono un registro semplice e colloquiale?

5. Pensi che oggi la reazione di una madre alla rivelazione che il figlio è omosessuale sarebbe diversa? Perché?

T6 »
Joyce Lussu,
Padre padrone padreterno

T7 »
Sibilla Aleramo,
Una donna

iW

La scuola e il lavoro

I brani di questa sezione illustrano alcuni aspetti della vita scolastica e lavorativa italiana e della loro evoluzione e trasformazione nel tempo. Offrono inoltre informazioni aggiornate sui cambiamenti recenti.

1 Nella tabella seguente trovi le materie che si studiano in una scuola media italiana, frequentata dai ragazzi dagli 11 ai 14 anni, e le relative ore di lezione. Confrontala con l'orario scolastico della scuola frequentata dai ragazzi della stessa età nel tuo Paese. Quali differenze trovi?

materia	I anno	II anno	III anno
lingua italiana, storia e geografia	9 ore	9 ore	9 ore
matematica e scienze	6 ore	6 ore	6 ore
tecnologia	2 ore	2 ore	2 ore
lingua inglese	3 ore	3 ore	3 ore
seconda lingua della Comunità Europea	2 ore	2 ore	2 ore
arte e immagine	2 ore	2 ore	2 ore
scienze motorie e sport	2 ore	2 ore	2 ore
musica	2 ore	2 ore	2 ore
religione	1 ora	1 ora	1 ora
approfondimento in materie letterarie	1 ora	1 ora	1 ora
totale ore settimanali	30 ore	30 ore	30 ore

2 Abbina le espressioni che definiscono il tipo di lavoro alle spiegazioni corrispondenti.

a. ☐ lavoro artigianale
b. ☐ lavoro interinale
c. ☐ lavoro nero

d. ☐ lavoro a cottimo
e. ☐ lavoro alla catena di montaggio
f. ☐ lavoro part-time

1. lavoro pagato sulla base della quantità, che può essere, per esempio, il numero delle ore lavorate o il numero dei pezzi prodotti
2. lavoro che ha una durata provvisoria
3. lavoro esercitato da una persona, da sola o con pochi dipendenti, e con strumenti tradizionali spesso manuali
4. lavoro caratterizzato da un orario ridotto
5. lavoro fatto davanti a un nastro trasportatore sul quale si trovano i pezzi dell'oggetto da montare, che scorre in modo che l'operaio lavori sempre lo stesso pezzo
6. lavoro clandestino che rimane sconosciuto alle istituzioni, per cui i lavoratori non hanno un contratto regolare né sono pagati i contributi e le tasse dovute

T 8   Khalid Chaouki

Salaam, Italia!

Khalid Chaouki nasce a Casablanca (Marocco) nel 1983. Arriva con la famiglia in Italia e cresce tra Parma e Reggio Emilia, città in cui frequenta le scuole elementari e medie.
Fin da giovanissimo lavora come volontario nell'ambito della comunità islamica locale e all'interno del Centro interculturale Mondinsieme di Reggio Emilia. Diventa giornalista professionista e collabora con diversi quotidiani. Nel 2005 pubblica *Salaam, Italia! La voce di un giovane musulmano italiano*, dove racconta la sua storia di giovane immigrato. Nel marzo 2013 si candida per il Partito democratico: è eletto deputato del parlamento italiano ed è componente della Commissione Affari Esteri e Comunitari.

♀Verso il testo

1. La tabella seguente contiene i dati relativi alla presenza di ragazzi stranieri o di origine straniera nella scuola italiana, dalla scuola dell'infanzia alla scuola superiore.

   a. Qual è l'ordine di scuola con il maggior numero di alunni stranieri?

   b. In quale zona d'Italia vi è un maggior numero di alunni stranieri alle elementari?

   c. Che cosa indica la maggiore presenza di alunni stranieri nel Nord Italia?

	TOTALE	scuola dell'infanzia	scuola primaria	secondaria di primo grado	secondaria di secondo grado
ITALIA	755 939	156 701	268 671	166 043	164 524
nord-ovest	280 307	61 592	100 759	61 335	56 621
nord-est	211 171	44 791	75 992	45 329	45 059
centro	176 159	34 460	60 531	39 010	42 158
sud	62 163	11 191	21 689	14 111	15 172
isole	26 139	4667	9700	6258	5514

(dati Ministero della Pubblica Istruzione)

2. Osserva le due immagini, la prima di una classe elementare degli anni Cinquanta, la seconda di una classe di oggi. Quali elementi di differenza noti?

classe anni Cinquanta
Non - mista, formale, ansiosi

classe contemporanea
Piú varia con molti razze rappresentate. Abbigliamento informale é permesso. Ragazze e ragazzi imparano insieme. I bambini sembrano rilassati e felici

3. Abbina le parole ai significati corrispondenti.

a. ☑3 integrazione   c. ☑4 pregiudizio   e. ☑2 accoglienza
b. ☑5 discriminazione   d. ☑1 identità

1. insieme di caratteristiche che distinguono una persona dall'altra
2. modo di ricevere, accettare una persona
3. entrare a far parte di un ambiente sociale
4. opinione sbagliata che si è creata senza una diretta conoscenza della realtà
5. differenza di trattamento verso alcuni gruppi di persone all'interno di una comunità

4. Completa le frasi con l'espressione corretta.

a. Da cima a fondo vuol dire *completamente / lontano da tutto*.
b. Tutto sommato vuol dire *in aggiunta / in conclusione*.
c. L'espressione "essere rose e fiori" significa essere *un oggetto dai bei colori e dal profumo intenso / essere una situazione facile e piacevole*.

5. Leggi la scheda Parole e cultura e indica il criterio che si usa in Italia per scegliere in quale classe inserire gli alunni stranieri.

PAROLE ℮ CULTURA

L'inserimento degli stranieri nella scuola italiana

L'inserimento dei ragazzi stranieri nella scuola italiana è regolato da una legge del 1999 (art. 45, DPR n. 394/99).
Secondo questa legge tutti i minori stranieri presenti in Italia hanno diritto all'istruzione indipendentemente dalla regolarità della loro posizione giuridica. I ragazzi vengono in genere iscritti alla classe corrispondente all'età e la scuola ha l'obbligo di organizzare corsi di italiano per facilitare l'apprendimento della lingua italiana ai neoarrivati. Non esiste un programma preciso per tutte le scuole, perciò ogni scuola elabora progetti particolari. Questo crea una varietà di situazioni, per cui in alcune aree del Paese l'inserimento avviene senza difficoltà, in altre è molto più problematico.

Nel testo seguente lo scrittore rievoca le sue prime esperienze nella scuola italiana.

» mp3
traccia **13**

Il mio primo giorno di scuola è stato un momento indimenticabile. Tutti i miei compagni mi osservavano da cima a fondo, come fossi atterrato da un altro pianeta. Non conoscevo una parola di italiano: tutto sommato fu il francese, che conoscevo abbastanza bene, a salvarmi dal completo mutismo[1]. La
5 mia prima sensazione fu di una gioia immensa; potevo beneficiare[2] di un'occasione unica: conoscere un nuovo popolo, direi quasi un'altra umanità.

Imparai molto velocemente la lingua italiana; studiai a memoria le coniugazioni dei verbi; trovai piacere nel memorizzare le poesie del Leopardi[3], anche se non ne capivo il significato. In soli due anni superai l'esame di quinta elementa-
10 re[4]: avevo «ottimo[5]» in tutte le materie.

Ma non furono sempre rose e fiori.

L'evento *[il fatto]* dell'ombrello scomparso dalla mia scuola portò sulla lista dei sospettati il sottoscritto *[io]*, unico imputato e condannato per direttissima[6] senza diritto di replica *[difesa]* e senza prove. E chi poteva rubare un ombrello, se
15 non il bambino marocchino appena arrivato? Giuro che non ero stato io: ma già l'opinione pubblica[7] di quella piccola scuola aveva individuato il nuovo capro espiatorio[8] per tutti i successivi mali. Fu una brutta esperienza, che mi fece pensare e pensare. Iniziavo a capire già allora che lo straniero, il diverso, deve dimostrare di essere una persona per bene *[onesta]*.

20 Già da allora si prospettava per me una battaglia su due fronti opposti. Da una parte convincere me stesso che un vero inserimento nella mia nuova società italiana doveva passare per molti gradini, e che dovevo riconoscere la legittimità *[il diritto]* della società che mi ospitava nel farsi domande sulla mia persona e sulle mie origini. D'altra parte, invitare i miei interlocutori[9] ad aiutarmi verso l'integrazione:
25 come dire che il processo di cittadinanza ha bisogno di uno sforzo reciproco.

Incominciavano già da allora gli interrogativi sulla mia identità. Sulle mie identità.

(K. Chaouki, *Salaam, Italia!*, Aliberti, Reggio Emilia 2005)

---

1. mutismo: incapacità di parlare.
2. beneficiare: trarre vantaggio.
3. Leopardi: Giacomo Leopardi, importante poeta italiano (1798-1837).
4. esame di quinta elementare: alla fine dei cinque anni della scuola elementare, i bambini dovevano sostenere un esame per passare alla scuola media. Con la riforma scolastica del 2003, questo esame è stato abolito.
5. ottimo: uno degli aggettivi (gli altri

erano: insufficiente, sufficiente, buono, distinto) che si usavano alle scuole elementari e medie per esprimere il giudizio sui livelli di apprendimento raggiunti dagli alunni nelle varie materie. Dal 2008 si è tornati al sistema di valutazione mediante il voto in decimi: il 6 rappresenta la sufficienza nella scuola elementare e nella scuola media.
6. condannato per direttissima: si riferisce a una forma di processo molto

veloce a cui si ricorre in caso di arresto del colpevole sorpreso mentre commette il reato o quando il colpevole confessa il reato.
7. l'opinione pubblica: il giudizio comune.
8. capro espiatorio: chi viene accusato e deve pagare per colpe commesse da altri.
9. i miei interlocutori: le persone con cui parlavo.

✔ **se ti è piaciuto, leggi anche...**   I. Scego, *La mia casa è dove sono*

◉ Attività

1. Leggi il testo fino a riga 10.

    a. Sottolinea l'espressione che descrive quanto il bambino sia diverso e culturalmente lontano dai suoi compagni.

    b. Oltre all'aspetto fisico, che cosa rende il bambino appena arrivato diverso dai suoi compagni?

    c. Quali sono le aspettative del bambino marocchino che arriva in Italia?

    d. Come impara l'italiano?

    e. Individua gli aspetti positivi e negativi delle prime esperienze dell'autore nella scuola italiana.

aspetti positivi
Ha superato l'esame di quinta elementare con "ottimo". Ha imparato italiano molto velocemente. Ha godato la poesie del Leopardi. Ha aspettato di conoscere un nuovo popolo.

aspetti negativi
I suoi compagni lo hanno considerato come un alieno dallo spazio profondo. Non conosceva una parola di italiano.

2. Continua la lettura fino a riga 19.

    a. Nella scuola viene rubato un ombrello: come reagisce la classe?

    b. Il modo in cui viene trattato il bambino dopo l'episodio dell'ombrello è paragonato a un processo in tribunale. Cerchia le parole e le espressioni che lo rivelano.

    c. Quali riflessioni fanno nascere nel bambino marocchino le ingiuste accuse di furto?

3. Termina la lettura.

    a. Che atteggiamento dell'ambiente ti suggerisce il fatto che il bambino straniero debba dimostrare di essere innocente?

    ☐ intolleranza
    ☑ pregiudizio
    ☑ discriminazione
    ☐ giustizia
    ☐ benevolenza
    ☑ diffidenza

4. Quale pensi che sia, in genere, l'atteggiamento degli italiani verso gli stranieri? Lo trovi riflesso nel testo che hai appena letto?

5. Lo scrittore dice: «Il mio primo giorno di scuola è stato un momento indimenticabile». È stato così anche per te? Perché?

T9 Paola Mastrocola

Una barca nel bosco

Paola Mastrocola nasce a Torino nel 1956. Laureata in Lettere, prima di diventare insegnante di lettere in un liceo scientifico lavora come lettrice di italiano all'Università di Uppsala, in Svezia. Scrive prima libri per ragazzi, poi romanzi, la maggior parte dei quali centrati sulla sua esperienza scolastica. Il primo, *La gallina volante*, vince diversi premi. Seguono, tra gli altri, *Palline di pane*, finalista al Premio Strega 2001, e *Una barca nel bosco*, vincitore del Premio Campiello nel 2004. Da anni svolge parallelamente l'attività di scrittrice e quella di insegnante.

♀ Verso il testo

1. A che cosa ti fa pensare il titolo del romanzo, *Una barca nel bosco*?
   a. ☐ alle problematiche ecologiche nelle grandi città
   b. ☐ a una persona che si trova a disagio in un ambiente che non è il suo
   c. ☐ a una storia fantastica ambientata in parte al mare, in parte in montagna

2. Crea una rete di idee sul tema "primo giorno di liceo".

● Il liceo classico Massimo d'Azeglio, storico liceo di Torino.

113 ●

3. Abbina le espressioni ai significati corrispondenti.

a. ☐ in anticipo
b. ☐ una bava (d'aria)
c. ☐ non c'è ombra (di alberi)
d. ☐ avere torto
e. ☐ come bere un bicchiere d'acqua

1. molto facile
2. non ci sono
3. prima dell'ora fissata
4. un po'
5. sbagliarsi, essere in errore

Nel brano che segue il protagonista, Gaspare, un ragazzo di 14 anni, racconta il suo primo giorno di scuola in un liceo di Torino.

>> mp3
traccia **14**

A rrivo un po' in anticipo, perché avevo paura di arrivare in ritardo proprio il primo giorno, che non mi facessero entrare e mi rispedissero a
casa dicendomi: non lo vogliamo uno che il primo giorno arriva in ritardo; allora ho preso il tram mezz'ora avanti *[prima]*. Mia madre me lo dice sempre:
5 la prima cosa, Gaspare, è arrivare in orario.

Così adesso aspetto un'ora e venti che aprano il portone. Mi siedo su una pan-
china del viale e guardo le foglie che cadono e quelle che non cadono. Strano che
ne cadano già all'inizio di settembre, io credevo che la caduta delle foglie fosse un
fatto autunnale con tanto di vento tremendo, nebbia e freddo; invece qui è una
10 mattina tiepida, ancora estate, neanche una bava d'aria e le foglie cadono lo stesso.
Ma come facevo a saperlo io, visto che sulla mia isola di viali neanche l'ombra?

Comunque, di aspettare così tanto qui davanti non m'importa, perché alla fine
quel portone lo dovranno pur aprire. E infatti alle otto meno dieci lo aprono.

Ci mandano tutti in palestra per dividerci in classi. A me tocca la 1ª B e salgo insie-
15 me a uno che comincia con la G, ma il cognome tutto intero non mi resta in mente
neanche un po'. Mi metto nel banco con lui perché è quello che mi sta più vicino,
tanto non conosco nessuno e quindi fa proprio lo stesso con chi mi metto nel banco.

E allora inizia il mio primo giorno di liceo. Che è una di quelle cose che poi ti
dovresti ricordare tutta la vita. Io invece è meglio che me lo dimentichi, perché
20 questo benedetto[1] primo giorno lo passo guardando le scarpe.

Dico le scarpe dei miei compagni. Perché loro le guardano a me. Guardano e
ridono. E io allora mi metto a fare uguale, solo che io non rido.

Anche perché m'ero messo in mente tutt'un'altra cosa, e cioè che il primo
giorno di liceo si fanno già cose toste *[impegnative]*. E questo perché me lo aveva
25 detto mio padre: vedrai che fin dal primo giorno te ne accorgi com'è dura *[diffici-
le]*. Però mio padre di liceo cosa vuoi che ne sappia, e infatti aveva torto.

Gli insegnanti ci spiegano che i primi giorni non si fa scuola, è vietato: si fa accoglienza. Ci portano in giro a conoscere la scuola, tipo le scale, la palestra, i bagni. Cioè
non ci insegneranno niente, i primi giorni. E questo cinque ore al giorno per una
30 settimana, che infatti si chiama «la settimana dell'accoglienza». Dicono che così ci
passa la paura perché vediamo che andare al liceo è come bere un bicchiere d'acqua.

Peccato. Perché, siccome me lo aveva detto mio padre, io mi ero immaginato
che era bello tosto il liceo, non un bicchiere d'acqua che, se era solo quello, me lo

---

1. benedetto: letteralmente "che ha ricevuto la benedizione di Dio"; questa
parola, spesso usata anche in espres-

sioni esclamative, può avere un significato positivo, ma comunemente viene
usata in senso negativo come in questo

testo. Infatti il narratore ha un brutto
ricordo del primo giorno di liceo.

potevo bere tranquillamente a casa mia senza farmi questo migliaio di chilome-
35 tri che mi sono fatto per venire fin qui.

Comunque non è che io il primo giorno abbia voglia di passarmelo così, a guar-
dar scarpe. Però, siccome lo fanno tutti, mi dico: sta a vedere che qui usa così,
magari *[forse]* è un sistema per conoscersi. Invece, dopo un po', neanche poi tanto, capisco: nessuno ha addosso delle scarpe come le mie. E il perché di questo io
40 non lo so, ma è così e basta, e la vita è quella che è, dice sempre mio padre, e
quindi bisogna prenderla com'è.

Smetto di guardare scarpe solo quando ci danno i test d'ingresso. Ci dicono
che serve per capire il nostro livello, e io non lo capisco qual è il mio livello, cioè
quale dovrebbe essere, perché ci danno l'esercizio: «Distingui l'articolo deter-
45 minativo dall'indeterminativo», ad esempio: il cammello determinativo, un
passero indeterminativo. Cose che io personalmente ho fatto alle elementari[2],
gli altri non so. Gli altri forse hanno fatto altro, tipo astronomia o statistica, non
grammatica; oppure agli altri piace tornare indietro e rifare le stesse cose, non
so. Comunque non protestano per niente, anzi, mi sembrano contenti, e allora
50 anch'io non dico niente, che cosa vuoi che dica?

(P. Mastrocola, Una barca nel bosco, Guanda, Milano 2005)

---

2. alle elementari: durante le scuole elementari, che in Italia hanno la durata di 5 anni (dai 6 agli 11 anni
di età circa).

 se ti è piaciuto, leggi anche...   P. Mastrocola, *La gallina volante*

◉ Attività

1. Leggi fino a riga 22.

   a. Che cosa sorprende Gaspare riguardo al clima di Torino?

   b. Perché Gaspare preferirebbe dimenticare il
primo giorno di liceo?

   c. Riassumi che cosa ci fa capire che Gaspare
non è di Torino.

2. Termina la lettura.

   a. Perché Gaspare è sorpreso da come è articolata la prima settimana di scuola? Che
cosa si aspettava, invece?

   b. Dalla sua reazione all'episodio delle scarpe,
capiamo che Gaspare si sente
   ☐ umiliato ma rassegnato.
   ☐ offeso e deciso a vendicarsi.
   ☐ apprezzato e stimato.

   c. In che modo i consigli e le informazioni dei
genitori rivelano che non conoscono affatto
l'ambiente che frequenterà il figlio?

   d. Qual è l'opinione di Gaspare sul test d'ingresso? Perché?

3. Riconsidera l'intero testo.

   a. Quali informazioni ricaviamo sul luogo di
origine di Gaspare? Sottolinea le espressioni rilevanti.

   b. Che cosa fa sentire Gaspare diverso dai
suoi compagni?

4. Hai un ricordo particolare, bello o brutto, di
un tuo primo giorno di scuola? Ci sono elementi nel testo che hai appena letto che ti
ricordano la scuola che hai frequentato tu?

Scuola serale

Giovanni Guareschi, nato in provincia di Parma nel 1908 e morto a Cervia nel 1968, è uno degli scrittori italiani più letti nel Novecento. Inizia la carriera come giornalista e vignettista umoristico. La sua opera più famosa, *Mondo piccolo: Don Camillo*, illustrata dallo stesso autore, viene pubblicata nel 1948, quando la scena politica italiana è dominata dal contrasto fra due grandi partiti dell'epoca, la Democrazia cristiana e il Partito comunista. Nei suoi racconti Guareschi riesce a descrivere con ironia il contrasto attraverso i personaggi di Don Camillo, il parroco di un paese della campagna padana, e del sindaco Peppone. Le storie di Guareschi, anche se spesso contestate per le idee politiche, hanno un enorme successo e fra il 1952 e il 1965 ne vengono fatte versioni cinematografiche in bianco e nero. L'attore francese Fernandel e l'italiano Gino Cervi danno un'interpretazione indimenticabile di don Camillo e Peppone, che ancora cattura l'attenzione degli spettatori nelle numerose repliche televisive in Italia e all'estero.

○ Verso il testo

1. Leggi la scheda Parole e cultura nella pagina seguente.

    a. Quali delle seguenti qualità pensi fossero indispensabili per un maestro italiano degli anni Cinquanta?

    ☐ dolcezza   ☐ autorità   ☐ fermezza

    ☐ autorevolezza   ☐ sensibilità   ☐ grande cultura

2. Abbina le espressioni alle spiegazioni corrispondenti.

    a. ☐ andiamo bene   1. con attenzione ed eleganza
    b. ☐ il colpo è riuscito   2. siamo riusciti a fare quello che volevamo
    c. ☐ di lì a poco   3. tutto procede come avevamo previsto
    d. ☐ pestare bacchettate   4. dopo un po'
    e. ☐ essere un monumento nazionale   5. umiliare
    f. ☐ in punta di forchetta   6. picchiare con un bastone o una bacchetta
    g. ☐ far passare per stupidi   7. essere una persona importante

3. Abbina le parole ai significati corrispondenti.

    a. ☐ zucca   b. ☐ zuccone   c. ☐ carogna   d. ☐ mascalzone

    1. disonesto
    2. deriva dalla parola *zucca*; vuol dire ignorante o testardo
    3. corpo di animale morto in putrefazione; vuol dire anche persona spregevole di cui non fidarsi
    4. grosso frutto di colore giallo, con una buccia spessa e dura; vuol dire anche testa, o una persona dalla testa vuota o dura

PAROLE *e* CULTURA

Il maestro e la maestra negli anni Cinquanta

Nel 1947, nell'immediato dopoguerra, la nuova Repubblica istituì la Scuola Popolare, aperta a coloro che avevano più di 12 anni, per risolvere il problema del dilagante analfabetismo. Organizzò aiuti per gli alunni bisognosi che comprendevano anche una razione di latte. Si pensò di combattere l'analfabetismo anche attraverso la televisione, che iniziò le prime trasmissioni proprio negli anni Cinquanta. Le lezioni tenute dal maestro Alberto Manzi nella trasmissione *Non è mai troppo tardi*, in onda alle 18.30 sei giorni su sette, ridussero l'analfabetismo dal 10% al 3%. In otto anni gli italiani che ottennero la licenza elementare furono 1 milione e 400 mila. Il maestro o la maestra di scuola erano figure molto autorevoli e, specialmente nei paesi, erano delle vere e proprie autorità, insieme al medico, al sindaco e al parroco. I maestri seguivano una classe per cinque anni consecutivi e portavano gli allievi all'esame di quinta con una buona conoscenza dell'italiano, della matematica, della storia e della geografia. In genere la scuola era molto severa ed erano permesse le punizioni corporali. Gli insegnanti chiamavano i bambini per cognome e non per nome.

In Italia l'istruzione obbligatoria terminò con la quinta elementare fino al 1962, quando fu introdotta la scuola media unica, della durata di tre anni, che innalzò il termine, quindi, da cinque a otto anni.

● Il maestro Alberto Manzi.

Il testo seguente è tratto dal racconto Scuola serale. *Il Partito comunista ha vinto le elezioni e Peppone è diventato sindaco.*

» mp3 traccia 15

La squadra degli uomini intabarrati[1] prese cauta[2] la via dei campi. Era buio profondo, ma tutti conoscevano quella terra zolla per zolla[3] e marciavano sicuri. Arrivarono dietro una piccola casa isolata, fuori del paese mezzo miglio[4], e scavalcarono la siepe dell'orto.

5 Attraverso le gelosie[5] di una finestra del primo piano filtrava un po' di luce.

«Andiamo bene», sussurrò Peppone che aveva il comando della piccola spedizione. «È ancora alzata. Il colpo è riuscito. Bussa tu, Spiccio».

Uno alto e ossuto [magro] dalla faccia decisa si avanzò e bussò un paio di colpi alla porta.

10 «Chi è?», disse dal di dentro una voce.

«Scartazzini», rispose l'uomo.

Di lì a poco la porta si aperse e apparve una vecchia piccola dai capelli bianchi come la neve, che reggeva in mano una lucernetta[6]. Gli altri uscirono dall'ombra e vennero davanti alla porta.

---

1. intabarrati: che indossavano il tabarro, cioè un lungo mantello (di solito di colore nero).
2. cauta: attenta a non farsi vedere.
3. conoscevano ... zolla per zolla: la zolla è un piccolo pezzo di terra. L'espressione significa "conoscevano benissimo".
4. miglio: unità di misura, circa un chilometro e mezzo.
5. gelosie: serramenti esterni delle finestre, con stecche di legno parallele inclinate verso il basso.
6. lucernetta: piccola lampada a petrolio.

15 «Chi è tutta quella gente?», chiese la vecchia sospettosa.

«Sono con me», spiegò lo Spiccio. «Tutti amici. Dobbiamo parlarle di cose importanti».

Entrarono tutti e dieci in una saletta pulita, e ristettero *[rimasero]* muti, accigliati *[imbronciati]* e intabarrati davanti al tavolino al quale la vecchia era andata a
20 sedersi. La vecchia inforcò *[si mise]* gli occhiali e guardò le facce che spuntavano dai tabarri neri.

«Mmm!», borbottò. Li conosceva tutti a memoria dal principio alla fine, quei tipi. Aveva ottantasei anni e aveva cominciato a insegnare l'abbiccì[7] in paese quando ancora l'abbiccì era roba da grande città. Aveva insegnato ai padri, ai
25 figli e ai figli dei figli. Aveva pestato bacchettate sulle zucche più importanti del paese. Da un pezzo s'era ritirata dall'insegnamento e viveva sola in quella remota *[isolata]* casetta, ma avrebbe potuto lasciare spalancate le porte perché la "signora Cristina" era un monumento nazionale e nessuno avrebbe osato toccarle un dito.

30 «Cosa c'è?», chiese la signora Cristina.

«È successo un fatto», spiegò lo Spiccio. «Ci sono state le elezioni comunali e hanno vinto i rossi[8]».

«Brutta gente i rossi», commentò la signora Cristina.

«I rossi che hanno vinto siamo noi», continuò lo Spiccio.

35 «Brutta gente lo stesso!», insisté la signora Cristina. «Nel 1901 quel cretino di tuo padre voleva che togliessi il Crocifisso dalla scuola».

«Altri tempi», disse lo Spiccio. «Adesso è diverso».

«Meno male», borbottò la vecchia. «E allora?»

«Allora il fatto è che abbiamo vinto noi, ma ci sono anche due della minoran-
40 za, due dei neri[9]».

«Neri?»

«Sì, due reazionari: Spilletti e il cavalier Bignini...»

La signora Cristina ridacchiò:

«Quelli, se siete rossi, vi faranno diventare gialli dall'itterizia[10]! Figurati con
45 tutte le stupidaggini che direte!».

«Per questo siamo qui», borbottò lo Spiccio. «Noi non possiamo che venire da lei, perché soltanto di lei possiamo fidarci. Lei, si capisce, pagando, ci deve aiutare».

«Aiutare?»

50 «Qui c'è tutto il consiglio comunale[11]. Noi veniamo per i campi la sera tardi, e lei ci fa un po' di ripasso. Ci riguarda le relazioni che dovremo leggere, ci spiega le parole che non riusciamo a capire. Noi sappiamo quello che vogliamo e non ci sarebbe bisogno di tante poesie[12], ma con quelle due carogne bisogna parlare in punta di forchetta o ci fanno passare per stupidi davanti al popolo».

55 La signora Cristina scosse gravemente il capo.

«Se voi invece di fare i mascalzoni aveste studiato quando era ora, adesso...»

---

7. insegnare l'abbiccì: insegnare l'ABC, cioè l'alfabeto, quindi nella scuola elementare.
8. rossi: i comunisti, così chiamati dal colore della loro bandiera.
9. neri: i fascisti, così chiamati perché indossavano la camicia nera.
10. itterizia: colorazione giallognola della pelle in seguito ad alcune malattie (particolarmente del fegato).
11. consiglio comunale: organo collegiale di governo locale.
12. non ci sarebbe bisogno di tante poesie: espressione idiomatica che significa "non sarebbe necessario stare così attenti al linguaggio da usare".

«Signora, roba di trent'anni fa...»

La signora Cristina inforcò gli occhiali, ed eccola col busto diritto, come ringiovanita di trent'anni. E anche gli altri erano ringiovaniti di trent'anni.

60   «Seduti», disse la signora Cristina. E tutti si accomodarono su sedie e panchette.

(G. Guareschi, *Mondo piccolo: Don Camillo*, Rizzoli, Milano 1994)

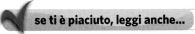

se ti è piaciuto, leggi anche... gli altri racconti della raccolta

Attività

1. **Leggi fino a riga 14.**

a. Che tipo di aspettative crea l'inizio del racconto? Quali espressioni o situazioni te le suggeriscono?

b. Chi pensi che sia la vecchia che apre la porta e che intenzioni ha il gruppo nei suoi riguardi?

2. **Termina la lettura.**

a. Completa il seguente riassunto della vicenda.

Un gruppo di dieci uomini bussa, di notte, alla porta della (1) .... del paese.

La (2) .... signora riconosce alcuni suoi (3) .... di trent'anni prima che la informano di appartenere al Partito (4) .... vincitore delle elezioni. Le chiedono di far loro (5) .... e di correggere le loro (6) .... poiché all'opposizione ci sono due personaggi (7) .... che potrebbero farli (8) .... davanti agli elettori.

La maestra non è assolutamente d'accordo con le loro (9) .... politiche, ma accetta volentieri di riprendere il suo vecchio ruolo.

3. **Esamina la lingua e il tono del racconto.**

a. Prevale il dialogo o la narrazione e la descrizione? Che effetto crea questa scelta?

b. Rileggi le battute seguenti pronunciate dalla maestra.

1. «Mmm!» (r. 22)
2. «Brutta gente lo stesso!» (r. 35)
3. «Figurati con tutte le stupidaggini che direte!» (r. 44)
4. «Se voi invece di fare i mascalzoni aveste studiato quando era ora, adesso...» (r. 56)
5. «Seduti» (r. 60)

Sottolinea nell'elenco seguente gli aggettivi che, secondo te, descrivono meglio la maestra.

severa / paurosa / indipendente / autoritaria / determinata / aperta e disponibile / timida

c. Come reagiscono i componenti del gruppo davanti alla vecchia maestra?

d. Quale parte del dialogo crea una situazione comica, quasi da vignetta umoristica?

4. **Indica se i seguenti sentimenti e valori emergono dal testo.**

a.	solidarietà	V F
b.	vendetta	V F
c.	giustizia	V F
d.	responsabilità	V F
e.	importanza dell'istruzione	V F
f.	valore dell'autorità	V F
g.	autorevolezza	V F

 Sandro Penna

Scuola

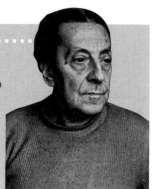

Sandro Penna nasce a Perugia nel 1906. Si diploma in Ragioneria, ma coltiva la passione per la letteratura fino a maturare la decisione di scrivere poesie. Per ampliare i suoi orizzonti, intorno al 1928 si trasferisce a Roma, raggiungendo la madre che si è separata dal padre, e comincia a frequentare l'ambiente dei letterati. Per mantenersi fa i mestieri più diversi: ragioniere, commesso in una libreria, correttore di bozze, mercante di libri rari. Nel 1939 pubblica la prima raccolta di poesie, seguita da altre tra cui *Appunti* (1950), *Una strana gioia di vivere* (1956), *Poesie* (1957, Premio Viareggio) e *Tutte le poesie* (1970). Muore a Roma nel 1977.

◉ Verso il testo

1. Il titolo della poesia che proponiamo è *Scuola*. Quali parole e idee ti fa venire in mente?

2. Che cos'è un collegio?
- ☐ un'università
- ☑ una scuola in cui gli studenti convivono stabilmente
- ☐ una comunità di recupero
- ☐ un'associazione di volontariato

La seguente poesia ci offre, come in un flash, un ricordo di scuola del poeta.

> Negli azzurri mattini
> le file svelte e nere
> dei collegiali. Chini[1]
> su libri poi. Bandiere
> 5 di nostalgia campestre[2]
> gli alberi alle finestre.
>
> (S. Penna, *Tutte le poesie*, Garzanti, Milano 1977)

1. Chini: piegati sui libri.
2. campestre: relativo ai campi, alla campagna.

 se ti è piaciuto, leggi anche...   G. Rodari, *Una scuola grande come il mondo*

◉ Attività

1. Leggi la poesia.

a. Descrivi la scena con parole tue, completando la tabella.

che tempo fa	come sono vestiti gli studenti	che cosa stanno facendo gli studenti
cielo azzurro = bella	una divisa nera	aspettare in fila carichi di libri e ...

Libertà, felicità / austerità, tristezza

b. Considera i due aggettivi che indicano un colore. Quali due diversi mondi evocano?

c. Individua il verso che indica che stanno iniziando le lezioni. Che cosa sottolinea, secondo te?   *Chini su libri*

☑ sottomissione
☐ entusiasmo
☑ obbedienza
☑ noia
☐ ambizione
☑ fatica

d. Di che cosa hanno nostalgia gli studenti che guardano dalla finestra?

☐ della famiglia che devono lasciare ogni mattina
☑ della libertà fuori dai muri della scuola
☐ del lavoro contadino

2. Completa la parafrasi della poesia con le espressioni dell'elenco seguente.

che si vedono dalle finestre / stanno seduti / sventolano come bandiere / vanno a scuola

Gli studenti in divisa nera
(1) _Vanno a scuola_ velocemente nelle mattinate serene.
Poi (2) _stanno seduti_ curvi sui libri. Gli alberi (3) _che si vedono dalle finestre_
(4) _sventolano come bandiere_ di nostalgia.

3. Che immagine della scuola emerge dalla poesia? La condividi?

formale, rigida, oppressiva, rigoroso, austero

4. Molti genitori italiani, una volta, minacciavano i propri figli che non andavano bene a scuola e non amavano lo studio di mandarli in collegio. Ma il collegio non viene considerato negativamente in tutte le culture. Confronta la cultura italiana con quella del tuo Paese riguardo a questo punto.   *rafforzare il carattere*

sport competitivo, concentrazione, accademica, contatti sociali, legami forti

T 12 Giuseppe Culicchia

Torino è casa mia

Nato a Torino nel 1965, Giuseppe Culicchia pubblica nel 1994 il suo primo romanzo, *Tutti giù per terra*, che ottiene due premi. Dal romanzo è tratto un film di successo. Seguono numerosi altri libri, tra cui *Paso Doble* (1995), *Torino è casa mia* (2005), *Ba-da-bum!* (2013). Lo stile di Culicchia annulla la distanza tra lingua letteraria e lingua quotidiana. I suoi romanzi spesso descrivono con ironia vari aspetti della società contemporanea.

◗Verso il testo

1. La Fiat è una famosa industria automobilistica italiana con sede a Torino. Sai che cosa significa ciascuna lettera contenuta nel suo nome? Se non lo sai, fa' delle ipotesi.

   F ....   A ....
   I ....   T ....

2. Il Lingotto era lo stabilimento più grande della Fiat a Torino. Oggi lo stabilimento non esiste più e l'area industriale è stata suddivisa in tante strutture che hanno diversi fini.
   Abbina gli edifici rappresentati nelle cinque immagini seguenti agli aggettivi che, secondo te, descrivono l'uso delle strutture fotografate. Puoi attribuire più di un aggettivo alla stessa immagine.

   culturale / alberghiero / artigianale / commerciale / sportivo / alimentare / educativo / ricreativo / abitativo / industriale / medico

   Ⓐ Pinacoteca Giovanni e Marella Agnelli

   culturale ←

   Ⓑ Sala riunioni Bolla di vetro

   ....

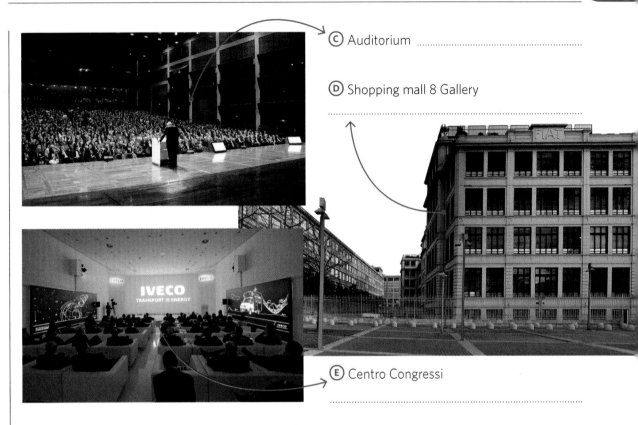

Ⓒ Auditorium ....

Ⓓ Shopping mall 8 Gallery
....

Ⓔ Centro Congressi
....

3. Abbina le parole e le espressioni ai significati corrispondenti.

a. ☑1 sede logistica

b. ☐ villaggio olimpico

c. ☐ catena di montaggio

d. ☐ palazzina direzionale

e. ☐ auditorium

f. ☐ pinacoteca

1. luogo in cui si organizzano lo spostamento e la sistemazione di merci o persone

2. nastro trasportatore sul quale si trovano i pezzi dell'oggetto da montare, che scorre in modo che l'operaio lavori sempre lo stesso pezzo

3. edificio che ospita gli uffici della direzione di una ditta

4. struttura che ospita concerti e rappresentazioni teatrali

5. luogo dove sono raccolti ed esposti quadri

6. serie di costruzioni che servono per ospitare atleti e manifestazioni sportive nel corso dei giochi olimpici

Nel brano seguente lo scrittore descrive la trasformazione di uno dei tanti stabilimenti della Fiat, reso superfluo dalla nuova organizzazione della fabbrica. Si tratta del Lingotto, che ha preso il nome dal quartiere in cui era sorto nel 1922.

Il Lingotto nel 2006 ospiterà il villaggio olimpico, e una slanciata passerella [*un ponte leggero*] lunga 150 metri scavalca già la stazione ferroviaria e collega il corpo principale della gigantesca struttura con l'area degli ex Mercati Generali, dove sorgerà la sede logistica delle Olimpiadi invernali[1]. Ma dentro il Lingotto

---

1. Olimpiadi invernali: nel 2006 Torino ha ospitato le Olimpiadi invernali, dedicate agli sport sulla neve.

5 una volta non c'era *una* fabbrica. C'era *la* fabbrica. Dentro la fabbrica c'era una catena di montaggio. Dentro la catena di montaggio c'erano i pezzi delle auto che si producevano al Lingotto. Dentro i pezzi delle auto che si producevano al Lingotto c'erano degli gnomi[2] in uniforme armati di cronometro che in incognito *[di nascosto]* controllavano la tempistica[3] degli operai addetti alla catena di montaggio.

10 Dentro gli operai addetti alla catena di montaggio sorvegliati *[controllati]* dagli gnomi in uniforme nascosti dentro i pezzi delle auto c'era una vocina che diceva «ma che ci faccio qui attaccato alla catena di montaggio a fare gli stessi gesti centoventi volte al minuto sessanta minuti l'ora dieci ore al giorno sei giorni la settimana cinquanta settimane l'anno?».

15 Dentro la vocina c'erano il dialetto e i profumi e i sapori e i colori del paese d'origine di quegli operai arrivati al Lingotto dal Meridione o dal Nord-Est non ancora baciato dal miracolo[4], che lasciavano i loro famigliari e le loro case per guadagnarsi un salario mensile alla catena di montaggio. Adesso al Lingotto gli operai non ci sono più.

20 I primi a utilizzare le vecchie aree industriali diventate obsolete per scopi culturali sono stati i tedeschi, nella Ruhr[5] e dintorni. Poi sono arrivati gli altri. Tra gli esempi più recenti, la New Tate Gallery[6] a Londra. A partire dalla metà degli anni Ottanta, Renzo Piano[7] ha trasformato il Lingotto nel più importante esempio di riciclaggio postindustriale e postmoderno[8] della città: con 25 246.000 metri quadri di superficie coperta e un corpo principale lungo 507 metri, il vecchio gigante era il maggior sito archeologico novecentesco[9] d'Europa. Della Fabbrica Italiana Automobili Torino è rimasta la palazzina direzionale, riportata lì dall'Avvocato[10] poco prima di morire. E al posto della catena di montaggio, delle presse[11] e delle officine, ci sono camere d'albergo a cinque 30 stelle, megaschermi di multicinema, scaffali e luci e prodotti e codici a barre[12] e casse di centri commerciali, e poi le sale rivestite di ciliegio dell'Auditorium, e ancora la Pinacoteca Giovanni e Marella Agnelli nel suo scrigno d'acciaio, e la Bolla di vetro *sospesa* quaranta metri dal suolo e usata come sala conferenze, e una sede staccata del Politecnico[13].

(G. Culicchia, *Torino è casa mia*, Laterza, Bari 2008)

---

2. gnomi: nani, uomini molto piccoli.
3. tempistica: il tempo necessario per compiere un lavoro.
4. Nord-Est non ancora baciato dal miracolo: arretratezza e povertà erano caratteristiche anche di alcune zone dell'Italia del Nord-Est, fino a quando, negli anni Ottanta del Novecento, hanno avuto un forte sviluppo economico, creato soprattutto da un gran numero di piccole aziende.
5. Ruhr: regione della Germania ricca di miniere e di industrie.
6. New Tate Gallery: galleria di arte moderna e contemporanea nata, nel 1988, dal recupero di una centrale elettrica degli anni Quaranta.
7. Renzo Piano: architetto genovese autore di importanti progetti realizzati in molte città del mondo.
8. postmoderno: che tende a recuperare forme e valori del passato e a fonderli con le tendenze e gli ideali della modernità.
9. sito archeologico novecentesco: luogo dove si trovano costruzioni del Novecento che, ormai in disuso, hanno solo valore storico e/o artistico.
10. Avvocato: Gianni Agnelli (1921-2003), a lungo presidente della Fiat, era detto "l'avvocato".
11. presse: grandi macchine che danno alle lamiere di metallo la forma dei pezzi della carrozzeria dell'automobile.
12. codici a barre: codici composti da linee verticali che identificano un prodotto e il suo prezzo.
13. Pinacoteca … staccata del Politecnico: la Pinacoteca, progettata da Renzo Piano, è la sede della raccolta di quadri voluta dai coniugi Agnelli. Ha la forma di uno scrigno, cioè di una scatola per oggetti preziosi. La Bolla di vetro è una sala riunioni da cui si gode la vista delle Alpi. Anch'essa progettata da Renzo Piano, è in acciaio e cristallo. Il Politecnico è un'università per gli studi di Ingegneria e Architettura.

se ti è piaciuto, leggi anche... G. Culicchia, *Ritorno a Torino dei signori Tornio*

◉ Attività

1. Leggi fino a riga 5.

   a. Trova l'espressione che definisce le dimensioni del Lingotto. Che idea ti fai di questo spazio?

   b. Davanti al nome *fabbrica*, lo scrittore usa prima l'articolo indeterminativo e subito dopo quello determinativo (r. 5). Considerando la loro diversa funzione grammaticale, che cosa indica questa scelta?

     1. ☐ Che lo scrittore non parla di una fabbrica in particolare, ma di una fabbrica qualsiasi.

     2. ☐ Che lo scrittore parla di quella che a Torino è la fabbrica per eccellenza.

     3. ☐ Che lo scrittore parla dell'industria automobilistica italiana.

2. Continua la lettura fino a riga 19.

   a. Sottolinea i termini tecnici caratteristici dell'attività industriale. Quali informazioni oggettive ricavi sulla produzione?

   b. Cerchia le espressioni che descrivono i capireparto, cioè le persone responsabili di un reparto industriale. Quale altra figura ufficiale ti fanno venire in mente, e che cosa hanno in comune con questa figura?

     ☐ insegnante
     ☐ poliziotto
     ☐ politico

   c. Quali informazioni ricavi sugli operai della fabbrica? Completa la tabella scegliendo le parole che ti sembrano più opportune.

     ripetitività / creatività / monotonia / alienazione / puntualità / produttività / umiliazione / rigidità / noia / successo / soddisfazione / ricchezza / Sud / nostalgia / estraneità / lontananza / sfruttamento / vitalità / dialetto

vita in fabbrica

vita prima della fabbrica

sfera personale

   d. Fai attenzione all'avverbio *dentro* che, da riga 5 a riga 15, si ripete all'inizio delle frasi. La descrizione ricorda le scatole cinesi e le matrioske (bambole russe). Che valore simbolico attribuisce questo meccanismo linguistico alla posizione degli operai? Indica se le seguenti affermazioni sono vere o false.

     1. Gli operai sono centrali, ma pressati da tutto ciò che li circonda e che li opprime. Ⓥ Ⓕ

     2. Gli operai sono superflui e non contano niente. Ⓥ Ⓕ

     3. Gli operai sono l'unico motore della fabbrica. Ⓥ Ⓕ

3. Termina la lettura e considera i processi di trasformazione delle zone industriali.

   a. Quale aggettivo qualifica le vecchie aree industriali? Che cosa significa esattamente?

     ☐ piccole
     ☐ antiquate
     ☐ efficienti

   b. Confronta il testo con la tua risposta alla domanda 1 a p. 122: avevi indovinato il significato della sigla Fiat?

4. Conosci uno spazio della tua città che ha avuto una trasformazione simile a quella del Lingotto? Si tratta di una trasformazione in senso positivo o negativo?

T 13 Stefano Benni

Il Sondar

Scrittore, sceneggiatore, giornalista, poeta e drammaturgo, Stefano Benni nasce a Bologna nel 1947. È autore di romanzi e raccolte di racconti, tra cui *Bar Sport* (1976), *Il bar sotto il mare* (1987), *La compagnia dei celestini* (1992), *L'ultima lacrima* (1994), *Bar Sport Duemila* (1997), *Dottor Niù* (2001), *Achille pie' veloce* (2003), *Margherita Dolcevita* (2005). È autore anche delle raccolte teatrali *Teatro* (1999) e *Teatro 2* (2003). In campo giornalistico ha collaborato con i settimanali «Panorama» e «l'Espresso», con i quotidiani «il manifesto» e «la Repubblica» e con i giornali satirici «Cuore» e «Tango». Si è inoltre occupato di cinema collaborando alla sceneggiatura e alla regia del film *Musica per vecchi animali* (1987) e a partire dal 1999 è consulente artistico per il festival internazionale del jazz *Rumori mediterranei*, che si svolge ogni anno a Roccella Ionica, in Calabria. Attento osservatore della società italiana contemporanea, usa una lingua ricca di giochi di parole e ironia.

♀Verso il testo

1. Prova a immaginare un colloquio tra il direttore di un giornale e un giovane giornalista appena assunto. Completa lo schema.

....

....

....

| **DIRETTORE** (caratteristiche e comportamento) | **GIOVANE GIORNALISTA** (caratteristiche e comportamento) |

COLLOQUIO

| **AMBIENTE** (mobili, oggetti ecc.) | **LAVORO DEL GIORNALISTA** |

....

....

....

2. Completa la tabella: abbina i verbi nella colonna di sinistra ai nomi delle parti del corpo umano che trovi elencati qui sotto e forma delle espressioni. Poi scrivi a quali atteggiamenti e stati d'animo associ queste forme di linguaggio del corpo.

la testa **/** *lo sguardo* **/**
negli occhi **/** *la fronte* **/**
gli occhi **/** *un dito*

verbo	parte del corpo	atteggiamento / stato d'animo
corrugare		
spalancare		
alzare		
chinare		
fissare		
distogliere		

3. Le espressioni nel riquadro sono alcune frasi pronunciate dal direttore nel colloquio. Quale, secondo te, è in contraddizione con le altre?

obiettività dell'informazione

imparare dai veterani

imparzialità delle notizie

indice di gradimento

libertà della redazione

Il racconto seguente narra il colloquio tra il direttore di un giornale e un giovane giornalista appena assunto.

)) mp3
traccia **16**

«Il nostro è un lavoro duro ma quanto mai *[molto]* affascinante», disse il direttore del giornale al giovane giornalista neoassunto[1].

Il direttore del giornale fumava una sigaretta americana sulla poltrona girevole tedesca e teneva sulla lucidissima scrivania svedese due lustrissime *[lucidissime]* scarpe inglesi che riflesse sembravano quattro scarpe inglesi.

Il neogiornalista era seduto rigido con un'aria umile, e teneva i piedi avvitati l'uno all'altro[2], cosicché sembrava che avesse una sola scarpa inglese.

«Il suo curriculum è buono, ma un diploma con lode[3] alla scuola di giornalismo governativo non basta, dovrà farsi le ossa[4], impegnarsi duramente e imparare dai veterani[5]. Sa quante difficoltà incontrerà, ragazzo mio?»

Il direttore del giornale corrugò la fronte come chi sta per dire qualcosa d'im-

---

1. neoassunto: appena assunto. Il prefisso *neo-* significa "nuovo, da poco tempo".
2. teneva i piedi avvitati l'uno all'al-
tro: teneva i piedi incrociati.
3. diploma con lode: diploma con il massimo dei voti a cui si aggiunge un particolare merito.
4. dovrà farsi le ossa: dovrà fare pratica.
5. veterani: persone che esercitano un'attività da molto tempo.

portante, il neoassunto spalancò gli occhi come chi si appresta a udire[6] qualcosa di importante.

«Vede, tre cose la dovranno guidare nel suo lavoro presso di noi. *La prima* è la sua coscienza professionale e di cittadino».

Nel dire questo il direttore alzò un dito solenne, il giovane aspirante chinò la testa reverente[7].

«La *seconda*, naturalmente, è *il mio magistero* [insegnamento]».

Il direttore guardò fisso negli occhi il giovane giornalista, il quale restò indeciso se distogliere rispettosamente lo sguardo o virilmente [da uomo] sostenerlo, e nel dubbio intrecciò i bulbi oculari[8] fino a raggiungere lo strabismo[9] tipico dei gatti detti siamesi.

«*La terza cosa*, la può vedere sulla scrivania di ogni giornalista e anche sulla mia, è il Sondar SCE, ovvero Sondaggio Continuato di Efficienza».

Il direttore indicò lo schermo nero, rotondeggiante, ritto su uno stelo[10] di metallo, che come un enorme girasole incombeva sulle loro teste. Il giovane giornalista lo osservò timoroso [pauroso].

«Il suo funzionamento è semplice: poiché negli anni passati ci sono state molte, troppe polemiche sulla scarsa obiettività dell'informazione, e su pregiudiziali[11] atteggiamenti "anti" e "filo"[12] governativi, il governo ha deciso di affidare la questione a un arbitro imparziale. Il Sondar, appunto».

Il direttore attese un cenno [segno] di assenso dal giovane giornalista. Dopo pochi secondi, la testa del giovane giornalista si mosse su e giù indicando assenso.

«Mentre lei lavora, giovanotto, l'istituto governativo di sondaggi segnala al Sondar, in ogni momento della giornata, il suo indice di gradimento presso i lettori. Dopo ogni articolo, verrà fatto subito un sondaggio. Finché lei manterrà alta la sua quota di popolarità, farà parte del nostro giornale. Quando essa si abbasserà, verrà licenziato. Ricordi bene: *il Sondar non perdona*!».

Il direttore guardò il giovane giornalista per vedere se si era spaventato. Il giovane giornalista si era spaventato.

«Naturalmente io stesso sono sottoposto al controllo del Sondar. Questo garantisce la democraticità del nostro giornale: siamo tutti sottoposti al giudizio

6. chi si appresta a udire: chi sta per sentire.

7. reverente: che mostra molto rispetto.

8. bulbi oculari: gli occhi. I bulbi oculari sono le formazioni di tessuto di forma rotonda che costituiscono gli occhi.

9. strabismo: difetto della vista in cui gli occhi convergono tra di loro.

10. stelo: gambo di un fiore. In senso figurato, elemento sottile e allungato che ha la funzione di sostenere un oggetto.

11. pregiudiziali: fissati prima di prendere una decisione o una posizione riguardo a qualcosa.

12. "anti" e "filo": due prefissi che indicano rispettivamente "che si oppone a, contro" e "a favore di".

popolare e questo è infinitamente meglio delle cosiddette libere opinioni. Ma il Sondar non la deve paralizzare, giovane collega! È evidente che se io sono arri-
45 vato così in alto, è perché conosco bene le regole del Sondar, so conciliare l'imparzialità delle notizie e la libertà della redazione. Io la guiderò, la consiglierò, la avvertirò quando lei rischierà di far arrabbiare il Sondar. Io sarò al tempo stesso il suo direttore e il suo garante[13]. È chiaro? Ci sono domande?»

«Sì», disse il giovane giornalista, «cos'è quella luce rossa che si è accesa sul Sondar?»
50 Il direttore sapeva che cosa significava la luce rossa. Il giovane giornalista no.
Una voce femminile proveniente dal Sondar disse con ferma dolcezza:

«Signor direttore, ci dispiace informarla che nell'ultimo sondaggio odierno [di oggi] lei è sceso al ventunesimo posto della classifica di popolarità nazionale. Ciò non le consente di proseguire nel suo incarico. Ha tre minuti di tempo per rac-
55 cogliere le sue cose. La ringraziamo del lavoro svolto e le formuliamo i nostri migliori auguri».

Il Sondar sputò una busta gialla. Il direttore raccolse rapidamente un paio di stilografiche[14], un'agenda, una foto della moglie, un revolver, un cagnolino di porcellana e per ultima la busta.
60 «È la mia liquidazione[15]», disse con voce appena un po' alterata e uscì dalla stanza.
La luce rossa del Sondar si spense. Il giovane giornalista rimase solo per una ventina di secondi, dopodiché la porta si aprì ed entrò il nuovo direttore.

«Il nostro è un lavoro duro ma quanto mai affascinante», disse il direttore del giornale al giovane giornalista neoassunto.

(S. Benni, *L'ultima lacrima*, Feltrinelli, Milano 1994)

---

13. garante: persona che ha la funzione di controllare e vigilare sull'informazione televisiva e giornalistica.

14. stilografiche: penne stilografiche, cioè che hanno uno spazio per inserire la cartuccia con l'inchiostro.

15. liquidazione: somma di denaro che il datore di lavoro paga al dipendente alla fine del rapporto di lavoro.

se ti è piaciuto, leggi anche...   S. Benni, *Bar Sport*

Attività

1. Leggi fino a riga 27.

   a. Secondo te, che cosa aggiunge alla descrizione dell'ufficio del direttore la specificazione dell'origine di alcuni oggetti? Lo fa apparire

    ☐ ridicolo.   ☐ volgare.
    ☐ moderno.   ☐ elegante.
    ☐ pomposo.

   b. Come viene presentato il lavoro che il giovane giornalista sta per cominciare? Riassumilo con parole tue.

   c. Individua le azioni e gli aggettivi che descrivono l'atteggiamento del direttore e quello del giovane giornalista e inseriscili nella tabella. Quale differenza emerge tra i due?

	azioni/aggettivi
direttore	
giovane giornalista	

2. Continua la lettura fino a riga 49 e considera il racconto fino a questo punto.

   a. Che cos'è il Sondar? Completa lo schema.

- che cosa misura _____

    _____

    _____

- come funziona _____

    _____

    _____

- chi controlla _____

    _____

    _____

   b. Completa le frasi.

1. Il Sondar è stato introdotto per / perché
   _____
   _____ .

2. La conseguenza della presenza del Sondar è
   _____
   _____ .

3. Il modo in cui garantisce la democraticità
   del giornale è _____
   _____ .

   c. Come appaiono i mezzi di informazione, secondo il racconto?

☐ asserviti al potere   ☐ popolari
☐ ben gestiti   ☐ scandalistici
☐ condizionati   ☐ soggetti a
☐ idealistici   censura
☐ imparziali   ☐ superficiali
☐ indipendenti   ☐ utili
☐ manipolativi
☐ onesti

   d. Secondo te, che cosa anticipa la luce rossa?
☐ Il licenziamento del giornalista.
☐ Il licenziamento del direttore.
☐ Un avvertimento che il tempo per il colloquio è scaduto.
☐ Che qualcuno sta ascoltando la conversazione e vuole commentare.

   e. Che cosa suggerisce l'aggettivo *governativo* nelle espressioni «scuola di giornalismo governativo» e «istituto governativo di sondaggi»?

3. Termina la lettura.

   a. Che cosa ti colpisce del messaggio vocale che proviene dal Sondar? Puoi rispondere facendo riferimento ai seguenti aspetti.
- il sesso della persona che parla
- il tono della voce
- il contenuto del messaggio
- lo stile con cui è espresso il messaggio

   b. Come reagisce il direttore al suo licenziamento?

4. Il racconto descrive un colloquio di lavoro. Esamina lo stile.

   a. Lo definiresti un dialogo reale o quasi un monologo? Perché?

   b. Da dove ricavi le informazioni sulle reazioni del giovane giornalista?

   c. Che cosa rivela la domanda del giovane giornalista?

   d. Secondo te, qual è la funzione del corsivo nel racconto?

5. Il direttore ha tre minuti di tempo per raccogliere le sue cose e andarsene. Che cosa ci dicono del direttore gli oggetti personali che teneva in ufficio? Tu quali oggetti hai o avresti?

6. Secondo te, il sistema descritto può garantire la democraticità di un giornale? Perché?

T 14 Edoardo Nesi

Storia della mia gente

Nato a Firenze nel 1964, Edoardo Nesi si dedica contemporaneamente all'attività di scrittore e di industriale. Oltre a scrivere vari romanzi, fra i quali ricordiamo *L'età dell'oro* (finalista al Premio Strega 2004), dirige l'azienda tessile di famiglia fino al 2004 quando, a causa della crisi economico-finanziaria che inizia a colpire l'Italia, è costretto a venderla. *Storia della mia gente* (2010) è un romanzo autobiografico che racconta la storia della famiglia dello scrittore e la realtà dell'industria tessile a Prato. Il romanzo vince il Premio Strega 2011. Nesi ha inoltre partecipato attivamente alla politica locale e nazionale come assessore alla Cultura e allo Sviluppo Economico di Prato e come deputato nel governo nazionale.

⚲ Verso il testo

1. Il testo che leggerai è ambientato a Prato, una cittadina della Toscana famosa per la sua industria tessile, cioè per la produzione di tessuti. Leggi la scheda Parole e cultura qui sotto e rispondi alle domande.

   a. Che tipo di trasformazione ha subito l'industria tessile del luogo?

   b. Secondo te, quali conseguenze sociali può provocare questo tipo di situazione?

   ☐ povertà   ☐ violenza

   ☐ solidarietà   ☐ disoccupazione

   ☐ razzismo

PAROLE ℰ CULTURA

L'industria tessile a Prato

La tradizione tessile a Prato risale alla produzione artigianale del XII secolo. Anche se a fasi alterne, è sempre stata una produzione caratteristica della zona e, nell'Ottocento, Prato era definita la "Manchester toscana". Infatti, come la città di Manchester in Inghilterra, era la capitale dell'industria tessile. Con il boom economico degli anni Cinquanta del Novecento l'industria tessile ha iniziato uno sviluppo crescente fino agli anni Ottanta. Da allora una serie di fattori negativi ha provocato una crisi profonda. Alla mancata innovazione dei macchinari, alla diminuzione della concessione di crediti da parte delle banche, alle politiche economiche poco efficaci dei diversi governi italiani, si è unita la concorrenza della manodopera cinese a basso prezzo. Il declino dell'industria tessile fa parte di un declino generale del *made in Italy* che, negli anni Ottanta, aveva portato l'Italia a essere conosciuta e apprezzata in tutto il mondo.

2. Cancella l'intruso presente in ciascun gruppo di parole.

a. lanificio / lavanderia / cotonificio / setificio
b. industria / agricoltura / ufficio / artigianato
c. capannone / magazzino / ufficio / scala

3. Abbina i nomi di persona, che si riferiscono a un ruolo lavorativo, alle definizioni corrispondenti.

a. ☐ titolare
b. ③ imprenditore
c. ☐ fornitore
d. ☐ spedizioniere
e. ☐ cliente

f. ⑥ agente
g. ☐ commercialista
h. ☐ dipendente
i. ☐ facchino
l. ⑤ industriale

1. chi acquista abitualmente da un negozio o ditta
2. un professionista autonomo che si occupa di pratiche fiscali e finanziarie
3. chi esercita un'attività economica per la produzione o lo scambio di beni o servizi
4. chi fornisce merce o materie prime a un negozio o una ditta
5. una persona che lavora nell'industria come imprenditore
6. un lavoratore autonomo che svolge attività per conto di altri
7. il proprietario di una ditta
8. chi trasporta pacchi, valigie, mobili ecc. per persone o ditte
9. chi effettua spedizioni di merci per persone o ditte
10. una persona che svolge un'attività non autonoma e dipende dall'autorità di un padrone

Nel brano lo scrittore rievoca il momento in cui ha dovuto decidere di vendere l'azienda di famiglia fondata dal nonno e ricorda la vita che faceva prima di questa decisione.

**>> mp3
traccia 17**

Nemmeno per un attimo pensai che, venduta l'azienda, sarei rimasto senza lavoro.

Mentre lavoravo nel lanificio avevo sempre desiderato – *ardentemente* desiderato – di poter fare solo lo scrittore nella vita: e scrittore mi sono sempre
5 sentito mentre parlavo con clienti e fornitori, con le banche e con gli agenti, con il commercialista e i dipendenti, tantoché *[per cui]* i miei primi tre romanzi erano stati in gran parte scritti in azienda, sotto l'occhio benevolo di Alvaro[1] che fingeva di non accorgersene, nei momenti liberi di una giornata che iniziava alle nove e spesso si trascinava esausta[2] fino alle sette di sera perché *non era bene che la*
10 *ditta rimanesse aperta senza un titolare dentro.*

Però, al tempo stesso, non mi sentivo fuori posto a fare l'industriale: forse perché ero stato in qualche modo programmato per fare quel mestiere, o forse perché mi è capitato di fare impresa nell'ultimo momento in cui era ancora possibi-

---

1. Alvaro: il cugino del protagonista.
2. esausta: stancamente, in modo stanco, senza voglia.

le entusiasmarsi *per il lavoro*, in quella parte d'Italia benedetta da Dio in cui tutti sembravano muoversi alla frenetica *[incontenibile]* velocità degli omini dei film di Buster Keaton[3].

Perché certi momenti dell'essere un giovane imprenditore tra la fine degli anni ottanta e la prima metà degli anni novanta potevano diventare davvero entusiasmanti, come quando partivo la mattina presto che era ancora buio da Firenze con un Airbus della Lufthansa e volavo a Monaco o a Francoforte dove c'era ad aspettarmi Thomas, il titanico[4] figlio di Dieter Maschkiwitz[5], e con la sua M5 facevamo delle volate pazzesche sull'*autobahn*[6] fino a 270 chilometri all'ora per arrivare in tempo dai clienti, lottavamo per portare a casa gli ordini e la sera stessa sfrecciavamo ancora a 270 all'ora verso l'aeroporto, dove riprendevo lo stesso Airbus Lufthansa e tornavo vincitore a Firenze verso le undici; o quando il venerdì sera mi mettevo seduto in magazzino a osservare l'andirivieni *[il movimento]* vertiginoso dei facchini degli spedizionieri che caricavano lesti *[veloci]* centinaia di pezze *[rotoli di stoffa]* sui camion; o quando si facevano le riunioni di campionario e si cercava di scegliere gli articoli più giusti per la prossima stagione [...].

Così, per anni, complice una mia incrollabile tendenza a non voler mai mollare *[abbandonare]* nulla, sballottato[7] tra una passione ardente e un confuso senso del dovere, cercai di non decidere, o meglio di rimandare *sine die*[8] la mia decisione finché – come mi consigliava Agostino Cesaroni, l'*uber*-commercialista zen[9] di Pesaro che ogni tanto veniva a Prato a sistemare i bilanci[10] di mio nonno [...] – *essa non si fosse materializzata davanti ai miei occhi e mi fosse sembrata l'unica possibile.*

Per undici anni, però, dal 1993 al 2004, non mi si materializzò davanti nulla, e cercai di fare tutte e due le cose insieme, l'industriale e lo scrittore [...].

(E. Nesi, *Storia della mia gente*, Bompiani, Milano 2010)

---

3. Buster Keaton: attore, regista e sceneggiatore (1895-1966) del periodo del cinema muto. Nei film prima del sonoro sembra che i personaggi si muovano a una velocità innaturale: questo perché erano girati con una frequenza di 16 fotogrammi al secondo, mentre ora lo standard è di 24.
4. titanico: grandissimo, gigantesco.

L'aggettivo deriva dai Titani, forti e possenti dèi della mitologia greca.
5. Dieter Maschkiwitz: agente della ditta per la Germania.
6. *autobahn*: "autostrada" in tedesco.
7. sballottato: tirato da una parte all'altra.
8. *sine die*: espressione latina che significa "senza fissare un giorno di scadenza".

9. *uber*-**commercialista zen**: il termine *über* in tedesco significa "sopra, al di sopra" e quindi qui sottolinea la bravura del commercialista, che al tempo stesso ha anche fama di saggio avendo aderito alla filosofia giapponese zen basata sulla meditazione.
10. i bilanci: la situazione finanziaria.

---

se ti è piaciuto, leggi anche... E. Nesi, *Le nostre vite senza ieri*

◉ Attività

1. Leggi fino a riga 18.

   a. Perché l'autore dice di non aver mai temuto di restare senza lavoro dopo la chiusura dell'azienda?

   b. Qual è la sua vera passione e come l'ha coltivata anche quando faceva l'industriale?

   c. Come spiega il fatto di essersi sentito a suo agio a fare l'industriale anche se i suoi reali interessi riguardavano un'altra sfera?

   d. Secondo te, che cosa significa la frase «non era bene che la ditta rimanesse aperta senza un titolare dentro»?

   ☐ La presenza del padrone garantiva una maggiore efficienza.

   ☐ Il padrone faceva bella figura se era presente in fabbrica.

   ☐ La presenza del padrone era l'unico modo per far lavorare gli operai.

   e. L'espressione *fare impresa* significa creare un'attività economica per la produzione di beni o servizi. Quali delle seguenti qualità, secondo te, caratterizzano un buon imprenditore? Sottolineale.

   impegno / *senso di responsabilità* / *creatività* / *conoscenza del mercato* / *rispetto delle scadenze* / *coraggio di rischiare* / *autonomia* / *flessibilità*

   f. Spiega con parole tue perché era facile fare impresa nel periodo in cui lo scrittore ha iniziato a lavorare nell'industria di famiglia.

2. Termina la lettura.

   a. Riassumi con parole tue quello che lo scrittore racconta per esemplificare la situazione economica del periodo. Quali dei seguenti aspetti vengono enfatizzati? Sottolineali.

   coinvolgimento personale / *efficienza* / *interesse* / *mobilità* / *energia* / *impegno* / *entusiasmo*

   b. Che aspetto della sua personalità ci rivela lo scrittore?

3. Riconsidera l'intero testo ed esamina il linguaggio.

   a. Identifica le parole o le frasi in cui lo scrittore usa il corsivo per:

   1. dare enfasi ....

   2. esprimere opinioni correnti ....

   3. indicare termini stranieri ....

   4. citare voci altrui ....

   b. Trova le espressioni figurate che lo scrittore usa per sottolineare:

   1. la fatica della giornata lavorativa ....

   2. la difficoltà della trattativa ....

   3. il successo della trattativa ....

   4. i ritmi lavorativi intensi ....

4. Trovi positiva o negativa la situazione lavorativa descritta nella seconda parte del brano? Perché?

5. Quali sono, secondo te, gli aspetti positivi e negativi di praticare due professioni così diverse?

aspetti positivi	aspetti negativi

 **T 15** Roberto Saviano

Gomorra

Nato a Napoli nel 1979, Roberto Saviano inizia a scrivere per diverse riviste nel 2002. Il suo primo libro è *Gomorra*, pubblicato nel 2006 e subito diventato un best seller. La denuncia precisa che esce dalle sue pagine procura all'autore reazioni minacciose da parte della camorra, per cui Saviano è tuttora costretto a vivere sempre scortato dalle forze dell'ordine. Dal libro è tratto, nel 2008, il film omonimo, diretto da Matteo Garrone. Saviano appartiene al gruppo di ricercatori dell'Osservatorio sulla camorra e sull'illegalità, un organismo nato nel 1981 per prevenire e contrastare la criminalità organizzata, e collabora con numerosi giornali italiani ed esteri. Nel 2013 pubblica *ZeroZeroZero*, un'indagine sul traffico della cocaina.

⦿ Verso il testo

1. Leggi le seguenti definizioni di *Gomorra* e di *camorra*. In che modo il titolo scelto dall'autore sottolinea il tema del libro?

Gomorra: città dell'antica Palestina, citata nella Bibbia perché Dio, adirato a causa dei suoi vizi, la distrusse con il fuoco, insieme alla vicina città di Sodoma. Da allora le due città simboleggiano luoghi o situazioni pieni di brutture tali da meritarsi una punizione esemplare.

camorra: organizzazione criminale di stampo mafioso nata nell'area di Napoli nell'Ottocento. La sua influenza si è via via estesa a tutta la Campania e al territorio nazionale e internazionale.

2. Abbina le parole e le espressioni ai significati corrispondenti.

a. ☐ imprese
b. ☐ appaltare
c. ☐ manodopera
d. ☐ lavoro inquadrato

e. ☐ lavoro in nero
f. ☐ grandi griffe
g. ☐ *made in Italy*

1. "fatto in Italia", espressione che indica nel brano l'alta moda italiana
2. far eseguire un lavoro a chi se ne assume il rischio e le spese, offrendo un compenso in denaro
3. organismi creati, diretti e finanziati da imprenditori, che organizzano il lavoro con finalità economiche
4. "grandi firme" (dal francese *griffe*, "timbro per la firma"), espressione che indica tutta l'alta moda
5. lavoro regolare, che obbliga gli imprenditori ad assumere i lavoratori con un contratto e a versare alle istituzioni competenti i contributi e le tasse dovute
6. lavoro che rimane completamente sconosciuto alle istituzioni: l'imprenditore non assume i lavoratori con contratto regolare, né versa i contributi e le tasse dovute
7. l'insieme dei lavoratori, specialmente manuali

3. Inserisci le seguenti parole nel gruppo corretto.

aghi / completo / cucire / forbici / macchine per cucire / operaio / pantalone / pelle / raso / scarpe / stilisti / stoffa / tagliare / tailleur / tessuto / vestito

persone	prodotti	azioni

utensili	materiali

In Gomorra *lo scrittore racconta una specie di viaggio nella sua terra, Napoli e la Campania, alla ricerca di tutti quei motivi che la rendono arretrata, sofferente, sempre sommersa da problemi gravissimi, tra cui primeggia quello della criminalità organizzata, la camorra. La camorra controlla, fra l'altro, una particolare economia iniziata a partire dagli anni Cinquanta, che riguarda la produzione di abbigliamento, in particolare quello di lusso. Le grandi firme italiane, per produrre i loro capi perfetti, non possono affidarsi alla dilagante concorrenza cinese, ma hanno bisogno di lavoratori specializzati come quelli che si trovano nei laboratori della Campania.*

Esistono ancora fabbriche vincenti. La forza di queste imprese è tale che riescono a far fronte al mercato della manodopera cinese perché lavorano sulle grandi griffe. Velocità e qualità. Altissima qualità. Il monopolio della bellezza dei capi d'eccellenza è ancora loro. Il made in Italy si costruisce

5   qui. Caivano, Sant'Antimo, Arzano, e via via tutta la Las Vegas campana[1]. [...] Le griffe non si fidano a mandare tutto a est, ad appaltare in Oriente. Le fabbriche si ammonticchiano nei sottoscala, al piano terra delle villette a schiera. Nei capannoni[2] alla periferia di questi paesi di periferia. Si lavora cucendo, tagliando pelle, assemblando[3] scarpe. In fila. La schiena del collega davanti agli occhi e la

10 propria dinanzi agli occhi di chi ti è dietro. Un operaio del settore tessile lavora circa dieci ore al giorno. Gli stipendi variano da cinquecento a novecento euro. Gli straordinari[4] sono spesso pagati bene. Anche quindici euro in più rispetto al normale valore di un'ora di lavoro. Raramente le aziende superano i dieci dipendenti. Nelle stanze dove si lavora campeggia su una mensola una radio o una

15 televisione. La radio si ascolta per la musica e al massimo qualcuno canticchia. Ma nei momenti di massima produzione tutto tace e battono soltanto gli aghi. Più della metà dei dipendenti di queste aziende sono donne. Abili, nate dinanzi *[davanti]* alle macchine per cucire. Qui le fabbriche formalmente non esistono e non esistono nemmeno i lavoratori. Se lo stesso lavoro di alta qualità fosse in-

20 quadrato, i prezzi lieviterebbero *[aumenterebbero]* e non ci sarebbe più mercato, e il lavoro volerebbe via dall'Italia. Gli imprenditori di queste parti conoscono a memoria questa logica. [...]

Tra gli operai dell'imprenditore vincente[5] ne incontrai uno particolarmente abile. Pasquale. Aveva una figura allampanata[6]. [...] Lavorava su capi e disegni

25 spediti direttamente dagli stilisti. Modelli inviati solo per le sue mani. Il suo stipendio non fluttuava *[era stabile]* ma variavano gli incarichi. In qualche modo aveva una certa aria di soddisfazione. Pasquale mi divenne simpatico subito. [...]

---

1. Las Vegas campana: Las Vegas è una città degli Stati Uniti nota per il gran numero di case da gioco. La metafora accosta questa zona campana alla città americana perché entrambi i luoghi sono, in un certo senso, "vuoti" e "deserti" per quel che riguarda la vita civile e si concentrano solo su una frenetica attività

per fare soldi in modo più o meno legale.
2. capannoni: grandi costruzioni a un solo piano utilizzate come magazzini o come fabbriche.
3. assemblando: mettendo insieme le singole parti di cui è fatta la scarpa per ottenere un prodotto finito.
4. straordinari: ore di lavoro svolte in

più rispetto all'orario normale.
5. imprenditore vincente: un imprenditore che ha vinto la gara d'asta per fabbricare i vestiti di una famosa griffe. È risultato "vincente" perché ha proposto un prezzo incredibilmente basso e tempi di consegna brevissimi.
6. allampanata: alta e magra.

Aveva una faccia anziana, anche se era un ragazzone. Una faccia ficcata [china] sempre tra forbici, tagli di stoffe, polpastrelli strusciati [passati] sulle cuciture.

30 Pasquale era uno dei pochi che poteva comprare direttamente la stoffa. Alcune griffe, – fidandosi della sua capacità –, gli facevano ordinare direttamente i materiali dalla Cina, e lui stesso poi ne verificava la qualità. [...]

Pasquale mi iniziò al complicato mondo dei tessuti. Avevo cominciato anche a frequentare casa sua. La sua famiglia, i suoi tre bambini, sua moglie, mi dava-

35 no allegria. Erano sempre attivi ma mai frenetici [scatenati]. Anche quella sera i bambini più piccoli correvano per la casa scalzi. Ma senza fare chiasso. Pasquale aveva acceso la televisione, cambiando i vari canali era rimasto immobile davanti allo schermo, aveva strizzato gli occhi sull'immagine come un miope, anche se ci vedeva benissimo. Nessuno stava parlando ma il silenzio sembrò

40 farsi più denso. Luisa, la moglie, intuì qualcosa, perché si avvicinò alla televisione e si mise le mani sulla bocca, come quando si assiste a una cosa grave e si tappa [si blocca] un urlo. In tv Angelina Jolie calpestava la passerella della notte degli Oscar[7] indossando un completo di raso bianco, bellissimo. Uno di quelli su misura, di quelli che gli stilisti italiani, contendendosele[8], offrono alle star.

45 Quel vestito l'aveva cucito Pasquale in una fabbrica in nero ad Arzano. Gli avevano detto solo: «Questo va in America». Pasquale aveva lavorato su centinaia di vestiti andati negli USA. Si ricordava bene quel tailleur[9] bianco. Si ricordava ancora le misure, tutte le misure. Il taglio del collo, i millimetri dei polsi. E il pantalone. [...]

50 Pasquale aveva una rabbia, ma una rabbia impossibile da cacciare fuori. Eppure la soddisfazione è un diritto, se esiste un merito questo dev'essere riconosciuto. Sentiva in fondo, in qualche parte del fegato o dello stomaco, di aver fatto un ottimo lavoro e voleva poterlo dire. Sapeva di meritarsi qualcos'altro. Ma non gli era stato detto niente. Se n'era accorto per caso, per errore. [...] Non po-

55 teva dire «Questo vestito l'ho fatto io». Nessuno avrebbe creduto a una cosa del genere. La notte degli Oscar, Angelina Jolie indossa un vestito fatto ad Arzano, da Pasquale. Il massimo e il minimo. Milioni di dollari e seicento euro al mese. Quando tutto ciò che è possibile è stato fatto, quando talento, bravura, maestria, impegno, vengono fusi in un'azione, in una prassi, quando tutto questo non ser-

60 ve a mutare [cambiare] nulla, allora viene voglia di stendersi a pancia sotto sul nulla, nel nulla. [...] Tanto nulla può mutare condizione: nemmeno un vestito fatto ad Angelina Jolie e indossato la notte degli Oscar.

(R. Saviano, *Gomorra*, Mondadori, Milano 2007)

---

7. Angelina Jolie calpestava ... Oscar: la notte degli Oscar è la cerimonia di assegnazione dei premi Oscar per il cinema che si svolge a Los Angeles, seguitissima anche per la sfilata di divi e per i loro abiti creati appositamente dagli stilisti di fama. Angelina Jolie (1975), attrice americana, ha ottenuto il Premio Oscar come migliore attrice non protagonista per il film *Ragazze interrotte* (1999) ed è stata più volte presente alla cerimonia.

8. contendendosele: gareggiando l'uno contro l'altro per far sì che il proprio abito sia scelto dalle star.

9. tailleur: completo da donna, costituito da giacca e pantaloni o gonna.

✔ **se ti è piaciuto, vedi anche...** il film di M. Garrone, *Gomorra*

⦿ Attività

1. Leggi fino a riga 22.

   a. Quale realtà della Campania mette a fuoco l'autore?

   b. In che cosa consiste la forza delle imprese che ancora lavorano?

   c. Sottolinea i luoghi in cui si lavora. Che realtà emerge?

   d. Individua la frase che evidenzia la forte presenza del lavoro in nero in questo settore.

2. Continua la lettura fino a riga 32.

   a. In che cosa si distingue Pasquale dagli altri operai/e?

   b. Quale contrasto colpisce nel suo aspetto fisico? Secondo te, a che cosa si può attribuire?

   c. Quali aspetti rivelano che i datori di lavoro sono consapevoli delle sue qualità professionali e morali?

3. Termina la lettura.

   a. Quali aspetti della descrizione della famiglia di Pasquale rivelano che è particolarmente unita?

   b. Attraverso quali indizi il lettore capisce che la TV sta trasmettendo qualcosa di sconvolgente? Evidenzia nel testo le frasi rivelatrici. Come definiresti l'atmosfera che si crea in casa?

    ☐ eccitata e curiosa
    ☐ avvilita e depressa
    ☐ triste e spaventata
    ☐ tesa e curiosa
    ☐ incredula e angosciata

   c. Quale frase rivela l'indifferenza dei datori di lavoro per la bravura di Pasquale?

   d. Trova nel testo le parole che evidenziano l'eccellenza del lavoro di Pasquale e abbinale alle seguenti espressioni.

   1. abilità ....

   2. volontà di dare il meglio ....

   3. dote naturale ....

   4. esperienza e padronanza ....

   e. Secondo te, da che cosa è motivata la rabbia di Pasquale?

    ☐ dall'invidia sociale di chi vive nella povertà
    ☐ dai guadagni troppo scarsi in confronto al prezzo e all'uso del suo prodotto
    ☐ dal mancato riconoscimento del suo lavoro

   f. Che cosa sottolinea la ripetizione della parola *nulla*?

4. Quali situazioni di lavoro nero, anche meno drammatico di quello descritto da Saviano, conosci?

5. Che tipo di società fa sì che l'abbigliamento sia così significativo?

Una società che
    ☐ ha diffuso l'amore per la bellezza.
    ☐ coltiva l'importanza dell'"immagine", cioè di come "si viene visti" dagli altri.
    ☐ ha capito l'importanza, per ognuno, della cura di sé.

T 16 Goffredo Parise

Lavoro

Goffredo Parise nasce a Vicenza nel 1929 da Ida Wanda Bertoli, ragazza madre. Viene poi riconosciuto come figlio dal giornalista Osvaldo Parise, con cui la madre si sposa. Appena quindicenne partecipa alla Resistenza. Finita la guerra frequenta il liceo e in seguito si iscrive all'università senza arrivare mai alla laurea.
Comincia a scrivere per vari quotidiani e si appassiona alla scrittura. Nel 1953 scrive uno dei suoi primi romanzi, *La grande vacanza*. Segue un'intensa attività letteraria e nel 1954 Parise acquisisce grande notorietà in Italia e all'estero con il romanzo *Il prete bello*, e diventa uno scrittore affermato che frequenta intellettuali, scrittori, registi e pittori nella Roma degli anni Sessanta. Muore a Treviso nel 1986.

⚲ Verso il testo

1. Un artigiano è una persona che esercita un lavoro in proprio con strumenti e tecniche tradizionali. In Italia esistono moltissimi esempi di artigianato che ha caratteristiche locali e regionali. Abbina le didascalie nella pagina successiva, che descrivono alcune attività artigianali, alle fotografie qui sotto che le illustrano.

Ⓐ ☐　　　　　　　　　　　　　　　　　　　　　Ⓑ ☐

Ⓒ ☐

1. Un artigiano dipinge a mano un piatto di ceramica in una delle numerose botteghe artigianali che si trovano a Vietri sul Mare, dove dal XV secolo si producono piatti e vasellame vario, con i tipici motivi decorativi locali, che riprendono scene e colori della campagna salernitana.
2. Oggetti in ferro battuto fatti secondo l'antica tradizione della lavorazione del ferro in provincia di Chieti, in Abruzzo. Il tipico motivo decorativo di questi oggetti è la linea greca romana, una linea spezzata ininterrotta che si ottiene battendo con il martello l'oggetto posto su un supporto.
3. L'isola di Burano, nella laguna veneziana, è famosa per la lavorazione dei merletti, preziosi tessuti fatti a mano con l'ago e un filo sottile secondo una tecnica che le donne dell'isola si tramandano dal 1500.

2. Completa le frasi con la definizione corretta.

*oggetti fatti a mano da un artigiano / un'attività lavorativa per lo più manuale /
la materia prima necessaria alla costruzione di un oggetto*

a. Per mestiere si intende ....
b. I lavori artigianali sono ....
c. Il materiale è ....

3. Di seguito trovi un elenco di antichi mestieri, cioè attività per lo più manuali, una volta molto comuni in Italia e che oggi sono diventati sempre più rari. Abbina il nome di ciascun artigiano alla descrizione dell'attività corrispondente.

a. ☐ l'arrotino
b. ☐ il carbonaio
c. ☐ il ceramista
d. ☐ il fabbro
e. ☐ il falegname
f. ☐ il lustrascarpe
g. ☐ la modista
h. ☐ il sellaio
i. ☐ il bottaio

1. confeziona e vende abiti, cappelli e altri tipi di accessori di abbigliamento femminile
2. crea oggetti di ferro o di altri metalli
3. costruisce le botti in legno che si usano per far invecchiare e conservare il vino
4. lucida le scarpe altrui, generalmente sulla strada
5. lavora il legno per fabbricare o riparare mobili, porte e finestre
6. prepara in modo artigianale e professionale finimenti per cavalli come selle, staffe o cinghie
7. trasforma la legna che trova in montagna e in collina in carbone vegetale
8. dà forma ai vasi, li fa seccare, li cuoce e poi li decora
9. affila le lame dei coltelli fino a che la lama non diventa tagliente

Il testo che segue è una parte del racconto intitolato Lavoro, *in cui viene descritto un automobilista che si è fermato ad acquistare un mobiletto di vimini fatto da un artigiano che vende i prodotti del suo lavoro per strada.*

›› mp3 traccia 18

L'automobilista cavò di tasca il portafoglio, sfilò mille lire[1] e le tenne in mano fino a quando il vecchio non ebbe posato a terra l'angoliera, quasi in mezzo alla strada. Proprio in quel momento un piccolo branco di anatre bianche salì da un fossato[2], girò intorno agli uomini e all'angoliera e star-
5 nazzando[3] attraversò la strada.

«Con che cosa li fa questi lavori *[oggetti]*?», continuò l'automobilista. Il vecchio aveva già intascato *[preso]* le mille lire e spiegò: «Con i rami di salice[4], qualche volta di giunco[5], quando lo trovo e quando non mi bastonano», aggiunse ridendo.

«Chi lo bastona?»

10 «I contadini, i padroni dei salici, dei rami, del giunco. Questi servono per lega-re le viti d'inverno, certi si arrabbiano o non danno il permesso di tagliarli. Una volta mi hanno mandato all'ospedale[6]. Altri invece mi danno da dormire nei fie-nili[7], da mangiare e anche vino in cambio del mio lavoro. Sono lavori per nozze *[matrimoni]*», aggiunse.

15 «Ma fa soltanto questo lavoro?»

«Faccio anche seggioline per bambini, portavasi, qualche volta tavoli piccoli, qualche volta sedie, dipende dal materiale che ho. Lavoro con quello che ho».

L'automobilista sembrò accorgersi solo in quel momento che il vecchio era supervestito *[molto vestito]*; non aveva soltanto il cappotto, ma anche due giacche,
20 un maglione e un fagotto[8] di indumenti legato dietro la bicicletta. Notò anche che le scarpe del vecchio erano a forma di palla, come un involto *[una copertura]* di cuoio. Tuttavia non sudava, pareva non avere caldo.

«Non ha caldo?», domandò l'automobilista.

«Sono abituato», disse il vecchio. «Di notte fa più freddo e di solito dormo in
25 giro nei campi. Quando c'è la luna lavoro con la luna perché fa più fresco».

«Ma ha sempre fatto questo lavoro?», continuò l'automobilista.

«Così e così».

«Come così e così?»

«Ho lavorato in una officina meccanica quando ero più giovane ma quello non
30 era un lavoro, come si dice, un lavoro-lavoro, e c'era anche un padrone. L'ho fat-to perché mi ero sposato. Ma poi ho ripreso il mio, di lavoro».

«È anche sposato?», domandò l'automobilista. «E ha figli?» Il vecchio aiutò l'automobilista a far entrare l'angoliera nella macchina. «Sì, tre», rispose.

«E non li vede mai?»

---

1. mille lire: il racconto è ambientato quando ancora la moneta nazionale italiana era la lira. L'euro è entrato in circolazione il 1° gennaio 2002.
2. fossato: piccolo canale, solitamente lungo una strada di campagna o un campo.
3. starnazzando: facendo quel rumo-re tipico di anatre, galline e polli, quando sbattono le ali.
4. salice: albero dai rami lunghi e fles-sibili che cresce vicino ai fiumi e nei luoghi umidi.
5. giunco: erba flessibile che cresce nelle paludi.
6. mandato all'ospedale: espressione che indica un'aggressione molto vio-lenta, tanto da rendere necessario un ricovero in ospedale.
7. fienili: locali di campagna dove si conserva il fieno.
8. fagotto: un insieme di cose avvolte in un pezzo di stoffa.

35   «Humm». Il vecchio fece un gesto ridacchiando [ridendo] come dire che i figli
non volevano vederlo o lui non voleva vedere i figli.
      «E abita da queste parti?», domandò ancora l'automobilista.
      «No, non sono di queste parti ma vengo qui d'estate, qualche volta, perché qui
c'è molto salice e anche midollino[9]». Si dilungò in una descrizione di luoghi e di
40   famiglie che frequentava e per le quali faceva dei lavori ma l'automobilista, che
pure era di quella zona, non riconobbe né i luoghi né le famiglie.

(G. Parise, *Sillabari*, Adelphi, Milano 2009)

---

9. **midollino**: fibra vegetale che si ricava da una varietà di palma.

se ti è piaciuto, leggi anche... G. Parise, *Amicizia*, in *Sillabari*

⦿ Attività

1. Leggi fino a riga 25.

  a. Su quale argomento si svolge il dialogo tra i due personaggi del racconto?

  b. Sottolinea le espressioni da cui puoi dedurre in che tipo di ambiente ci troviamo.

  c. A che tipo di lavoro ti fa pensare l'espressione «Lavoro con quello che ho» (r. 17)?
  - [ ] precario
  - [ ] occasionale
  - [ ] creativo
  - [ ] regolare

  d. Quali particolari rivelano il tipo di vita che fa il vecchio?

  e. Quale particolare dell'attività lavorativa del vecchio ci fa capire a che tipo di produzione appartiene?
  - [ ] i materiali che usa
  - [ ] come vende i suoi prodotti
  - [ ] come si fa pagare

2. Termina la lettura.

  a. Quali tipi di lavoro ha fatto il vecchio nella sua vita?

  b. Davanti al nome *lavoro*, il vecchio usa prima l'articolo indeterminativo (r. 30) e subito dopo quello determinativo (r. 31). Considerando la loro diversa funzione grammaticale, che cosa vuol dirci lo scrittore?

  c. Perché, secondo te, il vecchio considera il primo un non lavoro e il secondo un lavoro vero?

  d. A che tipo di economia rimanda un modo di produrre organizzato in questo modo?

3. Secondo te, che tipo di effetto produce l'anonimato dei due personaggi del racconto?
  - [ ] Permette all'autore di esprimere il proprio giudizio.
  - [ ] Evidenzia il tema del lavoro.
  - [ ] Accentua l'interesse del lettore sul tipo di lavoro descritto.

4. Quali particolari nel racconto del vecchio ti fanno capire che il lavoro dell'artigiano è un lavoro solitario?

5. Secondo te, quali aspetti del lavoro del vecchio sono positivi e quali negativi?
aspetti positivi ....
aspetti negativi ....

6. Descrivi brevemente il tuo lavoro ideale.

7. Ci sono prodotti artigianali nel tuo Paese? Fanne una breve descrizione indicando, se li conosci, prodotti, materiali e tecniche di lavorazione.

Il boom economico in Italia: trasformazioni economiche e sociali

Nel periodo che va dal 1951 al 1963, l'Italia attraversò una fase di intenso sviluppo industriale. Questo intenso sviluppo è stato chiamato "boom economico" e determinò il passaggio del Paese da un'economia in cui l'agricoltura aveva ancora un ruolo dominante a un'economia fondata sull'industria, e trasformò il modo di vivere e le abitudini della popolazione. Si parlò allora di un "miracolo", perché nessuno aveva previsto uno sviluppo simile nell'economia italiana del dopoguerra.

Per rendersi conto del cambiamento è sufficiente considerare che in quegli anni i consumi crebbero all'anno in media del 7,5%, gli investimenti industriali del 15,6%, mentre le esportazioni del 23,46% e le importazioni addirittura del 25,92%.

Fattori alla base del "miracolo economico"

- La sovrappopolazione delle campagne, che nel periodo prima della Seconda guerra mondiale era stata un freno allo sviluppo economico del Paese, divenne una risorsa incredibile per l'industria che aveva bisogno di manodopera. Numerosi lavoratori, infatti, si trasferirono dalla campagna alla città, dal sud al nord, dall'agricoltura all'industria. Questo flusso di manodopera permise alle aziende di poter contare stabilmente su un'ampia offerta di lavoro in cambio di salari relativamente bassi. In questo modo il costo del prodotto finito era più basso e concorrenziale soprattutto per le esportazioni all'estero.
- I prezzi bassi delle materie prime di cui l'Italia aveva bisogno.
- L'ammodernamento degli impianti industriali e la creazione di infrastrutture. Si costruirono, infatti, le prime autostrade di moderna concezione, a partire dall'Autostrada Milano-Napoli chiamata anche Autostrada del Sole.
- La creazione nel 1951 della Ceca (Comunità Europea del Carbone e dell'Acciaio) che portò a una graduale rimozione delle barriere doganali su questi prodotti.

● Gli addetti al controllo qualità ispezionano delle Fiat 600 appena uscite dalla catena di montaggio nel 1955.

● Un gruppo di persone durante un picnic vicino a una Fiat 600 Multipla nel 1956.

- La spinta data dal desiderio di tante persone, appartenenti a tutti i livelli sociali, di raggiungere il benessere, lasciando alle spalle gli anni difficili e bui della guerra.

Cambiamenti nello stile di vita

- L'aumento del tenore di vita, dovuto al fatto che erano sempre più numerose le famiglie che potevano contare su uno stipendio e un posto di lavoro stabile.
- La diffusione di numerosi beni di consumo durevoli, come le prime lavatrici e i frigoriferi.
- La diffusione delle automobili, come la Fiat 600 e la Fiat Nuova 500, in produzione rispettivamente dal 1955 e dal 1957, che portò l'aumento vertiginoso del traffico con i primi relativi ingorghi e l'aumento di incidenti stradali.
- Gli italiani presero l'abitudine di passare le vacanze estive e invernali sulle spiagge e in montagna. Dal 1956 al 1965 raddoppiarono le presenze di turisti negli alberghi, e quelle nei campeggi aumentarono quattro volte.

Cambiamenti nella psicologia dell'italiano medio

Meno travolgente e più lento fu il cambiamento della mentalità comune. La cultura popolare tipica del mondo contadino influenzava in maniera forte il modo di pensare degli italiani: erano importanti i legami di parentela e la rete di solidarietà familiare. Aveva valore la raccomandazione del parroco o di un'altra persona autorevole per fare carriera o avere dei vantaggi. Continuava a esistere la proverbiale arte di arrangiarsi e la furbizia ereditata dalla gente di campagna. Il controllo sociale, esercitato dal vicino di casa, continuava a segnare un po' dovunque la vita e i modelli di comportamento individuali. Infatti non si era liberi di fare quello che si desiderava e si teneva sempre in considerazione quello che potevano pensare i vicini delle proprie scelte.

Cambiamenti nella struttura della famiglia

La famiglia tradizionale italiana iniziò a trasformarsi rapidamente alla fine degli anni Sessanta del Novecento e notevoli riforme legislative stabilirono cambiamenti a livello istituzionale nel corso degli anni Settanta.

1970 Legge sul divorzio

Provocò una profonda trasformazione sociale nel Paese, ma anche una frattura fra laici e cattolici e all'interno degli stessi gruppi cattolici. Per i cattolici, il matrimonio era un legame che durava per sempre, fino alla morte dei coniugi, per i laici, invece, poteva essere interrotto con il divorzio. Gli antidivorzisti raccolsero le firme per un referendum per l'abolizione della legge, che si tenne nel 1974. Votò l'87,7% degli italiani e la legge non fu abolita.

1975 Legge sulla riforma del diritto di famiglia

Fino al 1975 era il marito ad avere il ruolo istituzionale di capofamiglia. La legge stabilì l'uguaglianza fra i coniugi, la possibilità di scegliere il regime patrimoniale (separazione o comunione dei beni), e l'abolizione del concetto di "colpa" nella richiesta di separazione.

● Manifestazione a favore del divorzio in Piazza Navona a Roma nel 1969.

ZOOM SULLA CULTURA

● Locandina del film di Pietro Germi *Divorzio all'italiana* (1961). Il protagonista vuole liberarsi della moglie, perché innamorato di un'altra. Non essendoci ancora il divorzio, tenta di trovare un amante per la moglie per poterla poi cogliere in flagrante con lui e ucciderla, avvalendosi della legge sul delitto d'onore che prevedeva pene lievissime per questo tipo di omicidio.

1978 Legge sull'aborto
Consentì l'interruzione della gravidanza entro i primi 90 giorni.

1981 Abrogazione delle disposizioni sul delitto d'onore e sul matrimonio riparatore
Il delitto d'onore e il matrimonio riparatore (cioè deciso con il solo fine di ridare una buona reputazione a una donna rimasta incinta) erano in vigore dall'epoca fascista ed erano in forte contraddizione con la nuova legge sul diritto di famiglia e il divorzio.

◌ Unioni civili
Per quanto riguarda le convivenze al di fuori del matrimonio, non esiste in Italia a tutt'oggi alcuna legge approvata, anche se il dibattito sull'argomento è molto acceso e ci sono state numerose proposte di legge a partire dal 2000, riguardo ai Pacs (Patti civili di solidarietà), ai Dico (Diritti e doveri delle persone stabilmente conviventi) e ai Cus (Contratti di unione solidale).

L'uso idiomatico della lingua e la collocazione

ZOOM SULLA LINGUA

Il termine *collocazione* indica la combinazione di due o più parole per formare **associazioni** che possono essere più o meno libere.
Ci sono parole che formano delle **associazioni abituali e fisse**, dove la sostituzione con altre parole non sarebbe accettabile. Le espressioni idiomatiche, i modi di dire, alcune forme fissate dall'uso e i proverbi appartengono a questa categoria. Per esempio, nell'espressione *andare a monte* (fallire, non riuscire in qualcosa), non possiamo sostituire "monte" con "montagna" o "collina", così come in *lanciare un appello* non possiamo sostituire "lanciare" con "gettare" o "tirare".
Ci sono parole che hanno una più **alta capacità di combinarsi** rispetto ad altre. Per esempio, il verbo *fare* ha un'alta capacità di combinarsi (*fare figli, fare i complimenti, fare il diavolo a quattro, fare rumore, fare finta di niente, fare di ogni erba un fascio* ecc.) mentre il verbo *inforcare* si trova in poche combinazioni (*inforcare gli occhiali* e *inforcare la bicicletta* sono tra le poche combinazioni possibili).

1. Completa le seguenti espressioni con le parole dell'elenco seguente.

il capo (x2) / il collo / il dito / fegato / la fronte / gamba / le mani / naso / gli occhi / orecchio / le ossa / le sopracciglia

a. I gesti di aggrottare _Le sopracciglia_ e corrugare _la fronte_ indicano che una persona è dubbiosa, pensosa o inquieta.

b. Chinare _il capo_ significa abbassare la testa.

c. Scuotere _il capo_ significa esprimere rifiuto o dubbio.

d. Spalancare _gli occhi_ significa esprimere sorpresa.

e. Alzare _le mani_ su qualcuno significa picchiarlo.

f. Puntare _il dito_ contro qualcuno significa accusarlo.

g. Farsi _le ossa_ significa fare pratica e guadagnare esperienza nel lavoro.

h. Prestare _orecchio_ significa ascoltare.

i. Tirare _il collo_ significa uccidere.

l. Una persona in _gamba_ è brava in quello che fa.

m. Avere _naso_ significa avere intuito.

n. Avere _fegato_ significa avere coraggio.

2. Sottolinea il verbo corretto per formare collocazioni relative allo studio e al lavoro.

a. *prendere / cogliere / raccattare* un voto
b. *chiamare / fare / chiedere* l'appello
c. *fare / lavorare / sostenere* gli straordinari
d. *memorizzare / dare / imparare* a memoria
e. *chiedere / inquisire / interrogare* uno studente
f. *percepire / carpire / fare* lo stipendio
g. *fare / superare / avanzare* carriera
h. *sedere / sostenere / cogliere* un colloquio
i. *vincere / superare / guadagnare* un esame

l. *svolgere / superare / sostenere* un esercizio
m. *prendere / assumere / inserire* un impiegato
n. *licenziare / spedire / dismettere* un impiegato

3. Scegli la parola corretta per completare le seguenti associazioni con il verbo *alzare*, in base al significato corrispondente indicato tra parentesi.

bicchiere / dito / gomito / occhi / spalle / tacchi / tiro / vele

a. alzare il _gomito_ (*bere troppo*)
b. alzare i _tacchi_ (*andare via, fuggire*)
c. alzare il _tiro_ (*aumentare una richiesta*)
d. alzare le _spalle_ (*esprimere indifferenza*)
e. non alzare un _dito_ (*non fare niente*)
f. alzare le _vele_ (*partire*)
g. non alzare gli _occhi_ dai libri (*studiare sempre*)
h. alzare il _bicchiere_ (*fare un brindisi*)

SE TU ALZI IL GOMITO, IO ALZO I TACCHI

◎ Palestra linguistica

1. CAMPI SEMANTICI DI DOLCI, VESTITI, LUOGHI DELLA CASA E DELLA CITTÀ **T2** P. 92 Rileggi il testo di Susanna Agnelli e inserisci le parole corrispondenti nella tabella.

dolci

vestiti

luoghi della casa

luoghi della città

2. CAMPO SEMANTICO DELLA PAZZIA **T3** P. 96 Con l'aiuto del dizionario, completa lo schema inserendo parole che hanno la stessa radice di *pazzia*, come nell'esempio.

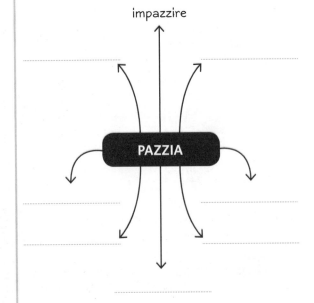

impazzire

PAZZIA

3. MODO DI DIRE CON *quattro* **T5** P. 104 Abbina i modi di dire alle spiegazioni corrispondenti, come nell'esempio.

a. ☑2 dirne quattro
b. ☐ in quattro e quattr'otto
c. ☐ a quattrocchi
d. ☐ fare il diavolo a quattro
e. ☐ farsi in quattro
f. ☐ quattro chiacchiere
g. ☐ quattro gatti
h. ☐ gridare ai quattro venti

1. impegnarsi a fondo
2. dire a qualcuno quello che si merita
3. in un attimo
4. breve e amichevole chiacchierata
5. faccia a faccia, in confidenza
6. raccontare una notizia a tutti
7. reagire confusamente e con violenza
8. poche persone

4. DIVERSI SIGNIFICATI DELLA PAROLA *magari* La parola *magari* è usata con diversi significati che ti indichiamo di seguito.

1. esclamazione per esprimere desiderio e speranza
2. congiunzione con lo stesso significato di *anche se*
3. avverbio con lo stesso significato di *forse*

Nelle frasi seguenti indica con quale dei significati elencati sopra è usata la parola *magari*.

a. Magari fosse l'ultima cosa che faccio, gli restituirò i soldi che gli devo.
(significato 1. ☐ / 2. ☐ / 3. ☐)
b. Non c'era nessuno in casa. Magari non avevano capito che saremmo passati a salutarli.
(significato 1. ☐ / 2. ☐ / 3. ☐)
c. Magari potessi tornare a scuola con la mia vecchia maestra!
(significato 1. ☐ / 2. ☐ / 3. ☐)

5. ᴇꜱᴘʀᴇꜱꜱɪᴏɴɪ ᴘᴇʀ ɪɴᴅɪᴄᴀʀᴇ ᴘɪᴄᴄᴏʟᴇ ǫᴜᴀɴᴛɪᴛᴀ̀ **T9** P. 113
Completa le frasi con il nome adatto tra quelli dell'elenco seguente.

speranza / prosciutto / pietà / sale / vino / vento

a. L'aria era ferma. Non soffiava un alito di
    ....

b. Se fossi in te ci aggiungerei un pizzico di
    ....

c. Sei proprio cattivo. Non hai un briciolo di
    .... per chi soffre.

d. Nel cuore del ragazzo rimaneva ancora un
    filo di ....

e. Mangerei volentieri una fettina di
    .... con il formaggio.

f. Potresti versarmi ancora un goccio di
    .... ?

6. ᴄᴀᴍᴘɪ ꜱᴇᴍᴀɴᴛɪᴄɪ ᴅᴇʟʟᴀ ꜱᴄᴜᴏʟᴀ ᴇ ᴅᴇʟ ʟᴀᴠᴏʀᴏ Inserisci le parole degli elenchi *a* e *b* nel gruppo corretto.

a.
armadietto / aula / aula computer / banco / bidello / cattedra / laboratorio di musica / lavagna / mensa / palestra / preside / presidenza / professore / sedia / segretario / studente

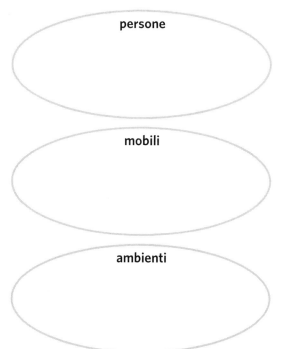

b.
ago / artigiano / cacciavite / decoratore / ferro / forbici / imbianchino / legno / martello / meccanico / muratore / plastica / rame / sarto / sega / stoffa

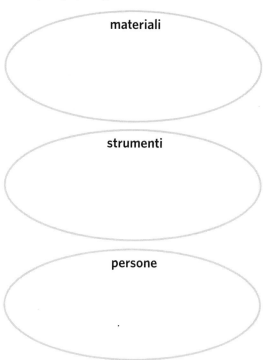

7. ᴀɢɢᴇᴛᴛɪᴠɪ ᴇ ʟᴏʀᴏ ꜱɪɴᴏɴɪᴍɪ Nelle seguenti frasi indica con quale dei due significati tra parentesi è usato l'aggettivo sottolineato.

a. Si è presentato alla riunione senza essersi preparato, con la solita faccia tosta (*sfrontata / dura*).

b. Viveva una vita laboriosa (*faticosa / dedicata al lavoro*) animata da una grande passione per il suo lavoro di artigiano.

c. Il lavoro dell'imprenditore è complesso (*complicato / impossibile*) e richiede un grande senso di responsabilità.

d. Il progetto che hanno presentato è fattibile (*che si può fare / facile*), ma richiede grandi risorse economiche.

e. Il cammino di chi vuole imparare un mestiere è spesso arduo (*difficile / appassionante*) e pieno di ostacoli.

f. La laurea è accessibile (*comprensibile / che può essere raggiunta facilmente*) a tutti quei ragazzi che abbiano passione per lo studio.

8. Preposizioni **T4** p. 100 **Completa le frasi con la preposizione corretta, semplice o articolata.**

a. Mio padre mi aveva promesso .... regalarmi il motorino per il mio compleanno.

b. Ero stato abituato dai miei genitori .... ubbidire senza discutere troppo.

c. Pensavo spesso .... mia infanzia con grande nostalgia.

d. Avevamo smesso .... andare a pranzo la domenica dai nonni da quando la nonna si era ammalata.

e. Spesso meditavo .... fatto che mio padre fosse sempre stato per me una guida sicura.

f. Non si trattava più .... piccole cose, ma .... decisioni importanti.

g. Purtroppo i miei genitori avevano deciso .... separarsi e io sarei dovuto andare a vivere con mia madre.

h. Credevo .... miei genitori e seguivo ciecamente i loro consigli.

9. Pronomi relativi **T10** p. 116 **Completa le frasi scegliendo il pronome relativo corretto tra i due indicati tra parentesi.**

a. Guardo dalla finestra gli alberi, (*che / cui*) .... hanno ormai tutte le foglie gialle.

b. Il mio compagno di banco ha un cognome (*che / cui*) .... , come il mio, comincia con la *G*.

c. Stavamo fermi in piedi davanti al tavolino intorno al .... (*che / quale*) c'erano solo quattro sedie.

d. Il motivo per .... (*che / cui*) siamo venuti da lei è che abbiamo bisogno del suo aiuto.

e. Sembrava che la cosa più importante alla .... (*cui / quale*) prestare attenzione fossero le nostre scarpe!

f. Si aprì la porta e comparve una vecchietta i .... (*quali / cui*) capelli erano bianchi come la neve.

10. Congiunzioni subordinanti **T10** p. 116, **T12** p. 122 **Unisci le coppie di frasi usando le seguenti parole o espressioni.**

mentre / quindi / siccome / pertanto / infatti / però

1. a. Temevano di fare brutta figura con gli avversari politici che erano più istruiti di loro.
   b. Erano andati dalla vecchia maestra per farsi aiutare.

2. a. Aveva ottimo in tutte le materie.
   b. Pensava che non avrebbe più avuto problemi a scuola.

3. a. Si era immaginato che il liceo fosse una scuola molto impegnativa.
   b. Glielo aveva detto il padre.

4. a. Adesso al Lingotto gli operai non c'erano più.
   b. La fabbrica era stata trasformata in una grande area per attività culturali.

5. a. Aveva preso il diploma di giornalismo con la lode.
   b. Non bastava per soddisfare il direttore.

6. a. Aveva scritto diversi romanzi.
   b. Faceva l'industriale.

11. Prefisso *anti-* **T13** p. 126 **Sapendo che il prefisso *anti-*, messo prima di una parola, indica sia anteriorità che contrapposizione, prova a spiegare il significato delle parole sottolineate nelle seguenti frasi.**

a. Nell'Italia degli anni Sessanta si diffuse l'uso degli <u>anticoncezionali</u>.

b. L'allattamento materno favorisce nel bambino la formazione degli <u>anticorpi</u> e lo difende dalle malattie.

c. Ho messo un <u>antifurto</u> alla mia auto per evitare che me la rubino.

d. Preferisco mangiare un leggero <u>antipasto</u> e passare subito al secondo piatto.

e. Il dispositivo <u>antincendio</u> si mise a suonare al primo comparire del fumo.

f. La segretaria fece accomodare il paziente nell'<u>anticamera</u> dello studio medico, in attesa che il dottore fosse libero.

g. La sua visione del problema era completamente <u>antitetica</u> rispetto alla mia.

12. NOMI COLLETTIVI **T16** P. 140 Abbina i nomi collettivi ai completamenti corrispondenti.

a. ☐ un branco
b. ☐ uno stormo
c. ☐ una banda
d. ☐ un'accozzaglia
e. ☐ una mandria
f. ☐ un gruppo
g. ☐ una folla
h. ☐ un ammasso
i. ☐ un mucchio
l. ☐ un mazzo

1. di fiori
2. di persone o di oggetti
3. di lupi
4. di ragazzi
5. di macerie
6. di uccelli
7. di buoi
8. di studenti
9. di tifosi
10. di foglie

13. SUFFISSO -*zione* Completa la tabella con le parole che si formano aggiungendo –*zione* alla radice dei seguenti verbi, come nell'esempio.

educare	educazione
istruire	
consolare	
convincere	
optare	
creare	
convocare	
correggere	
interrogare	
interpretare	

14. PRONOMI Riscrivi le frasi sostituendo una delle due parole ripetute con il pronome corretto, come nell'esempio.

a. Il lavoro era impegnativo, ma lui amava molto il lavoro e gli dava una grande soddisfazione.

Il lavoro era impegnativo, ma lui **lo** amava molto e gli dava una grande soddisfazione.

b. Alla catena di montaggio gli operai producevano i pezzi delle auto e montavano i pezzi delle auto facendo sempre gli stessi gesti per otto ore di seguito.

....
....
....

c. Il lavoro non era un granché, ma Luisa aveva cercato il lavoro per così tanto tempo che avere il lavoro le sembrava una cosa meravigliosa.

....
....
....

d. Mia sorella Patrizia insegna matematica, che a mia sorella piace molto.

....
....
....

e. Chiara si è avvicinata al computer e ha avviato il computer.

....
....
....

15. PRONOMI Completa le frasi con il pronome corretto.

a. Se non arriverai in orario, non .... faranno entrare.

b. .... mandano nella classe 1ª A, mentre .... avrei voluto essere in 1ª B con il mio amico Guglielmo.

c. La prima settimana di scuola non avevo voglia di passar.................... a ripassare gli argomenti che conoscevo già.

d. Gli articoli determinativi e indeterminativi io .... avevo già studiati alle elementari.

e. .... so che per riuscire a scuola bisogna studiare molto.

I gusti e
le abitudini

*I brani di questo capitolo offrono uno sguardo
ravvicinato su alcuni aspetti del modo di vivere
e di essere degli italiani.*

Il cibo

Lo sport

L'arte e la musica

1. *Le fate ignoranti* (2001).
2. Claudio Bisio in *Benvenuti al Sud* (2010).
3. Toni Servillo in *Una vita tranquilla* (2010).
4. Marcello Mastroianni e Stefania Sandrelli in *Divorzio all'italiana* (1961).
5. Monica Bellucci in *Malena* (2000).
6. Fernandel e Totò in *La legge è legge* (1958).

1 **Degli italiani si dice che... Leggi le seguenti affermazioni e segna quelle che condividi.**

☐ Sono chiassosi e un po' maleducati.
☐ Sono aperti, allegri e socievoli.
☐ Mangiano e bevono volentieri.
☐ Mangiano solo pasta e pizza.
☐ Sono mafiosi.
☐ Quando parlano gesticolano, muovendo continuamente le mani.
☐ Gli uomini sono gran corteggiatori di donne, e quelli del Sud sono più maschilisti, più chiusi e molto gelosi.
☐ Sono abbastanza presuntuosi e consumisti.
☐ Sono orgogliosi della loro storia e di discendere dall'antico impero romano.
☐ Sono abbastanza disorganizzati e approssimativi.

☐ Vestono in modo molto elegante.
☐ Amano andare in vacanza all'estero, anche se considerano la propria cultura, le proprie tradizioni e il proprio cibo come i migliori del mondo.
☐ Le donne italiane sono brune e hanno un'aria latina che le fa assomigliare alle spagnole.
☐ Sono gran lavoratori.
☐ Amano cantare.
☐ Hanno molto gusto estetico.

2 **Qual è l'idea che hai degli italiani? Illustrala brevemente.**

3 Pensando agli italiani, scrivi quello che ti viene in mente riguardo ai seguenti argomenti.

cibo

sport

arte

musica

Il cibo

I testi che proponiamo riguardano il cibo e le abitudini alimentari degli italiani. Ogni brano contiene una ricetta: due sono tipiche della tradizione regionale, mentre l'altra, risalente agli anni Cinquanta, è una ricetta adatta a chi deve stare a dieta.

1 Leggi le schede sulle abitudini alimentari degli italiani. Le tendenze attuali, secondo te, rivelano una maggiore o una minore attenzione al cibo? Qual è la differenza più evidente?

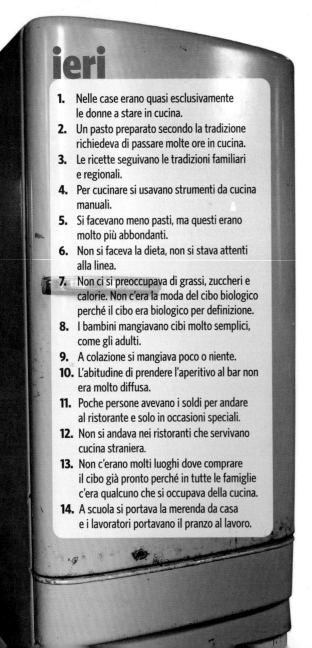

ieri

1. Nelle case erano quasi esclusivamente le donne a stare in cucina.
2. Un pasto preparato secondo la tradizione richiedeva di passare molte ore in cucina.
3. Le ricette seguivano le tradizioni familiari e regionali.
4. Per cucinare si usavano strumenti da cucina manuali.
5. Si facevano meno pasti, ma questi erano molto più abbondanti.
6. Non si faceva la dieta, non si stava attenti alla linea.
7. Non ci si preoccupava di grassi, zuccheri e calorie. Non c'era la moda del cibo biologico perché il cibo era biologico per definizione.
8. I bambini mangiavano cibi molto semplici, come gli adulti.
9. A colazione si mangiava poco o niente.
10. L'abitudine di prendere l'aperitivo al bar non era molto diffusa.
11. Poche persone avevano i soldi per andare al ristorante e solo in occasioni speciali.
12. Non si andava nei ristoranti che servivano cucina straniera.
13. Non c'erano molti luoghi dove comprare il cibo già pronto perché in tutte le famiglie c'era qualcuno che si occupava della cucina.
14. A scuola si portava la merenda da casa e i lavoratori portavano il pranzo al lavoro.

oggi

1. Molti uomini condividono la responsabilità della cucina con le donne.
2. Prevale una cucina più veloce e a volte si semplificano anche i piatti della tradizione.
3. Si sperimentano cibi nuovi, anche di altre tradizioni.
4. Si usano molti strumenti elettrici.
5. Si tende a fare pasti rapidi e spesso fuori casa.
6. Molti sono spesso a dieta e possono scegliere tra un gran numero di diete.
7. Si conoscono le proprietà nutrizionali dei cibi che si mangiano.
8. Si fa molta attenzione alla correttezza dell'alimentazione dei bambini.
9. La colazione è più ricca, se si fa a casa. Molti, però, preferiscono farla al bar con cappuccino e cornetto.
10. L'aperitivo è molto diffuso, ed è diventato di moda anche l'apericena (una via di mezzo tra l'aperitivo e la cena).
11. Si va al ristorante molto più spesso, e non solo in occasioni speciali.
12. Nelle grandi città ci sono ristoranti stranieri di ogni tipo; gli italiani hanno imparato che anche il cibo di altri popoli può essere buono.
13. I ristoranti fast-food sono molto di moda, anche se un po' meno che nella maggior parte degli altri Paesi. Oltre alle catene internazionali di fast-food, ci sono molte pizzerie al taglio e friggitorie nostrane che offrono piatti pronti.
14. Nelle scuole e negli uffici ci sono mense e macchinette distributrici di bevande, panini o merendine varie, di preparazione industriale.

T1 Clara Sereni

Casalinghitudine

Nata a Roma nel 1946, Clara Sereni è giornalista, narratrice e poetessa. È inoltre traduttrice di classici francesi. Molto impegnata in campo politico, scrive per «l'Unità» e «il manifesto». È particolarmente attiva nell'ambito del volontariato sociale, occupandosi dell'inserimento dei disabili psichici e mentali.
La sua narrativa contiene molti aspetti autobiografici: un esempio è *Casalinghitudine*, una specie di libro di memorie-ricettario, in cui le preparazioni sono collegate a ricordi della famiglia di origine o a episodi della sua vita.

◎ Verso il testo

1. Osserva le immagini e inserisci le didascalie corrispondenti.

casseruola / forno / padella / frullatore / lavello / fornello

Ⓐ frullatore

Ⓒ ....

Ⓑ ....

Ⓔ ....

Ⓓ ....

Ⓕ ....

2. Abbina gli aggettivi ai contrari corrispondenti.

a. ☐ salato
b. ☐ dolce

c. ☐ liquido
d. ☐ magro

e. ☐ condito
f. ☐ cotto

1. crudo
2. grasso

3. insipido
4. scondito

5. solido
6. amaro

3. Abbina i verbi che si usano in cucina alle definizioni corrispondenti.

a. ☐ montare
b. ☐ cuocere
c. ☐ disporre a fontana

d. ☐ infornare
e. ☐ cucinare

1. creare con la farina un mucchietto con un avvallamento al centro
2. mettere il recipiente con gli ingredienti di una ricetta nel forno
3. mettere il recipiente contenente gli ingredienti di una ricetta sul fuoco
4. preparare e cuocere i cibi
5. mescolare con energia (a mano o con un attrezzo) per ottenere un impasto morbido e spumoso

Il testo che segue è tratto dal capitolo intitolato Secondi piatti *e presenta una ricetta che l'autrice collega al periodo in cui ancora viveva con i genitori. In un periodo in cui manca la domestica, è lei che si occupa della cucina.*

POLLO AL SALE

1 pollo intero pulito
5 chili di sale grosso

Su un foglio di stagnola[1] dispongo la metà del sale a fontana, con al centro il pollo che poi ricopro con altro sale, in modo da formare un blocco più o meno rotondo. Chiudo la stagnola, inforno a 250 gradi per due ore, tolgo la stagnola, rompo con il martello la crosta[2] che si è formata.

Il pollo resta asciutto e sgrassato, e niente affatto salato.

[...] Cucinare mi piaceva. Soprattutto i dolci, le creme, montare il burro per le tartine[3]: tutto ciò che sapeva di superfluo *[non necessario]* e di ricco. L'avevo fatto fin da piccola, e da grande tendevo sempre ad aggiungere un tocco *[qualcosa]* in più (spesso anche di troppo) alla cucina di tutti i giorni.

Niente tocchi in più con la dieta, che determinava inoltre un'inconsueta vicinanza di cibo fra me e mio padre, il quale era a dieta perenne *[sempre a dieta]* e i cui gusti erano, notoriamente e con regolarità, opposti ai miei: mia madre, che già non amava cucinare, aveva la condanna di sapere con certezza che se uno dei due avesse apprezzato una pietanza, l'altro l'avrebbe sicuramente dichiarata immangiabile.

Giulia, intanto, era convinta di dover dimagrire, e si trincerava *[si nascondeva]* dietro immensi piatti di insalata scondita.

Volevo dimostrare (non so se a mio padre, a mia madre, a chi) che sapevo cucinare bene: anche senza grassi.

Il primo giorno preparai il pollo al sale, che portai in tavola con aria di sfida.

Mangiò parlando d'altro, senza commentare. Poi, alla fine:

«Non è male, somiglia al pollo al cartoccio[4] che faceva mammà».

---

1. foglio di stagnola: foglio di materiale di stagno usato in passato come l'odierna carta alluminio.

2. crosta: superficie dura.
3. tartine: piccole fette di pane con burro, prosciutto o altro.

4. al cartoccio: modo di cuocere i cibi, che vengono avvolti in un foglio di carta speciale e poi cotti in forno.

25   Aspettavo con il fiato sospeso *[con ansia]*.

«Però», meditava con la forchetta a mezz'aria, e quel «però» incombeva come una spada di Damocle[5], abituale condanna anche di tutti gli sforzi culinari di mia madre. «Però manca qualcosa ecco, dovevi metterci magari un battuto *[tritato]* di aglio».

30   Odiavo l'aglio, odiavo i però.

(C. Sereni, *Casalinghitudine*, Einaudi, Torino 2005)

---

5. incombeva come una spada di Damocle: rappresentava un pericolo imminente.

se ti è piaciuto, leggi anche... S. Agnello Hornby, *Un filo d'olio*

PAROLE e CULTURA

Damocle

Damocle era un cortigiano alla corte del tiranno Dionigi di Siracusa (IV secolo a.C.). Secondo la leggenda, Damocle propose a Dionigi di scambiarsi i ruoli, per provare la sensazione di avere il potere assoluto per un giorno. Ma, durante un banchetto, Dionigi fece mettere una spada sospesa sopra la testa di Damocle, per fargli capire che un tiranno vive sotto la continua minaccia di pericoli imminenti, perché ha molti nemici e rivali. Da questa leggenda deriva il modo di dire "come una spada di Damocle".

● Il teatro greco di Siracusa.

Attività

1. Leggi la ricetta e immagina di scriverla per un'altra persona trasformando le istruzioni. Segui l'esempio.

Disporre la metà del sale...

2. Leggi fino a riga 19.

a. Che rapporto ha la scrittrice con la cucina?

b. A quale dei componenti della famiglia si riferiscono le seguenti descrizioni?

1. Non le piace cucinare, ma lo fa per la famiglia.

2. È creativa quando cucina.

3. Amano il cibo ma devono stare a dieta.

4. Vuole dimagrire.

5. Hanno gusti opposti.

3. Termina la lettura.

a. Perché la scrittrice decide di cucinare il pollo al sale?

b. Qual è la reazione del padre?

c. Il ricordo della ricetta del pollo al sale evoca nella scrittrice

☐ l'amore per il padre.

☑ il contrasto con il padre.

☐ l'attaccamento alla madre.

T2 Andrea Camilleri

Gli arancini di Montalbano

Nato a Porto Empedocle (Agrigento) nel 1925, Andrea Camilleri inizia a lavorare come regista teatrale negli anni Cinquanta. In seguito, segue per la Rai la produzione di sceneggiati che hanno molto successo, fra cui i gialli con il tenente Sheridan e le inchieste del commissario Maigret. Nel 1978 inizia a pubblicare i primi libri di narrativa. Nel 1980 firma il primo romanzo ambientato a Vigata, un'immaginaria cittadina siciliana che è lo sfondo di molti suoi romanzi ed è il paese del commissario Montalbano: il personaggio nasce nel 1994 e ha subito un grandissimo successo.
I libri che lo hanno come protagonista diventano best seller e da alcuni vengono realizzati adattamenti televisivi. La vastissima produzione dello scrittore include anche romanzi storici e biografie romanzate di pittori.

◉ Verso il testo

1. Scrivi il nome degli ingredienti al posto giusto.

*prezzemolo / cipolla / riso / farina / olio / sedano / salame /
piselli / uova / carne / pomodoro / pane grattato / basilico*

Ⓐ ..... cipolla .....
Ⓑ ..... uova .....
Ⓒ ..... piselli .....
Ⓓ ..... sedano .....
Ⓔ ..... pomodoro .....

Ⓕ ..... farina .....
Ⓖ ..... olio .....
Ⓗ ..... riso .....
Ⓘ ..... pane grattato .....
Ⓛ ..... prezzemolo .....
Ⓜ ..... basili.. .....
Ⓝ ..... carne .....
Ⓞ ..... salame .....

PAROLE e CULTURA

Gli arancini

L'arancino siciliano è una specie di polpetta a forma di piccolo arancio o di cono, che generalmente si fa con riso e sugo di carne. In Sicilia gli arancini si trovano a qualunque ora nelle numerose friggitorie e si consumano come antipasto, pranzo veloce o spuntino.

2. Abbina i verbi che si usano in cucina alle definizioni corrispondenti.

a. ☐ impastare   c. ☐ ridurre a   d. ☐ triturare   f. ☐ friggere
b. ☐ raffreddare   pezzettini   e. ☐ mescolare   g. ☐ scolare

c 1. tagliare a piccoli pezzi
f 2. cuocere in olio bollente
e 3. girare con un cucchiaio o un altro strumento i vari ingredienti di una ricetta
b 4. far diventare freddo
g 5. eliminare il liquido in eccesso
d 6. tritare in frammenti piccolissimi
a 7. unire insieme, lavorando con le mani o con una macchina, uno o più ingredienti fino a formare una pasta omogenea

In questo brano il commissario Montalbano decide di passare la sera di Capodanno a casa della sua governante Adelina, che per l'occasione preparerà i suoi famosi arancini, che piacciono tanto al commissario.

» mp3
traccia **19**

Gesù, gli arancini di Adelina! Li aveva assaggiati solo una volta: un ricordo che sicuramente gli era trasùto *[entrato]* nel Dna, nel patrimonio genetico.

Adelina ci metteva due jornate sane sane *[intere]* a pripararli. Ne sapeva, a memoria, la ricetta. Il giorno avanti si fa un aggrassato[1] di vitellone[2] e di maiale in parti uguali che deve còciri *[cuocere]* a foco lentissimo per ore e ore con cipolla, pummadoro, sedano, prezzemolo e basilico. Il giorno appresso *[seguente]* si pripara un risotto, quello che chiamano alla milanìsa (senza zaffirano, pi *[per]* carità!), lo si versa sopra a una tavola, ci si impastano le ova e lo si fa rifriddàre. Intanto si còcino i pisellini, si fa una besciamella[3], si riducono a pezzettini 'na poco di *[alcune]* fette di salame e si fa tutta una composta con la carne aggrassata, triturata a mano con la mezzaluna[4] (nenti frullatore, pi carità di Dio!). Il suco della carne s'ammisca *[si mescola]* col risotto. A questo punto si piglia tanticchia *[un po']* di risotto, s'assistema nel palmo d'una mano fatta a conca, ci si mette dentro quanto un cucchiaio di composta e si copre con dell'altro riso a formare una bella palla. Ogni palla la si fa rotolare nella farina, poi si passa nel bianco d'ovo e nel pane grattato. Doppo, tutti gli arancini s'infilano in una padeddra d'oglio bollente e si fanno friggere fino a quando pigliano un colore d'oro vecchio. Si lasciano scolare sulla carta. E alla fine, ringraziannu u Signiruzzu *[ringraziando il Signore]*, si mangiano!

Montalbano non ebbe dubbio con chi cenare la notte di capodanno.

(A. Camilleri, *Gli arancini di Montalbano*, Mondadori, Milano 1999)

---

1. aggrassato: pezzo di carne cotto tutto intero, per essere successivamente tagliato a pezzi.
2. vitellone: animale bovino adulto ingrassato per essere macellato.
3. besciamella: salsa a base di farina, latte e burro. Il nome viene da un cortigiano francese del Seicento, Louis de Béchameil.
4. mezzaluna: coltello con la lama ricurva e doppia impugnatura, a forma di mezzaluna.

se ti è piaciuto, leggi anche... G.C. Fusco, *L'Italia al dente*

Attività

1. Leggi il testo. L'autore usa diverse parole in dialetto siciliano. Trovale e scrivile accanto al loro equivalente italiano. Le parole sono date nell'ordine in cui compaiono nel testo.

a. giornate _____ _jornate_
b. prepararli _____ _prepararli_
c. fuoco _____ _foco_
d. pomodoro _____ _pummadoro_
e. prepara _____ _pripara_
f. milanese _____ _milanisa_
g. zafferano _____ _zafficana_
h. uova _____ _ova_
i. raffreddare _____ _ciffriddare_
l. cuociono _____ _____
m. niente _____ _nenti_
n. sugo _____ _suco_
o. si sistema _____ _s'assisto_
p. dopo _____ _doppo_
q. padella _____ _paddedda_
r. olio _____ _oglio_

2. Rileggi il testo e riordina le fasi della ricetta numerando le caselle.

a. ☑ 4 Cuocere i pisellini.
b. ☐ Infarinare le palline di riso, passarle nel bianco d'uovo e nel pangrattato.
c. ☐ Preparare un risotto e disporlo su una tavola.
d. ☐ Preparare delle palline con il riso e unirvi un cucchiaio di composta.
e. ☑ 3 Incorporare le uova nel risotto, impastare e far raffreddare.
f. ☑ 1 Cuocere due tipi di carne con le verdure.
g. ☐ Preparare una salsa a base di farina, latte e burro e unirla al ragù di carne per legare tutto.
h. ☐ Tritare la carne cotta con la mezzaluna.
i. ☐ Tagliare a pezzetti alcune fette di salame e unirle alla carne triturata.
l. ☐ Scolare gli arancini su carta da cucina.
m. ☐ Friggere gli arancini fino a dorarli.
n. ☐ Unire il sugo della carne al risotto.
o. ☐ Mettere gli arancini in una padella d'olio molto caldo.

3. La descrizione del modo di cucinare di Adelina fa parte di una cultura alimentare italiana che ha delle caratteristiche precise. Indica se le seguenti affermazioni sono vere o false.

a. Le donne dedicano molto tempo alla cucina. Ⓥ Ⓕ
b. Le donne comprano il cibo già cotto. Ⓥ Ⓕ
c. Il cibo buono è elaborato. Ⓥ Ⓕ
d. Le ricette vengono dalla tradizione di famiglia. Ⓥ Ⓕ
e. Le ricette si cercano in Internet. Ⓥ Ⓕ
f. La cucina richiede numerosi piccoli elettrodomestici. Ⓥ Ⓕ
g. Una cuoca tradizionale non ha bisogno di indicazioni precise. Ⓥ Ⓕ

4. Sottolinea nel testo le espressioni che indicano la passione di Montalbano per gli arancini.

5. Nel testo ci sono tre esclamazioni particolari. Abbinale al significato corrispondente che hanno nel racconto di Camilleri.

a. ☑ 3 Gesù
b. ☑ 1 pi carità di Dio
c. ☑ 2 ringraziannu u Signiruzzu

1. assolutamente no
2. finalmente
3. che buoni

6. Che informazioni ti mancano per riprodurre la ricetta di Adelina?

☐ ingredienti
☑ tempi
☑ dosi
☐ modalità di cottura
☐ fasi della ricetta

7. Quale ricetta del tuo Paese ti piace quanto gli arancini piacciono a Montalbano?

Pasticcio di carne
e maccone / Lasagne

T3 Giuseppe Marotta

Gli spaghetti

Giuseppe Marotta nasce a Napoli nel 1902 da una famiglia della media borghesia. All'età di 9 anni, gli muore il padre. La famiglia precipita in condizioni di miseria ed è costretta ad abitare in un *basso*, ossia uno stanzone con portafinestra, ricavato al pianterreno del campanile di una chiesa. Nel 1925 Marotta si trasferisce a Milano dove intraprende la carriera di giornalista. Dopo i primi tempi difficili, raggiunge il successo con la pubblicazione, nel 1947, del libro *L'oro di Napoli*, raccolta di storie brevi da cui Vittorio De Sica trae un film nel 1954. Marotta scrive numerosi soggetti e sceneggiature per il cinema. Collabora come critico cinematografico per il settimanale «L'Europeo» fino alla sua morte, avvenuta a Napoli nel 1963.

⦿ Verso il testo

1. L'immagine riproduce un fotogramma del film *Un americano a Roma*, del 1954, interpretato da Alberto Sordi. Com'è apparecchiata la tavola? Che cosa c'è di strano che non fa parte di un tipico pasto all'italiana?

2. Hai mai sentito parlare della dieta mediterranea? Quali alimenti ne fanno parte?

   ☑ pasta   ☑ pomodoro   ☑ pane   ☐ yogurt
   ☑ pizza   ☑ verdure   ☑ vino   ☐ soia
   ☑ olio   ☑ frutta   ☐ carne   ☐ miglio

3. Abbina le espressioni che hanno lo stesso significato.

a. ☒ 2 mettersi una mano sul cuore
b. ☒ 6 chiodo schiaccia chiodo
c. ☒ 5 non fare il passo più lungo della gamba
d. ☒ 1 non poterne più
e. ☒ 3 per amor del cielo
f. ☒ 4 duro d'orecchio

1. essere arrivati al limite
2. essere onesti, riconoscere la verità
3. assolutamente no
4. che sente poco
5. non fare qualcosa che supera le proprie possibilità
6. nuove preoccupazioni fanno dimenticare quelle vecchie

4. Completa la tabella.

verbo	nome/aggettivo
friggere	frittura
arrostire	arrosto
bollire	bollito } boiled meat
lessare	lesso
mantecare	mantecato
cuocere	cotto

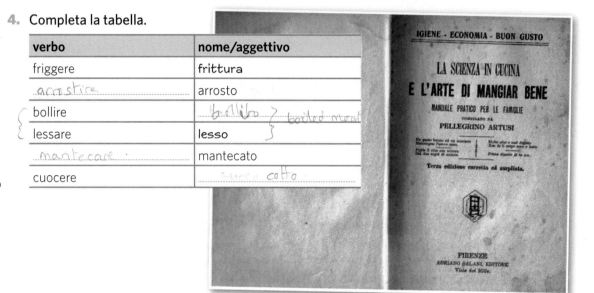

Il brano seguente è tratto dal penultimo racconto del libro, in cui l'autore parla della rapida diffusione a Napoli degli spaghetti e afferma che «Sì, nel 1912 erano più panorama di Napoli gli spaghetti che il Vesuvio e il mare».

Si è nato e si muore con gli spaghetti

C hi entra in Paradiso da una porta non è nato a Napoli, noi il nostro ingresso nel palazzo dei palazzi lo facciamo scostando [*spostando*] delicatamente una tendina[1] di spaghetti. Fummo allattati in fretta, mentre cuocevano gli spaghetti; subito le nostre mamme ci staccavano dal seno e ci mettevano in
5   bocca un frammento di spaghetto; prima lo avevano deterso [*pulito*], con le loro labbra, dal ragù[2]: altrimenti si erano limitate a baciarlo. Io pure, cosa lascio ai miei figli se non gli spaghetti che ereditai? L'importante, dico, è che li adattiate sempre agli stati d'animo e alle circostanze. Non fate mai il passo più lungo della gamba. Spaghetti, sì, ma mettetevi una mano sul cuore: chi siete [*chi credete di*
10 *essere*] per volerli alla genovese, o alle vongole, o addirittura impallinati di salsic-

---

1. tendina: tenda fatta di fili sottili che si usava al posto di una porta.
2. ragù: salsa di pomodoro e carne.

cia, o bluastri di olive di Gaeta[3] e argentei di alici salate, o screziati di indissolubile "mozzarella", o (per amor del cielo!) al *gratin*[4]? Gli spaghetti che vi lascio sono fulminei *[veloci da fare]* e prudenti, spicci *[sbrigativi]* e al tempo stesso riflessivi, una improvvisazione e una massima: sono il cibo ideale per chi ha sfacchina-
15 to *[lavorato]* dalla mattina alla sera e non ne può più; sono gli spaghetti all'aglio e all'olio. Chiunque, col cappello in testa e col soprabito sul braccio, miope o duro d'orecchio, contento o disperato, è in grado di prepararli. Mentre l'acqua bolle l'olio frigge intorno all'aglio, un riso crudele su cui dovete spargere misericordiose foglioline di prezzemolo; acconsentite *[lasciate]* a qualche impercettibile
20 *[leggera]* bruciatura di questa subitanea *[veloce da fare]* salsa, ne vale la pena perché il perentorio *[deciso]* sapore che essa conferirà *[darà]* agli spaghetti assorbe ed elimina ben altre amarezze; chiodo scaccia chiodo, ricordatevene; don Emilio Barletta, fabbricante di trottole al Ponte di Tappia[5], l'aglio lo faceva diventare nero nel padellino *[piccola padella]*, riusciva così a sopportare perfino le infedeltà di sua
25 moglie, poté rassegnarvisi come a una tassa.

(G. Marotta, L'oro di Napoli, Bompiani, Milano 1963)

---

3. olive di Gaeta: olive di colore scuro e dal sapore intenso, provenienti da Gaeta, cittadina del Lazio.
4. al *gratin*: gratinati, passati al forno.
5. Ponte di Tappia: via centrale di Napoli.

✓ **se ti è piaciuto, leggi anche...**   M. Orsini Natale, *Francesca e Nunziata*

PAROLE e CULTURA

Pasta e pizza: una tradizione antica?

La cucina italiana è ricchissima perché ha radici regionali molto antiche e molto diverse, ma agli occhi degli stranieri la pasta e la pizza sono diventati simboli forti della cucina italiana.
In realtà, entrambi i cibi si sono diffusi a livello nazionale, come la lingua italiana, in un periodo abbastanza recente.
Prima dell'unità d'Italia pasta e pizza erano piatti tipici del Meridione e di Napoli in particolare. Con gli spostamenti degli eserciti dal Nord al Sud per unire l'Italia, i piemontesi, i lombardi e i veneti hanno conosciuto gli spaghetti al pomodoro napoletani per la prima volta.
La pubblicazione del ricettario *La scienza in cucina e l'arte di mangiar bene* di Pellegrino Artusi nel 1891 ebbe per le abitudini alimentari del popolo italiano lo stesso significato che i *Promessi sposi* di Manzoni ebbero per la lingua italiana.
La diffusione della pasta e della pizza all'estero è iniziata in parallelo con la loro diffusione in Italia e oggi sono conosciute a livello mondiale, anche come conseguenza della globalizzazione che investe tutti i settori.

Attività

1. Leggi fino a riga 9.

a. Quale immagine usa lo scrittore per far capire che gli spaghetti sono profondamente radicati nella tradizione dei napoletani?

b. Che cosa fanno di particolare le mamme napoletane con i loro bambini?

c. Quale criterio propone lo scrittore per decidere come cucinare gli spaghetti?

[annotazioni a margine: mette in bocca dal bambino un frammento di spaghetti. Gli offre te agli spaghetti d'amore e alle circostanze]

2. Continua la lettura fino a riga 17.

a. Quante ricette di spaghetti elenca l'autore?

b. Abbina le diverse ricette di spaghetti agli ingredienti necessari per cucinarle.

a. ⑥ alla genovese
b. ④ alle alici
c. ① con la salsiccia
d. ② alle olive di Gaeta
e. ⑦ alle vongole
f. ⑤ con la mozzarella
g. ③ al gratin

1. olio, salsiccia tritata a pallini
2. olio, olive scure, pomodoro, aglio, peperoncino piccante
3. olio, aglio, pane grattato
4. olio, aglio, peperoncino piccante, alici
5. olio, mozzarella a pezzetti, pomodoro, basilico
6. olio, basilico, pinoli, pecorino
7. olio, vongole, prezzemolo, aglio

c. Scrivi quale ingrediente rende gli spaghetti come indicato dagli aggettivi seguenti.

1. bluastri ..... *gli olive scure*
2. argentei ..... *alici*
3. screziati ..... *mozzarella*

3. Termina la lettura.

a. Come ti sembra la ricetta degli spaghetti aglio e olio: popolare, raffinata o degna della tavola di una regina? Da che cosa lo deduci?

b. Quali espressioni risultano strane in una ricetta?

c. A quali amarezze si riferisce l'autore? *infedeltà della moglie*

d. Quale tono usa lo scrittore nel dare la ricetta degli spaghetti aglio e olio?
☐ ironico
☑ scherzoso
☐ serio
☐ drammatico

PAROLE *e* CULTURA

Come si mangiano gli spaghetti?

Gli spaghetti, che mettono in difficoltà anche qualche italiano doc, non vanno mai mangiati aiutandosi con il cucchiaio né tantomeno vanno tagliati. Si devono arrotolare con la forchetta e in quantità moderata.

Lo sport

I testi di questa sezione trattano di alcuni sport diffusi in Italia, in particolare del calcio, che è tuttora lo sport più popolare, seguito e praticato da persone di ogni età.

1 **Leggi la lista degli sport più popolari in Italia.**

vela / tennis / sci / rugby / pugilato / pallavolo / pallacanestro / nuoto / jogging / hockey / equitazione / ciclismo / canoa / calcio / baseball / alpinismo

a. Raggruppali nella tabella. Alcuni sport possono appartenere a più gruppi.

sport di squadra	sport di coppia	sport individuali

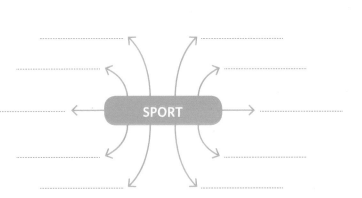

b. Quali di questi sport sono molto popolari nel tuo Paese?

c. Completa la lista con altri sport praticati nel tuo Paese.

d. Che tipo di interesse è, per te, lo sport?
☐ attivo (quale sport pratichi e dove?)
☐ passivo (lo guardi in televisione)
☐ assente

2 **A che cosa ti fa pensare la parola *sport*? Completa lo schema. Puoi usare le parole seguenti o aggiungerne altre.**

rilassamento / divertimento / sfida / movimento / emozione / disciplina / agonismo / fatica / competizione / forma fisica / concentrazione

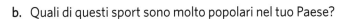
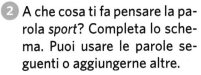

SPORT

T 4 Gabriele Romagnoli

Hanno vinto, Francesco

Scrittore, sceneggiatore e giornalista, Gabriele Romagnoli nasce a Bologna nel 1960. Dopo l'esordio nel 1987 con il racconto *Undici calciatori*, contenuto nell'antologia *Giovani blues*, pubblica la sua prima raccolta di racconti *Navi in bottiglia* nel 1993, seguita, tra gli altri, da *Oggetti da smarrire* (1995), *Passeggeri: catalogo di ragioni per vivere e volare* (1998), *Louisiana Blues* (2001), *L'artista* (2004), *Non ci sono santi: viaggio in Italia di un alieno* (2006) e la raccolta di monologhi *Il vizio dell'amore* (2007). In veste di giornalista, negli anni Novanta lavora come inviato a New York per il quotidiano «La Stampa». È editorialista del quotidiano «la Repubblica» e collabora con altre riviste e quotidiani. Attualmente vive a Beirut, in Libano.

Verso il testo

1. **Abbina le parole ai significati corrispondenti.**

a. ☐ pareggiare — *tie, draw*
b. ☐ girone — *round*
c. ☐ ottavi di finale — *last sixteen*
d. ☐ partita — *game*
e. ☐ goal
f. ☐ raddoppio — *second goal*
g. ☐ quarti di finale — *quarter final*
h. ☐ difensore — *defendor*
i. ☐ finale
l. ☐ nazionale
m. ☐ autorete — *own goal*
n. ☐ vittoria — *victory*

1. giocatore che ha il compito di contrastare l'azione degli avversari
2. raggiungere la parità in una competizione sportiva
3. raggruppamento di squadre che partecipano a un campionato
4. rete, punto segnato da una squadra nel gioco del calcio
5. secondo goal
6. goal che viene segnato per sbaglio da un giocatore nella propria rete *net*
7. partita conclusiva
8. quart'ultima fase della competizione sportiva
9. terz'ultima fase di una competizione sportiva
10. vincita di una competizione (sportiva, militare, politica)
11. squadra che rappresenta una nazione in una specialità sportiva
12. competizione, incontro sportivo

2. Completa il seguente testo sui Mondiali di calcio del 1986, disputati in Messico, con le parole dell'elenco seguente.

autorete / competizione / finale / girone / goal (x2) / *ottavi di finale / pareggia / partita / quarti di finale / vittoria*

L'Italia viene inserita nel **(1)** ___girone___ A insieme a Bulgaria, Argentina e Corea del Sud. Disputa la prima **(2)** ___partita___ contro la nazionale bulgara con il risultato di 1-1, con **(3)** ___goal___ di Altobelli. **(4)** ___Pareggia___ anche contro l'Argentina (1-1). Nell'ultima partita dei gironi vince, con grande fatica, contro la Corea del Sud, con risultato di 3-2, grazie all'**(5)** ___autorete___ di un giocatore e due **(6)** ___goal___ di Altobelli.

Gli Azzurri[1] superano la fase dei gironi, ma sono battuti dalla Francia del fortissimo Platini negli **(7)** ___ottavi di finale___. I campioni del mondo in carica[2] sono eliminati dalla **(8)** ___competizione___ e la Francia si qualifica ai **(9)** ___quarti di finale___ contro la Germania.

Il 28 giugno del 1986 si disputa la **(10)** ___finale___ Argentina-Germania Ovest, che si conclude con la **(11)** ___vittoria___ dell'Argentina del fortissimo Maradona.

1. Gli Azzurri: nome con cui sono chiamati, in particolare, i giocatori della nazionale italiana di calcio. La maglia dei calciatori della nazionale è di colore azzurro dal 1911. Ci sono diverse teorie sull'origine della scelta del colore, ma la più probabile è che sia stato scelto in onore dei Savoia, la famiglia reale italiana dell'epoca, che aveva come colore ufficiale l'azzurro. **2. I campioni del mondo in carica**: la nazionale italiana aveva vinto i Mondiali precedenti, nel 1982.

3. Abbina le parole ai contrari corrispondenti.

a. ☐2 stare in piedi
b. ☐7 inferiore
c. ☐4 piangere
d. ☐3 sciocchezza   *stupidity*
e. ☐1 sveglio   *awake*
f. ☐6 accende
g. ☐5 vittoria

e 1. addormentato   *asleep*
a 2. andare a letto
d 3. cosa seria
c 4. ridere
g 5. sconfitta   *defeat*
f 6. spegne   *turn off*
b 7. superiore

PAROLE e CULTURA

Maradona

L'argentino Diego Armando Maradona (a sinistra nella foto), nato nel 1960, è considerato uno dei più grandi calciatori di tutti i tempi. Centrocampista e attaccante, è stato capitano della nazionale argentina e ha partecipato a quattro Mondiali, dal 1982 al 1994. Dal 1984 al 1991 ha giocato per il Napoli, consentendo alla squadra di vincere il suo primo scudetto — *championship* nel 1987, seguito dal secondo nel 1990. Maradona è così diventato una vera e propria celebrità, non solo a Napoli, ma in tutta Italia.

*Il seguente breve racconto parla di un bambino che vorrebbe vedere una
partita dell'Italia ai Mondiali del Messico nel 1986, ma sua madre non vuole.*

>> mp3
traccia **20**

«Non puoi stare in piedi fino a quell'ora». Francesco guarda sua madre, incredulo[1]. Il labbro inferiore gli trema. Ma come, i Mondiali, l'Italia, la prima partita, e lui non la può vedere?

«Mezzanotte è troppo tardi», ripete la mamma. Francesco non vuol piangere.

5 E allora parla, dice la prima sciocchezza che gli viene in mente. «Ma in Messico sono le cinque!» Chissà perché, funziona. La mamma sorride, si siede, lo guarda fisso negli occhi, come quando ha qualcosa di importante da spiegargli.

«Allora facciamo così», dice, «vai a letto subito dopo cena, alle nove. Poi, a mezzanotte, ti svegliamo e guardi la partita con papà. Va bene?»

10 Francesco abbraccia la mamma. Corre verso la cucina: prima mangio, pensa, prima vado a letto e mi addormento, prima arriva la partita. Anzi, meglio così: sarò ben sveglio quando comincia. Alle nove meno un quarto ha già il pigiama addosso, si infila nel letto. Un po' perché è presto, un po' perché ha appena man-

---

1. incredulo: significa "che non crede". In questo caso indica che il bambino non può credere a quello che gli sta dicendo la mamma perché gli sembra una cosa troppo ingiusta.

PAROLE *e* CULTURA

Le vittorie dell'Italia ai Mondiali di calcio

L'Italia ha vinto i Mondiali di calcio quattro volte.
La prima volta nel 1934, sotto la conduzione tecnica di Vittorio Pozzo, gli Azzurri disputarono la finale con la Cecoslovacchia. Fu una gara molto emozionante che si decise ai tempi supplementari, grazie alla rete di Schiavo che, dopo il goal, crollò a terra svenuto.
La seconda volta nel 1938, sempre con Pozzo, in Francia, l'Italia superò i fortissimi ungheresi.
In tempi più recenti, nel 1982 in Spagna, sotto la guida del commissario tecnico Enzo Bearzot, gli Azzurri affrontarono nella finale la Germania. Dopo un primo tempo prudente, in cui Cabrini sbagliò un calcio di rigore, gli Azzurri trionfarono nel secondo tempo grazie alle reti di Rossi, Tardelli e Altobelli.
La quarta vittoria ai Mondiali è arrivata nel 2006 in Germania, sotto la guida del ct Marcello Lippi. La nazionale ha disputato la finale contro la Francia, vincendo ai rigori.

La nazionale italiana di calcio festeggia la vittoria ai Mondiali del 2006.

giato, il sonno non arriva. Quando la mamma guarda den-
15 tro la stanza, lui fa finta di dormire, ma sa bene che con-
vincerla è difficile. Spera di riuscirci meglio la prossima volta. Infatti; ma stavolta dorme davvero.

Quando si sveglia non è affatto riposato. Buio.
Silenzio. Forse papà è già di là, tiene il
20 volume del televisore basso in attesa
della partita. Si alza, cammina nella
casa buia. Tutte le stanze sono vuote, anche quella del televisore. Lo accende. La
voce del telecronista è disturbata: «E dal
25 Messico vi salutiamo, senza aggiungere
una parola per non sciupare le immagini
rimaste negli occhi di tutti voi, telespet-
tatori italiani, per la splendida vittoria
della nostra nazionale».

● La mascotte
dei Mondiali
del Messico
1986.

(G. Romagnoli, *Navi in bottiglia*, Mondadori, Milano 1993)

✓ **se ti è piaciuto, leggi anche...**   G. Romagnoli, *Un gol già fatto*, in *Navi in bottiglia*

Attività

1. Leggi fino a riga 7.

a. Sottolinea le espressioni che esprimono le reazioni di Francesco per non poter vedere la partita e descrivi il suo stato d'animo.

b. In che modo Francesco crede di aver convinto la madre?

c. Completa la frase con due tra i seguenti aggettivi.
La strategia di Francesco lo fa apparire
☐ furbo.   ☑ fiducioso.
☑ ingenuo.   ☐ imbroglione.
☐ buono.

2. Termina la lettura e considera l'intero racconto.

a. Riassumi con parole tue quale accordo raggiungono Francesco e la madre.

b. Perché Francesco è ansioso di addormentarsi?

c. Perché la casa è buia e silenziosa quando si sveglia?
☐ La partita deve ancora cominciare e i genitori sono ancora a letto.
☑ La partita è finita e i genitori sono andati a letto.
☐ Il padre tiene il volume basso per non svegliarlo.

d. Da che cosa capiamo che il calcio in Italia è soprattutto uno sport maschile?

3. Immagina che il racconto non sia finito: come potrebbe continuare, secondo te?

4. Nella vita di Francesco, come in quella di molti bambini, alcune ore di sonno lo separano da un evento che aspetta con trepidazione. Ricordi un episodio simile nella tua infanzia?

171

T5 Laila Wadia

Come diventare italiani in 24 ore

Laila Wadia nasce a Bombay, in India, nel 1966 e si trasferisce in Italia nel 1986. Giornalista, traduttrice e interprete, vive a Trieste dove collabora con l'università. I suoi racconti e romanzi parlano della condizione degli immigrati in Italia. Il suo libro più famoso è *Amiche per la pelle* (2007) che racconta di quattro straniere che vivono nello stesso palazzo e delle loro difficoltà di inserimento. *Come diventare italiani in 24 ore* (2010) offre una panoramica ironica degli stereotipi che riguardano gli italiani.

⦿ Verso il testo

1. Il brano che proponiamo parla del calcio italiano, ma contiene dei riferimenti al gioco del cricket e a un particolare tipo di partita, il *Test Match*.

   a. Completa le due definizioni con le parole dell'elenco seguente.

   campo / cinque / diritto / Inghilterra / membri / partita / popolare / sport / squadra / undici / valore

Il *cricket* è uno sport di (1) .... giocato da due gruppi di (2) .... giocatori. È nato in (3) .... dove è uno degli (4) .... più praticati, ma è molto (5) .... anche in tutti i Paesi dell'ex impero britannico e del Commonwealth.	Il *Test Match* è un particolare tipo di (6) .... di cricket molto esclusiva che dura (7) .... giorni, giocata su un (8) .... d'erba. Ha lo scopo di stabilire il (9) .... di una squadra e solo i (10) .... dell'International Cricket Council hanno (11) .... di praticarla.

   b. Dopo aver letto le definizioni, spiega perché, secondo te, l'autrice cita il cricket e il Test Match.

2. Abbina le parole alle spiegazioni corrispondenti.

a. ☐ ct o citti
b. ☐ serie
c. ☐ tifare
d. ☐ offside
e. ☐ in corner

1. categorie in cui vengono suddivisi atleti o squadre a seconda dei livelli e dei meriti
2. commissario tecnico, espressione usata per definire l'allenatore della nazionale di calcio
3. in italiano "fuori gioco", posizione irregolare in cui si trova un giocatore
4. oltre la linea di fondo
5. sostenere con entusiasmo una squadra

Come diventare italiani in 24 ore è scritto in forma di diario, in cui una ragazza straniera registra le tappe della sua integrazione per diventare una perfetta italiana.

>> mp3
traccia **21**

Caro diario,
in classe oggi Matteo ci ha spiegato cos'è il calcio per un italiano.
Non è come pensavo! Non si tratta di un semplice gioco in cui venti fu-sti[1] inseguono una palla e due cercano di fermarla, mentre il pubblico alterna
5 canzoncine allegre a espressioni molto colorite[2].
Per un buon italiano, il calcio è religione, il vero collante[3] della nazione! È un po' come il cricket per gli indiani. Una follia collettiva che vede una nazione improvvisamente trasformarsi per la metà in ct e per l'altra metà in vedove dello sport.
In India, durante i Test Match si fermano gli uffici, gli autobus, si cancellano le
10 lezioni pomeridiane e, per fortuna, si cancellano anche le differenze tra le etnie *[razze]*. Indù, musulmani, cattolici, buddisti, giainisti, sikh e parsi
15 diventano improvvisamente *bhai-bhai*, fratelli. Se la coppa viene conquistata dall'Inghilterra, la gente protesta che è un'altra cosa che i bastardi *[cri-minali]* colonizzatori hanno ru-
20 bato agli indiani. Se vince il Pakistan, finisce con spargimento di sangue. Se vince l'India, vengono decretati *[decisi]*
25 tre giorni di festa nazionale.

● Una partita di calcio allo stadio Meazza di Milano.

---

1. fusti: giovani atletici.
2. espressioni molto colorite: ironiche, un po'

volgari e spesso fantasiose.
3. collante: che crea coesione, che unisce.

Quindi, una delle prime cose che devo fare per diventare italiana è scegliermi una squadra.

Matteo ci ha elencato tutte le serie A e B.

Clarissa ha scelto la Roma perché ha un fidanzato "ufficiale"[4] nella capitale, i
30 giapponesi hanno deciso di tifare in massa per la Juve[5] e io ho scelto l'Inter[6].

È stata una scelta spontanea, ma da buona indiana so che non succede niente per caso. La mamma non mi ha mai spedito quel libro tascabile su *Come diventare un guru in 24 ore*, ma ad una donna basta un offside o uno sguardo in corner per capire il suo destino!

35 Sono sicura che un giorno, grazie alla fede calcistica, troverò l'amore della mia vita. Già mi vedo il mio futuro compagno che mi guarda fisso negli occhi e mi chiede qual è la mia squadra del cuore. Io indicherò il mio abito dai colori nero e azzurro e lui balbetterà: «Sei interista!». Due partite dopo, saremo fidanzati. E al posto di due cuori e una capanna[7], mi ritroverò con un camper e due abbona-
40 menti a San Siro[8]!

(L. Wadia, *Come diventare italiani in 24 ore*, Barbera Editore, Siena 2010)

---

4. fidanzato "ufficiale": compagno con cui si ha in programma di sposarsi.
5. Juve: abbreviazione di Juventus, squadra di Torino in serie A.

6. Inter: una delle due squadre in serie A della città di Milano; l'altra è il Milan.
7. due cuori e una capanna: espressione con cui si descrive una situazio-

ne di profondo innamoramento in cui l'amore fa superare qualsiasi difficoltà economica.
8. San Siro: lo stadio di calcio di Milano.

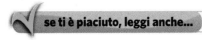

se ti è piaciuto, leggi anche... L. Wadia, *Amiche per la pelle*

Attività

1. Leggi fino a riga 8.

   a. Che idea del calcio italiano aveva la scrittrice prima della spiegazione di Matteo?

   b. Individua le espressioni che la scrittrice usa per descrivere l'importanza del calcio per gli italiani.

   c. Che divisione crea questo sport nella società?

2. Continua la lettura fino a riga 25.

   a. Completa la tabella con le informazioni sul Test Match.

caratteristica	esempi che la rivelano
importanza del Test Match in India	
risultati positivi per la popolazione	
conseguenze dopo la vittoria	

b. Individua che cosa accomuna e che cosa differenzia il Test Match e il calcio, secondo la scrittrice.

c. Trova le espressioni che descrivono il comportamento del pubblico nel Test Match e nel calcio e indica se rivelano rabbia o entusiasmo.

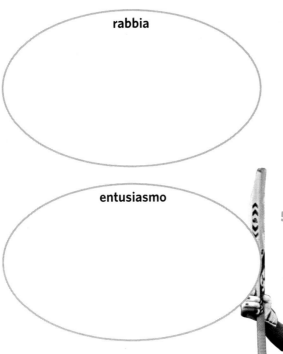

rabbia

entusiasmo

b. Trova nel testo le parole o le espressioni che hanno i seguenti significati.

1. delirio, mania di un'intera comunità

....

2. del pomeriggio

....

3. il campionato è vinto da

....

4. pubblicazione di piccole dimensioni

....

5. culto, religione

....

6. club calcistico preferito

....

c. Ti sembra che la scrittrice sottolinei le somiglianze o le differenze fra la sua cultura d'origine e la cultura italiana?

5. **Quale sport suscita delle reazioni simili nel tuo Paese?**

3. **Termina la lettura.**

a. Che scelta fa la scrittrice dopo la spiegazione di Matteo?

b. Quale risultato spera di ottenere con la sua decisione?

4. **Riconsidera l'intero testo.**

a. Come definiresti il tono generale? Cita degli esempi per le tue scelte.

☐ didattico

....

☐ ironico

....

☐ divertente

....

☐ comico

....

T 6 Italo Calvino

Se una notte d'inverno un viaggiatore

Italo Calvino nasce a Cuba nel 1923. Nel 1925 torna in Italia con la famiglia e passa parte della sua infanzia nella città ligure di Sanremo. Frequenta il liceo della città e si iscrive all'università, ma ben presto abbandona gli studi. Nel 1943 combatte con i partigiani per liberare l'Italia dall'esercito tedesco. Inizia quindi la sua intensa attività di scrittore e nel 1947 pubblica il suo primo romanzo, *Il sentiero dei nidi di ragno* (1947). Dopo il matrimonio si stabilisce a Parigi, dove frequenta i più importanti filosofi e scrittori del momento. Tra le sue opere di narrativa più famose: la trilogia *I nostri antenati* (1960), *Marcovaldo* (1963), *Le cosmicomiche* (1965), *Se una notte d'inverno un viaggiatore* (1979), *Palomar* (1983). Nel 1980 rientra in Italia e scrive per importanti quotidiani. Nel 1985 prepara una serie di conferenze da tenere alla Harvard University di Boston, ma non riesce a recarsi negli Stati Uniti, perché muore improvvisamente nello stesso anno. Le conferenze sono pubblicate dopo la sua morte con il titolo *Lezioni americane*.

⊙ Verso il testo

1. **Guarda le immagini e abbinale alle didascalie corrispondenti.**

   a. L'atleta passa l'asticella con la schiena rivolta verso il basso.
   b. L'atleta scaglia il più lontano possibile la sfera metallica.
   c. L'atleta corre a passo lento.

①☐   ②☐   ③☐

2. Spesso, parlando di sport, gli italiani usano parole della lingua inglese. Abbina le parole inglesi alle corrispondenti espressioni in italiano.

a. ☐ fitness
b. ☐ coach
c. ☐ runner
d. ☐ jogging
e. ☐ personal trainer
f. ☐ team
g. ☐ goal

1. corridore
2. squadra
3. allenatore
4. rete
5. corsa a passo lento
6. forma fisica
7. allenatore personale

3. Abbina i modi di dire alle spiegazioni corrispondenti.

a. ☐ tutto d'un fiato
b. ☐ risparmiare il fiato
c. ☐ avere il fiato grosso
d. ☐ restare con il fiato sospeso
e. ☐ rimanere senza fiato
f. ☐ trattenere il fiato
g. ☐ tirare il fiato

1. risparmiare le energie
2. essere stupito, meravigliato
3. fermarsi a riposare
4. in una volta sola
5. respirare a fatica
6. essere in grande tensione
7. cercare di non respirare per un breve tempo

Il testo che stai per leggere è tratto da Se una notte d'inverno un viaggiatore, *un romanzo che ha per tema il piacere di leggere romanzi. Protagonista è il Lettore che comincia a leggere dieci romanzi diversi che non riesce mai a finire. Questo è il sesto romanzo e racconta la storia di un uomo perseguitato dal suono di un telefono.*

» mp3
traccia **22**

Tutte le mattine prima dell'ora dei miei corsi io faccio un'ora di jogging, cioè mi metto la tuta olimpionica[1] ed esco a correre perché sento il bisogno di muovermi, perché i medici me l'hanno ordinato per combattere l'obesità *[la grassezza]* che mi opprime, e anche per sfogare un po' i nervi[2]. In
5 questo posto durante la giornata se non si va al campus[3], in biblioteca, o a sentire i corsi dei colleghi o alla caffetteria *[bar]* dell'università non si sa dove andare; quindi l'unica cosa da fare è mettersi a correre in lungo e in largo sulla collina, tra gli aceri e i salici[4], come fanno molti studenti e anche molti colleghi. Ci incrociamo *[incontriamo]* sui sentieri fruscianti di foglie e qualche volta ci

---

1. tuta olimpionica: completo fatto di una maglia e di un paio di pantaloni che si usa per fare un'attività sportiva, simile a quello indossato dagli atleti durante le Olimpiadi.

2. sfogare un po' i nervi: scaricare il cattivo umore.
3. campus: area immersa nel verde in cui si trovano gli edifici di un'università. Molto frequenti negli Stati Uniti

d'America, meno frequenti in Italia, dove spesso gli edifici dell'università sono sparsi per la città.
4. gli aceri e i salici: tipi di albero.

10 diciamo: «Hi[5]!», qualche volta niente perché dobbiamo risparmiare il fiato. Anche questo è un vantaggio del correre rispetto agli altri sport: ognuno va per conto suo *[da solo]* e non ha da rendere conto agli altri[6].

La collina è tutta abitata e correndo fiancheggio *[passo vicino a]* case di legno a due piani con giardino, tutte diverse e tutte simili, e ogni tanto sento suonare un 15 telefono. Questo mi innervosisce; involontariamente rallento la corsa; tendo l'orecchio per *[cerco di]* sentire se c'è qualcuno che va a rispondere e mi spazientisco se lo squillo continua. Continuando la corsa passo davanti a un'altra casa in cui suona un telefono, e penso: «C'è una telefonata che mi sta inseguendo, c'è qualcuno che cerca sull'elenco stradale tutti i numeri del Chestnut Lane e chia-20 ma una casa dopo l'altra per vedere se mi raggiunge».

Alle volte le case sono tutte silenziose e deserte, sui tronchi corrono gli scoiattoli, le gazze scendono a beccare il grano messo per loro in ciotole di legno. Correndo io avverto *[sento]* un vago senso d'allarme, e prima ancora di captare *[senti-re]* il suono con l'orecchio la mente registra la possibilità dello squillo, quasi lo 25 chiama, lo aspira dalla sua stessa assenza, e in quel momento da una casa mi arriva, prima attutito *[meno forte]* poi sempre più distinto, il trillare del campanello, le cui vibrazioni già forse da tempo erano state colte da un'antenna dentro di me prima che le percepisse l'udito, ed ecco che io precipito in una smania *[agitazione]* assurda, sono prigioniero d'un cerchio al cui centro c'è il telefono che 30 suona dentro quella casa, corro senza allontanarmi, indugio *[rallento]* senza accorciare le mie falcate *[passi]*.

«Se nessuno ha risposto finora è segno che non c'è nessuno in casa... Ma perché allora continuano a chiamare? Cosa sperano? Forse ci abita un sordo, e sperano insistendo di farsi sentire? [...]».

35 Senza smettere di correre spingo il cancelletto, entro nel giardino, faccio il giro della casa, esploro il terreno di dietro, giro dietro al garage, al ripostiglio degli attrezzi, al casotto del cane. Tutto sembra deserto, vuoto. Da una finestra aperta sul retro si vede una stanza in disordine, il telefono sul tavolo che continua a suonare. La persiana sbatte; il telaio dei vetri s'impiglia *[rimane preso]* nella 40 tenda in brandelli *[strappata]*.

Ho fatto già tre giri intorno alla casa; continuo a fare i movimenti del jogging, ad alzare i gomiti e i calcagni, a respirare col ritmo della corsa perché sia chiaro che la mia intrusione[7] non è quella d'un ladro: se mi sorprendessero in questo momento mi sarebbe difficile spiegare che sono entrato perché sentivo suonare 45 il telefono. Abbaia un cane, non qui, è il cane d'un'altra casa, che non si vede; ma per un momento in me il segnale «cane che abbaia» è più forte di quello «telefono che squilla» e questo basta per aprire un varco *[passaggio]* nel cerchio che mi teneva prigioniero: ecco che riprendo a correre tra gli alberi della strada, lasciando lo squillo alle mie spalle sempre più smorzato *[debole]*.

50 Corro fin dove non ci sono più case. In un prato mi fermo a tirare il fiato. Faccio delle flessioni, dei piegamenti, mi massaggio i muscoli delle gambe perché non si raffreddino. Guardo l'ora. Sono in ritardo, devo tornare se non voglio far

---

5. Hi: saluto informale inglese che corrisponde all'italiano "ciao".
6. non ha da rendere conto agli altri: non deve dare una spiegazione o una giustificazione per quello che fa.
7. intrusione: azione di chi entra in un ambiente, o in un gruppo di persone, per disturbare o provocare un danno.

aspettare i miei studenti. Ci mancherebbe altro che si spargesse la voce che corro per i boschi nell'ora in cui dovrei far lezione... Mi butto sulla via del ritorno
55 senza badare a niente, quella casa non la riconoscerò nemmeno, la sorpasserò senz'accorgermene. Del resto è una casa uguale alle altre in tutto e per tutto, e l'unico modo di distinguerla sarebbe che il telefono suonasse ancora, cosa impossibile...

(I. Calvino, *Se una notte d'inverno un viaggiatore*, Mondadori, Milano 2006)

se ti è piaciuto, leggi anche...   l'ottavo racconto del libro

● Attività

1. Scorri velocemente l'intero testo e sottolinea le espressioni che ti fanno capire la professione di chi scrive.

2. Leggi fino a riga 12.

a. Quali sono le ragioni che spingono il protagonista a praticare la corsa?

b. Il racconto è ambientato in un'università americana. Quali elementi della descrizione te lo confermano?

c. Per quali ragioni il protagonista preferisce il jogging ad altri sport?

d. Questa preferenza che cosa ti fa capire del suo carattere?

3. Termina la lettura.

a. Davanti agli occhi del protagonista che corre si succedono, come dei fotogrammi, una serie di immagini. Quali sono?

b. Che cosa turba la tranquillità dell'ambiente e dà avvio ai pensieri del protagonista?

c. Quali ipotesi nascono nella mente del protagonista e come ti sembrano?

☐ folli
☐ assurde
☐ sensate

d. Cerchia gli aggettivi che Calvino usa per descrivere i suoni che sente il protagonista. Che sensazione ti suggeriscono?

4. Riconsidera l'intero testo.

a. La corsa del protagonista scandisce il tempo del racconto. Secondo te, che ritmo dà alla narrazione? Spiega la tua scelta.

☐ Il ritmo è lento perché ....

....

☐ Il ritmo è accelerato perché ....

....

☐ Il ritmo è pressante perché ....

....

☐ Il ritmo è concitato perché ....

....

☐ Il ritmo è ....

....

5. Elenca e parla degli sport più diffusi nel tuo Paese.

6. Pratichi uno sport? Se sì, spiega le ragioni per cui lo fai.

T7 Walter Bonatti

I miei ricordi

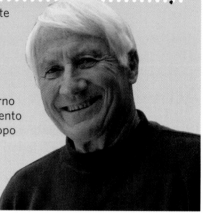

Walter Bonatti nasce nel 1930 a Bergamo e inizia le sue prime scalate sulle Prealpi lombarde nel 1948. La sua prima grande impresa è la scalata del Grand Capucin, nel gruppo del Monte Bianco, a cui seguono numerose altre imprese. A 23 anni è il più giovane partecipante alla spedizione italiana guidata da Ardito Desio, che porta Achille Compagnoni e Lino Lacedelli, due altri importanti scalatori, sulla cima del K2. Sobbarcandosi l'impegno più duro il giorno prima della conquista, Bonatti è il principale artefice del raggiungimento della vetta. Il suo ruolo, però, gli viene tardivamente riconosciuto, dopo anni di polemiche.
A 35 anni abbandona l'alpinismo estremo e si dedica all'esplorazione di terre selvagge dei cinque continenti; scrive poi molti libri di reportage sui suoi viaggi. Muore a Roma nel 2011.

⦿ Verso il testo

1. Guarda la foto della parete nord delle Tre Cime di Lavaredo. Walter Bonatti, insieme a Carlo Mauri, la scalò nel febbraio del 1953.

   a. Che emozioni ti suscita la vista di questa montagna?

   b. Che qualità sono necessarie, secondo te, per affrontare la scalata di una simile parete?

2. Abbina le espressioni alle spiegazioni corrispondenti.

   a. ☐ buio pesto
   b. ☐ a tentoni
   c. ☐ alle stelle
   d. ☐ costi quel che costi
   e. ☐ a denti stretti
   f. ☐ col fiato mozzo
   g. ☐ a tratti

   1. con grande sforzo
   2. buio assoluto
   3. respirando con fatica
   4. al massimo possibile
   5. a qualunque prezzo, a qualunque condizione
   6. di tanto in tanto
   7. alla cieca, senza vedere e orientandosi con le mani

3. Leggi le definizioni e inserisci i termini nell'illustrazione.

ancoraggio punto al quale si agganciano gli anelli nei quali far passare la corda o al quale ci si assicura per una sosta.
bivacco notte trascorsa/luogo dove si sosta all'aperto in montagna con o senza uso di tenda.

chiodo lama metallica con un anello alla testa per l'attacco del moschettone; si infila nelle fessure della roccia.
colatoio canalone lungo il quale spesso si verificano cadute di sassi o valanghe.

cornicione sporgenza di roccia o di neve, creata per azione del vento sulle creste di alta montagna.
stalattiti formazioni a forma di cono che pendono dai soffitti di grotte o cavità della roccia.

Il brano che segue è tratto dal capitolo Pareti Nord di Lavaredo, invernali (1953) *del libro* I miei ricordi. *Dopo aver superato, nel corso dell'intera giornata, una serie di difficili passaggi, Bonatti e il compagno di scalata Carlo Mauri affrontano un ultimo tratto per giungere al luogo del bivacco: la caverna è però inaccessibile perché completamente ostruita dal ghiaccio. Gli alpinisti sono costretti ad andare avanti, in cerca di un altro luogo adatto. I due poi bivaccano in condizioni molto precarie e pericolose, anche perché la roccia compatta non permette un ancoraggio sicuro.*

»» mp3
traccia **23**

L'aria si fa scura, e io sono riuscito a conficcare *[piantare]* malamente le sole punte di tre o quattro chiodi: agganci maledettamente insicuri. Mauri, una quarantina di metri più sotto e del tutto ignaro di quanto avviene, brontola *[protesta]* e vorrebbe salire anche lui prima che svanisca *[scompaia]* l'ultima

5   luce. Non so più che fare. Mi decido infine a legare insieme con un cordino il grup-

petto di assai precari [insicuri] chiodi, sporgenti dalla roccia come piccoli trampoli[1]. Sarà il nostro ancoraggio per la notte di bivacco. Avverto Mauri di non appendersi di peso alla corda, poiché male ancorata. Poi, assicurandolo a spalla, gli urlo di salire.

10   È buio pesto. A tentoni e in equilibrio, badando a non pesare troppo sul fragile ancoraggio di quell'insolito posto, ci avvolgiamo nei sacchi gommati.

All'inizio tutto pare sopportabile, soffriamo solamente di una grande sete, che naturalmente ci è impossibile soddisfare. Con il passare delle ore il bivacco diventa poi una tortura, fisica e mentale. Gelo e disagio a poco a poco ci intorpidi-

15   scono tutto il corpo[2]. Infine arrivano i crampi[3]. D'altra parte, costretti [bloccati] come ci troviamo con le gambe tenute costantemente divaricate per mantenerci in equilibrio, come potremmo mutare [cambiare] di posizione senza provocare uno strappo sui miseri agganci che ci sostengono?

Non da meno [inoltre] comincia la lotta contro il sonno, irresistibile anche per

20   la costante veglia[4] cui siamo stati sottoposti in questi giorni. Addormentarsi significherebbe assiderarsi[5], o quanto meno abbandonarsi sulle corde, che sarebbe come dire strappare l'ancoraggio e finire giù con un salto di trecento metri. Ci imponiamo allora di parlare e ancora parlare, non importa di cosa, di cantare magari, pur di restare svegli. Ma per quanto si faccia, più di una volta ci sorpren-

25   diamo a vaneggiare[6] a occhi aperti. [...]

Passa anche quella notte e alle 6.30 del nuovo giorno, seppure sia ancora lontana l'alzata del sole, siamo già in movimento. Una sbirciata [occhiata] al termometro: venticinque gradi sotto zero. Ci ritroviamo irrigiditi come baccalà[7].

[...] Il cornicione di neve su cui mi protendo e che per soli cinquanta centimetri

30   non va a formare un tutt'uno con il tetto che lo sovrasta [sta sopra], presenta una specie di cunicolo [galleria] ben modellato dal vento, che corre parallelamente al suo culmine [cima]. Ho un'idea: avanzerò, strisciando, dentro quella fragile impalcatura di neve. Stando così sospeso, e in tal modo procedendo, mi dico che soltanto un prodigio [miracolo] riuscirà a portarmi al di là dell'ostacolo. Ne sono

35   totalmente consapevole, ma non ho altra scelta. Quel che seguirà sarà uno dei momenti che decidono un'esistenza. Mi azzardo [oso] dunque. Con una tensione nervosa alle stelle, saturo [pieno] di adrenalina e col fiato mozzo dallo sforzo, mi allungo nel fragile cunicolo, mi contorco strisciando e affondando le mani nella neve farinosa sino a formare un tutt'uno con quel cumulo [mucchio] di polvere

40   bianca che assolutamente, ma pure assurdamente, dovrà sorreggermi. A tratti, quando ho la sensazione che l'intera struttura stia per smottare [franare], trattengo il respiro, quasi a farmi più leggero, e decimetro dopo decimetro, quasi come azione portentosa [miracolosa], avanzo.

Ora sono arrivato nel bel mezzo del colatoio, e ancora più avanti; ma qui mi

45   accorgo di non sentire più le mani. Infatti, passando dalla roccia alla neve non avevo avuto la possibilità di infilarmi i guanti, e tanto meno ho potuto farlo

---

1. trampoli: bastoni di legno con appoggi per i piedi che servono per camminare sollevati dal suolo.
2. ci intorpidiscono tutto il corpo: significa "ci rendono il corpo privo di

qualsiasi sensibilità".
3. crampi: contrazioni dolorose dei muscoli.
4. veglia: il restare svegli nelle ore normalmente dedicate al sonno.

5. assiderarsi: congelarsi per il freddo.
6. vaneggiare: delirare, dire cose senza senso.
7. baccalà: merluzzo essiccato, che è molto rigido.

dopo. Costi quel che costi adesso devo continuare ad arrabattarmi [arrangiarmi] nella neve a mani nude. Alla fine avrò vinto il confronto.

50 Il cunicolo finalmente si smorza [si interrompe], e pure la gronda rocciosa[8] punteggiata di stalattiti si attenua. Ma stanno per esaurirsi [finire] anche i quaranta metri di corda che mi legano al compagno. Data la concavità della parete, questa corda ora ondeggia nell'aria paurosamente e lo stesso suo peso tende a strapparmi nel vuoto. A denti stretti, ancora per pochi metri, ed eccomi, all'epilogo [alla fine] del tutto dove un bel chiodo già infisso nella roccia occhieggia [compare] 55 sicuro. Adesso posso rilassarmi. [...]

Alle 12.30 del 24 febbraio le nostre grida festose sulla punta raggiunta echeggiano fino al sottostante rifugio Longeres, dove arriviamo un'ora più tardi.

(W. Bonatti, *I miei ricordi*, Baldini Castoldi Dalai, Milano 2008)

---

8. gronda rocciosa: sporgenza di roccia a forma di grondaia.

se ti è piaciuto, leggi anche... W. Bonatti, *Una vita così*

Attività

1. **Leggi fino a riga 28.**

   a. Che parte della giornata viene descritta nel brano e che difficoltà si trovano ad affrontare Bonatti e il compagno Mauri?

   b. Come e dove passano la notte i due scalatori? Elenca tutti i disagi che devono sopportare.

2. **Continua la lettura fino a riga 55.**

   a. Che nuova difficoltà incontra Bonatti e come la risolve? Sottolinea le espressioni che rivelano la pericolosità dell'impresa fino a questo punto.

   b. Quali espressioni rivelano la forza di carattere, la determinazione a vincere e il coraggio di Bonatti? Evidenziale tutte nel brano.

3. **Termina la lettura e considera l'intero testo.**

   a. Come si conclude l'impresa?

   b. Quanto è durata la salita e quanto la discesa?

4. **Esamina lo stile.**

   a. Come definiresti il tono della narrazione?
   - ☐ emotivo
   - ☐ freddo e distaccato
   - ☐ drammatico
   - ☐ descrittivo
   - ☐ colloquiale
   - ☐ enfatico

   b. Che effetto crea l'uso del tempo presente nella descrizione?
   - ☐ Rende la descrizione più realistica.
   - ☐ Coinvolge maggiormente il lettore.
   - ☐ Aumenta la suspense.
   - ☐ Altro ....

5. **Come definiresti Bonatti dopo la lettura di questo brano?**
   - ☐ appassionato
   - ☐ irresponsabile
   - ☐ generoso
   - ☐ coraggioso
   - ☐ forte
   - ☐ freddo
   - ☐ altro ....

L'arte e la musica

L'Italia è famosa per la ricchezza del suo patrimonio artistico e la sua tradizione musicale. I testi che presentiamo in questa sezione offrono alcuni scorci significativi su questi due temi.

1 Se pensi alla musica e all'arte italiana, ti vengono in mente opere del presente o del passato? Perché? Quali dei seguenti aspetti dell'arte e della musica italiana conosci direttamente o indirettamente?

- ☐ la pittura fiorentina
- ☐ la canzone napoletana
- ☐ l'archeologia
- ☐ l'opera
- ☐ l'arte rinascimentale
- ☐ l'arte barocca
- ☐ la pittura veneziana
- ☐ la musica folk
- ☐ l'arte futurista
- ☐ la scultura neoclassica
- ☐ la musica pop

Scultura di Boccioni

Dipinto di Modigliani

Colosseo

Scultura di Giò Pomodoro

2 Abbina i termini musicali ai significati corrispondenti.

a. ☑2 melodramma   c. ☐ recitativo   e. ☐ repertorio   g. ☐ libretto
b. ☐ compositore   d. ☐ romanza   f. ☐ prima donna   h. ☐ virtuoso

1. componimento letterario da musicare, come il testo dell'opera
2. testo teatrale messo in musica e cantato
3. parte cantata dell'opera lirica con un carattere sentimentale intenso, che suscita commozione o compassione
4. attrice o cantante protagonista in uno spettacolo
5. parte di un melodramma in cui l'esecuzione vocale riproduce la naturalezza del parlato
6. chi crea un'opera musicale
7. artista che si distingue per bravura grazie alla padronanza dei mezzi tecnici, specialmente nella musica
8. l'insieme delle opere o dei pezzi che un attore, un cantante, un musicista o un'orchestra interpretano di preferenza o sono in grado di interpretare

T8 Carmine Abate

Gli anni veloci

Carmine Abate nasce nel 1954 a Carfizzi, un paese di lingua albanese della Calabria. Dopo la laurea in Lettere si trasferisce in Germania dove insegna in una scuola per immigrati e inizia a scrivere e pubblicare le sue prime opere, in lingua tedesca. Rientrato in Italia si stabilisce in Trentino e continua l'attività di scrittore e insegnante. Uno dei temi principali delle sue opere è il razzismo, insieme a quello della multiculturalità. Il primo libro pubblicato in Italia, nel 1993, è la raccolta di racconti *Il muro dei muri*. Tra i suoi numerosi romanzi ricordiamo *La festa del ritorno* (2004), *Gli anni veloci* (2008), *La collina del vento*, Premio Campiello 2012, e *Il bacio del pane* (2013).

⦿ Verso il testo

1. Abbina i verbi della colonna di sinistra agli elementi della colonna di destra e poi scrivi delle frasi.

   a. ☐ conoscere
   b. ☐ riempire
   c. ☐ comparire
   d. ☐ accostare
   e. ☐1 aprire
   f. ☐ scompigliare
   g. ☐ inumidire

   1. il finestrino
   2. il vuoto
   3. gli occhi
   4. a memoria
   5. in pubblico
   6. sulla corsia d'emergenza
   7. i capelli

2. Guarda le immagini del cantante Lucio Battisti. Quali informazioni su di lui ne ricavi?

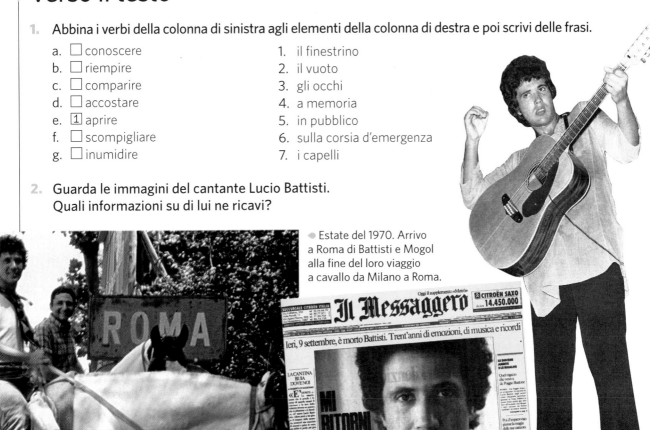

● Estate del 1970. Arrivo a Roma di Battisti e Mogol alla fine del loro viaggio a cavallo da Milano a Roma.

● Notizia della morte di Battisti.

*Nel testo seguente Nicola, il protagonista del romanzo, rievoca il momento
in cui è venuto a sapere della morte di Lucio Battisti, il suo cantante preferito.*

**» mp3
traccia 24**

Fuori, l'afa è densa e tremolante come a luglio. La radio trasmette i successi di Lucio Battisti[1], e Nicola, che li conosce quasi tutti a memoria, canticchia assieme per riempire il vuoto, senza meravigliarsi di quella manna che pare cadere dall'etere[2] solo per lui: «Mi ritorni in mente, bella come sei, for-
5   se ancor di più... Un angelo caduto in volo, questo tu ora sei in tutti i sogni miei, come ti vorrei, come ti vorrei...»[3]. Assieme a Rino Gaetano[4], che era stato un amico di famiglia, Lucio Battisti resta il suo cantante preferito, anche se da anni non compare più in pubblico, nemmeno in televisione, e le sue nuove canzoni hanno testi enigmatici che Nicola ammette di non capire. Invece Anna[5] non
10 aveva dubbi: «Che c'è da capire?», diceva. «Una canzone deve emozionarti, e Lucio ci riesce sempre, anche se canta la lista della spesa».

[...] Ascolta la notizia del giornale-radio mentre ammira gli oleandri[6] ancora fioriti e invidia i bagnanti sulla spiaggia che si godono il calore del sole settembrino [*di settembre*], il migliore. Il mare scintilla oltre l'autostrada, vicinissimo e
15 muto.

«È morto oggi alle ore otto, all'ospedale San Paolo di Milano, il noto cantante Lucio Battisti, autore di innumerevoli successi e amato da un pubblico immenso. Aveva cinquantacinque anni e da tempo era affetto da [*soffriva di*] una grave malattia».
20 Nicola accosta sulla corsia d'emergenza[7] senza accendere la freccia[8]. Sente la testa bruciargli, come colpita da un fulmine. E, appena apre il finestrino per non soffocare, si leva un vento impetuoso [*forte*] e bollente che pare [*sembra*] un grido di dolore. Lucio Battisti era ammalato, Nicola lo sapeva, ma l'idea che potesse morire non lo aveva mai sfiorato [*toccato*]. Per lui Lucio Battisti era un mito, ave-
25 va accompagnato con canzoni indimenticabili i momenti più importanti della sua vita. Poteva morire un mito? Può un mito morire? Il vento gli scompiglia i capelli radi e i pensieri, ma non riesce ad asciugargli lo sgomento [*il turbamento*] che gli ha inumidito gli occhi.

(C. Abate, *Gli anni veloci*, Mondadori, Milano 2008)

---

1. Lucio Battisti: cantautore italiano, nato nel 1943 e morto nel 1998. Le sue canzoni hanno accompagnato la vita delle giovani generazioni degli anni Settanta e Ottanta del Novecento. Per più di trent'anni ha collaborato con il paroliere Giulio Rapetti, in arte Mogol.
2. quella manna che pare cadere dall'etere: nel racconto della Bibbia, la manna è il cibo che cadde dal cielo sugli ebrei, affamati, che attraversavano il deserto. L'espressione "manna dal cielo" si usa anche in senso figurato per indicare qualcosa di

inaspettato ma desiderato che arriva come un dono. Lo scrittore crea un gioco di parole con la parola *etere*, che significa "aria", ma indica anche lo spazio di diffusione delle onde elettromagnetiche, attraverso cui trasmette la radio.
3. Mi ritorni ... ti vorrei: versi di *Mi ritorni in mente*, uno dei successi di Lucio Battisti.
4. Rino Gaetano: cantautore italiano, nato nel 1950 in Calabria e morto a Roma nel 1981 in un incidente stradale. Le sue canzoni, apparentemente

leggere e orecchiabili, sono caratterizzate in realtà da una forte ironia e denuncia sociale.
5. Anna: un'amica di Nicola, il protagonista.
6. oleandri: piante ornamentali con foglie sempreverdi e fiori di vari colori.
7. corsia d'emergenza: parte di un'autostrada dove ci si può fermare in caso di guasto alla macchina.
8. freccia: in un'automobile, è la luce lampeggiante che si mette per indicare il cambio di direzione.

 se ti è piaciuto, leggi anche...   C. Abate, *Tra due mari*

Attività

1. Leggi fino a riga 11.

   a. Concentrati sui versi della canzone, ricerca in Internet il testo completo e il video di Battisti che la canta. Come definiresti questa canzone?

   ☐ impegnata
   ☐ romantica
   ☐ di protesta
   ☐ orecchiabile
   ☐ per ragazzi
   ☐ melodica

   b. Come sono cambiate le canzoni di Battisti nel corso del tempo?

   c. Su quale punto Nicola e Anna non sono d'accordo?

2. Termina la lettura e considera l'intero testo.

   a. Descrivi le circostanze il cui Nicola sente la notizia della morte di Battisti. Completa la tabella.

periodo dell'anno
luogo
clima e paesaggio
che cosa sta facendo Nicola

   ● (in senso orario) Elvis Presley, Michael Jackson e Buddy Holly.

b. Che reazioni suscita in Nicola la notizia della morte di Battisti? Scegli due opzioni, poi sottolinea nel testo le frasi che rivelano queste reazioni.

☐ quasi indifferente rassegnazione
☐ incredulità
☐ rabbia
☐ senso di inevitabilità
☐ dolore irrazionale

c. Nicola ha anche delle reazioni fisiche quando sente la notizia della morte di Battisti: quali? Cerchia le frasi che le rivelano.

3. Anna dice: «Che c'è da capire? Una canzone deve emozionarti». Sei d'accordo con lei o pensi che una canzone debba avere anche un significato?

4. «Può un mito morire?»: il dolore provato dai fan di Battisti alla sua morte è simile a quello provato da tanti altri fan in tutto il mondo, quando i loro cantanti preferiti sono morti. Ricerca informazioni o condividi episodi che hai vissuto legati alla morte di "giganti" come John Lennon, Buddy Holly, Elvis Presley, Michael Jackson.

T 9 Luciano Ligabue

Fuori dagli Stones

Luciano Ligabue, nato a Correggio nel 1960, canta dal 1987 le canzoni che compone. Raggiunge la fama come musicista e cantante dopo i trent'anni, dopo aver fatto i più disparati lavori. Dal 1990 (anno della pubblicazione del primo album) a oggi è un crescendo di successi di pubblico e di critica, non solo nel campo musicale, ma anche in quelli della letteratura e del cinema. Pubblica la raccolta di racconti *Fuori e dentro il borgo* (1997, Premio Elsa Morante) e il romanzo *La neve se ne frega* (2004), e scrive e dirige due film: *Radiofreccia* (1998) e *Da zero a dieci* (2002).

Verso il testo

1. Guarda le foto di alcuni cantanti molto popolari in Italia, amati dai giovani che in occasione dei loro concerti riempiono gli stadi. Ne conosci qualcuno? Hai mai sentito le loro canzoni? Quali?

2. Abbina le espressioni alle spiegazioni corrispondenti.

a. ☐ giro armonico   b. ☐ assolo   c. ☐ accordo   d. ☐ fraseggio

1. stile con cui un musicista esegue un brano
2. sequenza di accordi, che hanno in comune la stessa tonalità, costruita secondo specifiche regole musicali
3. combinazione simultanea di più suoni
4. breve brano musicale eseguito da un solo cantante o musicista

3. Individua il significato corretto delle seguenti espressioni scegliendo tra i due indicati tra parentesi.

a. prendere per la gola (*conquistare con cibi squisiti / fare ammalare*)
b. fare un duetto (*lottare / suonare in due uno stesso brano musicale*)
c. raccogliere l'eredità (*ereditare molti soldi / proseguire il lavoro di un altro*)
d. carpire i segreti (*rendere pubblico un segreto / rubare i segreti di un altro*)
e. non più di tanto (*poco / molto*)
f. (la) leggenda dice che (*tutti raccontano che / tanto tempo fa si diceva che*)

Il brano è tratto dal racconto Fuori dagli Stones *e descrive l'incontro tra Ligabue e Mick Taylor, famoso chitarrista dei Rolling Stones, per un concerto da tenere insieme.*

Questa volta mi hanno preso per la gola.
C'è una manifestazione pro-Europa trasmessa in Eurovisione[1] dalle piazze di tre diverse città in cui, contemporaneamente, si suona musica: Torino, Lisbona e Bruxelles.

5   Mi è stato chiesto di fare un duetto con Mick Taylor[2].
Siamo volati a Torino.
Mick Taylor ha suonato, fra gli altri, con John Mayall[3] e Bob Dylan[4] ma, soprattutto (per noi) ha fatto parte degli Stones[5].
Non solo: ha dovuto raccogliere la pesissima [*pesantissima*] eredità lasciata da
10   Brian Jones[6] in un periodo cruciale da cui sono usciti capolavori come *Let It Bleed, Sticky Fingers* ed *Exile on Main Street*.
Tutti dischi che io e i ragazzi del gruppo abbiamo amato, consumato, smontato cercando di carpirne i segreti, i suoni, lo spirito.
Leggenda dice che Taylor sia entrato negli Stones ragazzino e ne sia uscito,
15   dopo meno di sei anni, vecchio.

---

1. in Eurovisione: trasmissione in contemporanea di uno stesso programma in diversi Paesi europei.
2. Mick Taylor: chitarrista inglese famoso negli anni Sessanta per aver suonato con i Rolling Stones.
3. John Mayall: musicista inglese di fama internazionale, punto di riferimento per il blues del suo Paese.

4. Bob Dylan: cantautore e compositore statunitense, figura di riferimento per i movimenti pacifisti e per i diritti civili degli anni Sessanta.
5. Stones: i Rolling Stones, gruppo musicale inglese, espressione dell'evoluzione del rock and roll degli anni Cinquanta in chiave più dura, con canto aggressivo, continui riferimenti al sesso e, talvolta, alle droghe pesanti.
6. Brian Jones: è stato uno dei fondatori della band dei Rolling Stones ed è ricordato per le sue capacità multi-strumentali, per la tumultuosa vita sentimentale e per i suoi eccessi con alcool e droghe. È morto all'età di 27 anni.

In effetti quello fu probabilmente il periodo più tossico *[dedito alla droga]* del gruppo.

L'organizzazione ci ha chiesto di fare quattro pezzi insieme, due degli Stones e due miei e, in particolare, vorrebbero aprire il collegamento in Eurovisione con *You Can't Always Get What You Want.*

[...] Le mie canzoni non le conosce e allora io lo preparo: una delle due è un po' lontana dal suo mondo ma crediamo sia giusto farla per la piazza[7] di Torino.

E se con *Vivo morto o x* lo vediamo divertirsi, con *Certe notti* "annusiamo" *[sentiamo]*, effettivamente, qualche problema.

Questa infatti è una canzone che, nella sua apparente semplicità, si fonda su un giro armonico brigoso *[difficile]* da mandare a memoria.

Inoltre gli accordi da usare sono parecchi, cosa che normalmente ai bluesmen non piace mai più di tanto.

Max si preoccupa di trascrivere gli accordi mentre Mick sembra un po' seccato.

Poi decide di fare fraseggi e assoli e di non imparare il giro armonico, col risultato che alla terza-quarta esecuzione il pezzo gli piace.

A questo punto siamo tutti più sciolti e più liberi di farci complimenti l'un l'altro. L'esibizione è per il giorno dopo, così abbiamo la sera libera.

(L. Ligabue, *Fuori e dentro il borgo*, Baldini&Castoldi, Milano 1997)

---

7. la piazza: la parola è usata per indicare il pubblico, l'insieme degli spettatori.

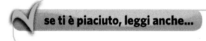

se ti è piaciuto, leggi anche... G. Ruberti, *E ancora più su... Modugno 50 anni dopo Volare*

● Attività

1. **Leggi fino a riga 13.**

  a. Elenca le informazioni che l'autore dà sulla carriera musicale di Mick Taylor.

  b. Qual è l'esperienza a cui l'autore dà più valore?

  c. Che cosa rende così speciale, per l'autore, un'occasione di suonare con Mick Taylor?

  d. Quale frase ti fa capire che per Ligabue e il suo gruppo la musica di Mick Taylor è stata un modello?

2. **Continua la lettura fino a riga 20.**

  a. In quale senso viene usato l'aggettivo *vecchio* riferito a Taylor?

  b. A quale genere di esperienze allude l'autore? Da quale espressione del testo lo deduci?

3. **Termina la lettura.**

  a. A che cosa è dovuta la resistenza che incontra il musicista inglese a suonare la canzone di Ligabue *Certe notti*?
  ☐ diversità culturali
  ☐ diversa esperienza musicale
  ☐ diverso stile di composizione

  b. Come viene superato il problema dal musicista inglese?

4. **Secondo te, come può essere interpretata la conclusione felice dell'iniziale incomprensione tra i due musicisti?**

5. Nel testo Ligabue parla della sua canzone *Certe notti*.

a. Cerca in Internet la registrazione della canzone: che stato d'animo ti evoca?

b. Leggi le tre interpretazioni della canzone scritte da tre ammiratori di Ligabue. Con quale sei d'accordo e perché?

c. Ci sono canzoni nella produzione musicale antica e moderna del tuo Paese a cui sei particolarmente legato? Quali temi esprimono? Parlane e confrontale con la canzone di Ligabue.

① ☐

«Io credo che faccia riferimento a quelle nottate del sabato sera, quando con gli amici vai in giro in auto e cerchi di dimenticare la settimana stressante. E non importa dove andrai, ma basta sapere che sei in viaggio... per poi arrivare al bar solito, dove incontri le solite facce e la stessa gente. Magari una ragazza con la quale amoreggiare e sentirti meglio, se sei giù. Insomma è una canzone da serata "maschile", del gruppo di amici, che va in giro a "cazzeggiare" [perdere tempo] per far passare il tempo e sperare che domani non sia già domenica».

② ☐

«Non sono un grande fan di Ligabue ma *Certe notti* è davvero splendida, il significato? L'abitudinarietà della vita, il mondo sempre uguale che ognuno di noi ha, condito con un pizzico di sogni».

③ ☐

«Folli notti di gioventù: sesso, amore, dolore, musica, alcool, ebbrezza, velocità... Tutto questo turbinio di sensazioni in un brano tutto da godere».

 Sebastiano Vassalli

L'italiano

Nato a Genova nel 1941, Sebastiano Vassalli è un narratore attento agli argomenti di carattere sociale e politico.
Numerosi sono i suoi romanzi a sfondo storico in cui la ricostruzione del passato serve a creare collegamenti e confronti con l'attualità.
Tra i più importanti ci sono *La chimera* (1990), *Cuore di pietra* (1996) e *L'italiano* (2007).

Verso il testo

1. «La musica ha il potere di calmare gli animi e di eliminare i conflitti». Sei d'accordo con questa affermazione? Ricorda un episodio che illustri la tua opinione.

2. Nel canto le voci maschili e femminili sono classificate in base al tono più o meno acuto e alle note che riescono a raggiungere in alto o in basso nella scala musicale, come puoi leggere nell'elenco seguente.

> *baritono* voce maschile dal tono mediamente grave.
> *basso* voce maschile dal tono molto grave.
> *contralto* voce femminile dal tono mediamente grave.
>
> *mezzosoprano* voce femminile con colori vocali caldi che raggiunge anche note basse.
> *soprano* voce femminile che raggiunge note molto alte e acute.
> *tenore* voce maschile che raggiunge note molto alte e acute.

Metti le voci in ordine decrescente dal tono più acuto al più grave.

voci maschili	
voci femminili	

3. Abbina le espressioni alle definizioni corrispondenti.

a. ☐ salvare la pelle
b. ☐ cantare a squarciagola
c. ☐ giurare sull'onore
d. ☐ avere la pelle d'oca
e. ☐ nei suoi panni

1. al suo posto
2. fare una promessa impegnativa, un giuramento su una cosa importante
3. cantare fortissimo con tutta la voce che si ha
4. tremare per lo spavento o per il freddo
5. evitare di morire

PAROLE e CULTURA

Enrico Caruso

Caruso fu un grande cantante lirico napoletano che visse ai primi del Novecento e fece conoscere l'opera italiana in America. La sua voce di tenore, di timbro alto, è considerata una delle più affascinanti di tutti i tempi.

A raccontare la storia che segue è un soldato che è tornato dal fronte, cioè da una zona di guerra, durante la Prima guerra mondiale, per un breve periodo di riposo. Di mestiere fa il portinaio di una grande casa. Gli inquilini lo accolgono con grande entusiasmo, si riuniscono e gli chiedono di raccontare un episodio di guerra da lui vissuto.

>> mp3
traccia **25**

Il portinaio ebbe un momento di esitazione, pensò: cosa gli racconto? La memoria gli si affollò di tante piccole cose: i geloni, i pidocchi, i topi, che però non potevano interessare quegli ascoltatori. Disse: «Vi racconterò la storia di Caruso».

5 «Non sarà stato il nostro grande cantante!», esclamarono le signore. «Forse, un suo nipote? Uno che ha il suo stesso cognome?»

«No», disse il portinaio. «Caruso era il soprannome di un soldato napoletano, un portaordini[1] che doveva tenerci collegati con il comando di compagnia nel primo inverno di guerra[2]. Noi allora eravamo in un caposaldo *[difesa militare]* so-
10 pra la val Sugana[3] a millequattrocento metri d'altezza, e non avevamo il telefono. I portaordini uscivano alla sera con il buio e rientravano prima di giorno; ma gli austriaci avevano messo una fotoelettrica[4] in alto dietro le loro trincee[5], e quando l'accendevano sembrava di essere a teatro, con quel cerchio di luce che si spostava sulla neve come su un immenso *[grandissimo]* palcoscenico, e con il
15 buio della notte tutt'attorno... Avevano già ammazzato tre portaordini [...]. Il quarto portaordini doveva essere questo napoletano di cui sto parlando, un certo Esposito... sì, mi sembra che il suo vero cognome fosse Esposito[6], e che il nome fosse Pasquale... Pasquale Esposito...».

---

1. portaordini: soldato che consegna gli ordini dei superiori agli altri soldati.
2. primo inverno di guerra: l'autore si riferisce alla Prima guerra mondiale (1914-18), in cui l'Italia combatté contro l'Austria, in una lunga ed estenuante guerra, e liberò le regioni del Trentino e della Venezia Giulia dalla presenza austriaca.

3. val Sugana: valle del Trentino sudorientale che confina con il Veneto.
4. fotoelettrica: faro potente che serve a illuminare piste di aeroporti o zone in cui si lavora in condizioni difficili.
5. trincee: lunghi fossati scavati nella terra e rinforzati con il cemento nei quali vivevano i soldati.
6. Esposito: cognome molto comune

di Napoli. Proviene dalla parola *esposto*, cioè "messo nella ruota degli esposti". La ruota, tuttora visibile presso la parete esterna dell'Ospedale dell'Annunziata di Napoli, è una specie di porticina ruotante, che serve per far passare qualcosa dall'esterno all'interno. Davanti alla ruota venivano posati i bambini abbandonati dalle madri.

● Spartito della *Bohème* con appunti autografi di Puccini.

Nella sala del comitato patriottico il silenzio, adesso, era assoluto. Alcuni
20 ascoltatori anziani erano venuti a sedersi di fronte all'oratore, per sentire meglio; e c'era un uomo quasi completamente sordo, il commendator Porzano, che
gli teneva il cornetto acustico a pochi centimetri dalla bocca. «S'avvicinava l'ora
dell'uscita serale», disse il portinaio, «ed Esposito era più morto che vivo per la
paura. Chi non lo sarebbe stato, nei suoi panni? Per mandarlo fuori dalla posta-
25 zione [*trincea*] bisognò fargli bere un'intera bottiglia di cognac. Alla fine, a calci e
spintoni, uscì nel buio e scomparve; ma a metà della pista [*percorso*] si mise a cantare un brano d'opera, non proprio a squarciagola ma nemmeno piano. "Che gelida manina, se la lasci riscaldar..."[7] A noi che eravamo in trincea venne la pelle
d'oca. Pensammo: ha bevuto troppo e adesso i crucchi[8] lo ammazzano. Si accese
30 la fotoelettrica; il nostro portaordini era là, vestito di bianco in mezzo alla neve,
e dalla trincea dei crucchi una voce gridò in italiano: Caruso! Canta più forte!
Sono stati gli austriaci a chiamarlo per primi Caruso. Allora lui riprese a camminare nella neve senza cercare di ripararsi, proprio come se fosse stato su un palcoscenico, [...] e camminando cantava con una bella voce da tenore [...]. Quando
35 arrivò in fondo al vallone[9] si voltò prima di uscire di scena, ci fece un inchino[10] e
ci ringraziò degli applausi con un gesto, anzi a dire il vero i gesti furono due, uno
rivolto a noi e l'altro rivolto ai crucchi, perché anche loro lo stavano applauden-
do; poi la fotoelettrica si spense e il vallone tornò buio. Be'», disse il portinaio
dopo un breve silenzio, «forse voi non mi crederete, ma vi giuro sul mio onore
40 che questo fatto è accaduto davvero e che si è ripetuto ancora, nelle notti suc-
cessive, almeno altre quattro volte...» [...]
   «Le guerre», disse, «si vincono eseguendo gli ordini e salvando la pelle, e Caruso è riuscito a fare tutt'e due le cose, in condizioni estremamente difficili...
Non sarà un eroe, ma non è nemmeno un traditore [...]. La notte che lui ha into-
45 nato l'aria della Tosca: "E lucean le stelle, e olezzava la terra..."[11] io avevo gli occhi
pieni di lacrime; e credo che anche molti dei nostri nemici abbiano provato la
stessa emozione. Perché avrebbero dovuto ammazzarlo? Era laggiù, in mezzo al
cerchio di luce, e cantava per loro...»

---

7. "Che gelida manina ... riscaldar": aria tratta dal libretto della *Bohème* di Giacomo Puccini. L'aria è una composizione, solitamente suddivisa in strofe, con una melodia molto orecchiabile.
8. crucchi: i soldati italiani chiamavano così, in senso dispregiativo, i solda-

ti tedeschi o comunque di lingua tedesca. Oggi la parola si usa ancora a volte, con una sfumatura negativa, per indicare gli italiani dell'estremo Nord.
9. vallone: valle molto incassata e profonda.
10. inchino: gesto di chi si piega verso

terra per rendere omaggio a qualcuno o per ringraziare.
11. "E lucean le stelle ... la terra": è il primo verso di una famosa romanza della *Tosca* di Giacomo Puccini.

«E poi?», domandò una signora. «Cos'è successo che l'ha fatto smettere di
50 cantare?»

«È successo», disse il portinaio allargando le braccia, «che ci hanno mandati
in un'altra valle, e che non abbiamo avuto più bisogno di un portaordini. Del
resto», aggiunse dopo un momento di silenzio, «una situazione come quella,
non poteva mica durare in eterno! Ma Caruso era già diventato famoso. Da una
55 parte e dall'altra del fronte, di trincea in trincea, i soldati raccontavano la leggenda di questo artista straordinario, di questo grande tenore costretto a fare il
portaordini finché una pallottola [proiettile] l'avesse tolto di mezzo... Fu chiamato
a Udine, al comando supremo dell'esercito, dove prestavano servizio alcuni musicisti che lo fecero cantare: lui cantò, e i musicisti si misero a ridere. Era quello
60 l'uomo che con la sua voce faceva tacere le armi[12]? Dissero che aveva una voce né
bella né brutta: una voce normale, come ce ne sono milioni... Insomma», con-
cluse il portinaio, «fu una delusione per tutti!»

(S. Vassalli, *L'italiano*, Einaudi, Torino 2007)

---

12. faceva tacere le armi: faceva finire i combattimenti.

se ti è piaciuto, leggi anche...   F. De Pascale, *'O Brasil* 🔟

Attività

1. **Leggi fino a riga 28.**

   a. A che cosa paragona il portinaio la scena notturna illuminata dalle lampade fotoelettriche?

   b. Sottolinea l'espressione che rivela lo stato d'animo di Esposito al momento di uscire. Che cosa gli fanno gli altri soldati?

   c. Secondo te, perché il portaordini canta?
   ☐ È ubriaco.
   ☐ È disperato e ha perso la testa.
   ☐ Spinto dalla necessità, sa inventare velocemente una soluzione.
   ☐ Ha una voce bellissima e vuole fare colpo sui nemici.
   ☐ Vuole farsi coraggio.

2. **Continua la lettura fino a riga 41.**

   a. Qual è la reazione dei soldati austriaci al canto improvviso?

   b. Quale pensiero viene loro spontaneo nel sentire un giovane italiano cantare? A quale attività associano l'idea d'Italia in quel momento?

3. **Termina la lettura.**

   a. Evidenzia la frase che sintetizza il giudizio del portinaio sul soldato portaordini.

   b. Quale effetto produce il canto del soldato sullo stato d'animo del portinaio?

4. **Personalmente, ritieni l'episodio raccontato verosimile?**

5. **Che effetto ha su di te la musica? Sei un ascoltatore distaccato o ti lasci coinvolgere emotivamente dalla musica che ascolti?**

6. **Indica due o tre brani musicali da te preferiti e spiega a quali stati d'animo li associ.**

T 11 Giuseppe Giacosa e Luigi Illica

La Bohème

Giuseppe Giacosa nasce nel 1847 in un piccolo paese vicino a Ivrea (Piemonte) da un'antica e nobile famiglia. Fin dai tempi della scuola si interessa di poesia e di teatro. Pur esercitando la professione di avvocato, scrive molte opere teatrali che hanno grande successo e lo portano a viaggiare in Italia, Europa e America. Tra i suoi drammi teatrali più famosi ricordiamo *Tristi amori* e *Come le foglie*, che ritraggono l'ambiente della borghesia del tempo. Come scrittore di libretti d'opera, collabora con Luigi Illica e scrive i testi delle opere *La Bohème*, *Tosca*, *Madama Butterfly* che Giacomo Puccini compone tra il 1883 e il 1904. Muore a Collereto Parella (oggi Colloreto Giacosa) nel 1906.

Luigi Illica nasce a Castell'Arquato (Piacenza) nel 1857. Vive una giovinezza irrequieta e sempre in viaggio. Poi si stabilisce a Milano e nel 1882 pubblica la sua prima raccolta di poesie *Farfalle, effetti di luce* e scrive anche per il teatro. Diventa famoso scrivendo libretti d'opera, in coppia con Giuseppe Giacosa. Muore a Castell'Arquato nel 1919.

Giacomo Puccini nasce a Lucca nel 1858 in una famiglia di lunga tradizione musicale. I Puccini da molte generazioni erano infatti maestri di cappella del duomo di Lucca.
Decide di dedicarsi al teatro musicale dopo aver assistito alla rappresentazione dell'*Aida* di Giuseppe Verdi. Lasciata Lucca, studia al Conservatorio di Milano. Nel 1891 si trasferisce a Torre del Lago, vicino a Viareggio, un piccolo paese di cui ama il mondo rustico e la possibilità di vivere in libertà. La sua terza opera, *Manon Lescaut*, è un successo straordinario e segna l'inizio della collaborazione con i librettisti Luigi Illica e Giuseppe Giacosa, con cui firma in seguito le tre opere più famose: *La Bohème*, *Tosca* e *Madama Butterfly*. Gli ultimi anni della sua vita sono difficili e segnati dalla perdita di persone care, come Giacosa e l'editore Giulio Ricordi, e non riesce a terminare molti progetti artistici. Muore a Bruxelles nel 1924.

Verso il testo

1. Guarda le immagini dei bozzetti di costumi di scena degli spettacoli di tre opere di Puccini. Abbinale agli spettacoli corrispondenti.

   a. ☐ *La Bohème*
   b. ☐ *Tosca*
   c. ☐ *Madama Butterfly*

2. Quale delle seguenti definizioni riguarda l'opera lirica?

☐ attività, azione
☐ costruzione in muratura
☐ rappresentazione teatrale musicata e cantata

3. Inserisci le parole dell'elenco seguente, tutte relative all'opera lirica, nel gruppo corretto.

aria / aria del sorbetto / baritono / basso / cavatina / compositore / debutto / melodramma / mezzosoprano / ouverture / prima / romanza / soprano / tenore

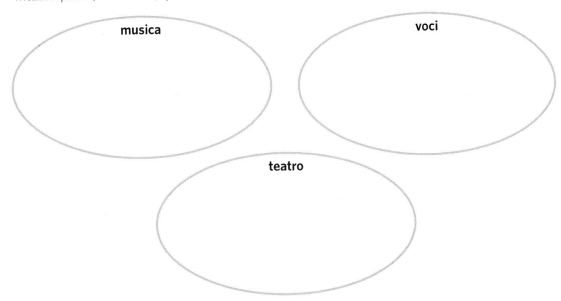

musica

voci

teatro

4. Il testo che segue riassume la vicenda della *Bohème* che è stata musicata da Giacomo Puccini. Completalo con le parole dell'elenco seguente.

aria / arte / giovane / lumi / mano / morte / nasconde / poeta / ricamatrice / stanza

La vicenda è ambientata nella Parigi del 1830. Protagonisti sono un gruppo di giovani artisti senza soldi che vivono d'(1)............................ e d'amore. Tra di loro c'è Rodolfo, che di mestiere fa il (2)............................ e scrive versi. È la vigilia di Natale, Rodolfo sta per raggiungere gli amici al caffè, quando sente bussare alla porta. È Mimì, (3)............................ vicina di casa: le si è spento il lume e cerca una candela per poterlo riaccendere. Mentre sta per andarsene, si accorge di aver perso la chiave della (4)............................ . Inginocchiati sul pavimento, al buio (entrambi i (5)............................ si sono spenti), i due iniziano a cercarla. Rodolfo la trova per primo ma la (6)............................ in una tasca, desideroso di passare ancora un po' di tempo con Mimì e di conoscerla meglio. Quando la sua (7)............................ incontra quella di Mimì (è il momento dell'(8)............................ *Che gelida manina*), il poeta chiede alla fanciulla di parlargli di lei.
Mimì gli confida di essere una (9)............................ e di vivere sola, ricamando fiori finti.
È l'inizio di un idillio tra i due giovani che dopo varie vicende si concluderà tragicamente con la (10)............................ di Mimì, ammalata da tempo di tisi.

Il testo che stai per leggere è una romanza tratta dal libretto della Bohème.
*La scena è ambientata nella soffitta dove vive Rodolfo e racconta il primo
incontro tra i due protagonisti.*

Che gelida manina!
Se la lasci riscaldar.
Cercar che giova *[a che serve]*? Al buio non si trova.
Ma per fortuna è una notte di luna,
5 e qui la luna l'abbiamo vicina[1].
Aspetti, signorina,
le dirò con due parole *[brevemente]*
chi son, che faccio e come vivo. Vuole?

Chi son? Sono un poeta.
10 Che cosa faccio? Scrivo.
E come vivo? Vivo.
In povertà mia lieta[2]
scialo *[spendo]* da gran signore
rime ed inni d'amore.
15 Per sogni, per chimere[3]
e per castelli in aria[4]
l'anima ho milionaria.
Talor *[talvolta]* dal mio forziere[5]
ruban tutti i gioielli
20 due ladri: gli occhi belli.

1. qui la luna l'abbiamo vicina: Rodolfo allude al fatto che sono in una soffitta, cioè all'ultimo piano di un palazzo, e quindi più vicini al cielo.
2. In povertà mia lieta: "nella mia allegra miseria". Rodolfo vive allegramente anche se non ha soldi.
3. chimere: la chimera è un animale mostruoso mitologico. La parola si usa per indicare progetti che non si potranno mai realizzare.
4. castelli in aria: modo di dire che indica sogni e progetti fantastici e irrealizzabili.
5. forziere: cassa per oggetti preziosi.

● Bozzetto della scenografia del secondo atto della *Bohème*.

V'entrâr con voi pur ora[6]
ed i miei sogni usati
e i bei sogni miei
tosto son dileguati[7].
25 Ma il furto non m'accora [mi preoccupa]
poiché vi ha preso stanza [è entrata]
la dolce speranza!
Or che mi conoscete,
parlate voi. Chi siete?
30 Vi piaccia dir [dite]?

6. V'entrâr ... ora: "ed entrarono, con voi, anche ora [due la-
dri]", cioè "anche ora sono entrati per rubare, i vostri begli occhi". È un modo poetico con cui
Rodolfo fa un complimento a
Mimì e mette in atto la sua arte
di seduzione.
7. tosto son dileguati: "se ne
sono andati via subito".

(G. Giacosa e L. Illica, *La Bohème*, De Agostini, Novara 1994)

 se ti è piaciuto, leggi anche... la romanza *Vissi d'arte* della *Tosca*

Attività

1. Leggi il breve testo dell'aria e rispondi alle domande.

a. Su quali aspetti della propria personalità si sofferma Rodolfo nella sua presentazione?

b. «Vivo» (r. 11): che cosa ci fa capire, secondo te, il verbo usato senza alcuna specificazione?
- ☐ Che per Rodolfo gli aspetti materiali della vita non hanno importanza.
- ☐ Che non vuole rispondere.
- ☐ Che per lui la vita è piena di mistero.

c. Secondo te, che impressione vuole fare Rodolfo su Mimì?

d. La metafora dei gioielli ci dà un'idea di quali siano i valori, le cose che contano per il protagonista. Prova a farne un elenco.

⬤ Allestimento della *Bohème* al Teatro Regio di Torino, 2012.

• cose che contano ....

....

....

....

• cose che non contano ....

....

....

....

e. Come definiresti il protagonista?
- ☐ idealista
- ☐ concreto
- ☐ romantico
- ☐ ingenuo

2. Cerca in Internet la versione cantata dell'aria. Ascoltala e poi esprimi lo stato d'animo che ha suscitato in te questa musica.

3. Esistono, nel tuo Paese, forme musicali simili all'opera lirica? Quanto sono conosciute e amate?

 Beppe Severgnini

La testa degli italiani

Nato a Crema nel 1956, Beppe Severgnini è giornalista e scrittore. Ha fatto il corrispondente per giornali italiani da Londra, dalla Russia, dalla Cina e dagli Stati Uniti. È stato, inoltre, corrispondente dall'Italia per il settimanale inglese «The Economist». Scrive per il «Corriere della Sera», per cui cura anche un sito molto seguito, e «La Gazzetta dello Sport», ed è spesso invitato come commentatore in trasmissioni televisive e radiofoniche. Ha pubblicato numerosi libri (da *L'inglese: lezioni semiserie*, 1992 a *Manuale dell'uomo di mondo*, 2012), in cui descrive Paesi e culture, in modo documentato ma anche leggero, con uno stile narrativo brillante e vivace.

Verso il testo

1. Il titolo che Severgnini ha dato al brano che stai per leggere è "Il museo, belle ragazze alle pareti". Che cosa ti suscita? Elenca le idee che ti vengono in mente.

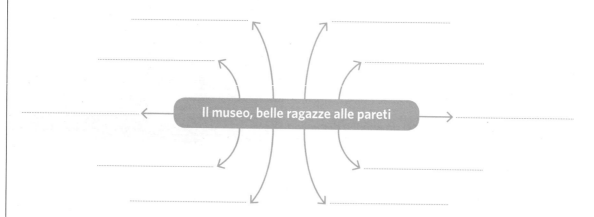

Il museo, belle ragazze alle pareti

2. In quali campi dell'arte o della creatività l'Italia "fa bella figura" nel mondo? Cita gli esempi che ti vengono in mente.

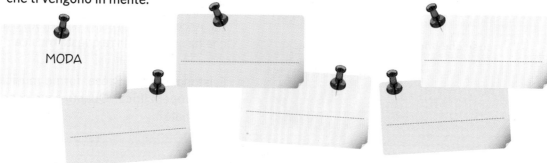

MODA

3. Osserva le immagini: sono alcuni dipinti del pittore Sandro Botticelli. Abbina le parole e le espressioni ai dipinti corrispondenti.

- ☐ ragazza che fugge
- ☐ alberi sulla baia
- ☐ angeli decorativi
- ☐ capelli mossi dal vento
- ☐ dea nella conchiglia
- ☐ donna nuda
- ☐ mare increspato
- ☐ viso ovale
- ☐ le tre grazie
- ☐ Madonna col bambino
- ☐ boschetto con frutti

Ⓐ *La Primavera*

Ⓑ *La nascita di Venere*

Ⓒ *Madonna del Magnificat*

Nel brano seguente l'autore fa una riflessione sulla ricchezza del patrimonio artistico italiano e su come gli italiani stessi lo percepiscono. Parla, inoltre, di un importante artista italiano del Quattrocento, Sandro Botticelli, e di alcune tra le sue opere, conosciute in tutto il mondo.

» mp3
traccia 26

L'Italia possiede la maggior parte delle ricchezze artistiche del pianeta; dopo di noi viene la Spagna, e non arriva ad accumulare i tesori della Toscana. Ma anche questo, salvo eccezioni, ha smesso di eccitarci: a meno che non ci sia da guadagnarci, o da far bella figura[1] nel mondo.

5   In questo caso – mossi dall'interesse e dall'orgoglio – molti di noi applaudono. Abbiamo imparato ad apprezzare il genio nazionale formato esportazione: soprattutto quando coincide con un evento, una circostanza particolare, un'occasione che potremo vantare e citare.

---

1. far bella figura: espressione idiomatica che significa "dare una buona impressione di sé".

Ricordo le code lungo le spirali del Gug-
10 genheim Museum, a Manhattan, in occasione della mostra *The Italian Meta-
morphosis*. Italiani in fila per ammirare
opere che, come noi, avevano attraversato il mare: i vestiti di Valentino, i ma-
15 nifesti dei film di Rossellini, le macchine
per scrivere di Sottsass, le sedie di Gio
Ponti, le scatolette sospese di Piero
Manzoni[2]. Il museo americano ci at-
tirava quanto il genio italiano. Sco-
20 privamo d'essere protagonisti, e la
cosa – diciamolo – non ci dispiaceva
per niente.

***

Qui, invece, opere d'arte straordi-
narie, esposte nel più antico museo
25 dell'Europa moderna[3], rischiano di
apparire prevedibili. A meno che dobbiamo difenderle dai vostri luoghi comuni. In que-
sto caso riusciamo – non tutti, non sempre – a vederle con occhi diversi.

Prendiamo Botticelli: è diventato un'oleografia[4] italiana, e non possiamo per-
30 metterlo. Il personaggio infatti è complesso, e la sua opera affascinante.

Per cominciare, non si chiamava Botticelli, bensì Filipepi. Nato nel 1445, Sandro era figlio di un conciatore[5] fiorentino, poi finì garzone di un orefice da cui
prese il nome. Sapeva dipingere: fin da ragazzo bazzicava *[frequentava]* le botteghe
di Filippo Lippi e del Verrocchio. Leggeva Dante e conosceva Leonardo[6], sette
35 anni più giovane.

Era un italiano sveglio, problematico e raccomandato (suo confidente e committente[7] era Lorenzo di Pierfrancesco de' Medici, cugino del Magnifico). Stava
volentieri con gli amici e aveva fama di stravagante. Guadagnava bene, ma spen-
deva molto. Odiava il matrimonio e, secondo la tradizione, le donne. Non si di-
40 rebbe, a giudicare dai risultati.

Guardate la *Primavera*, dipinta a trentatré anni. Un'immagine apparentemente semplice, l'allegoria *[la personificazione]* di un mito classico, come si usava ai
tempi: ma la protagonista è misteriosa e incantevole, e nel quadro sono state
riconosciute cinquecento specie vegetali. Ammirate questa *Madonna del Ma-*

---

2. **Valentino ... Manzoni**: i personaggi citati sono tutti artisti italiani, famosi in tutto il mondo. Valentino Ga-
ravani (1932), stilista di moda; Roberto Rossellini (1906-77), regista cinematografico; Ettore Sottsass (1917-
2007), architetto e designer; Gio Ponti (1891-1979), architetto e designer;
Piero Manzoni (1933-63), artista.

3. **più antico museo dell'Europa moderna**: la Galleria degli Uffizi a Firenze.
4. **oleografia**: opera artistica o letteraria convenzionale, dotata di scarsa originalità.
5. **conciatore**: artigiano che lavora la
pelle degli animali per trasformarla in
cuoio (dal verbo *conciare*).
6. **Dante ... Leonardo**: Dante Alighieri

(1265-1321), scrittore, e Leonardo da
Vinci (1452-1519), pittore, architetto,
ingegnere e scienziato, considerato il
rappresentante del genio italiano per
eccellenza.
7. **committente**: persona che commis-
siona, ordina l'esecuzione di un'opera.

45 gnificat del 1485: una donna vera, bella e senza trucco, tra angeli decorativi. Osservate la *Calunnia di Apelle*[8], dipinta nel 1495: la «nuda Verità» sembra un'attrice invecchiata di colpo, come il modello politico e commerciale fiorentino dopo la scoperta dell'America[9].

Voi direte: normale evoluzione artistica. Rispondo: buone antenne[10], invece.
50 Quella di Botticelli è la storia esemplare d'un italiano e, insieme, la rappresentazione dell'Italia perenne, terra di intuizioni e conversioni. Un posto dove la testa della gente non riposa mai. Non sempre produce capolavori, anzi, talvolta combina disastri. Però li paghiamo noi, e questo costituisce un'attenuante[11].

Siamo arrivati. La *Nascita di Venere*, con la giovane dea nella conchiglia.
55 Un'icona talmente celebre da diventare stucchevole[12], come la *Gioconda* di Leonardo[13]. Però è bella, anzi meravigliosa. Mare increspato, alberi sulla baia, volti [visi] ovali, sguardi sensuali e capelli mossi dal vento. Botticelli, a quel punto della sua vita, voleva conciliare Platone con Cristo[14], rappresentando la bellezza che deriva dall'unione di spirito e materia. C'è riuscito. Ma chi guarda
60 in fretta vede solo il simbolo dell'Italia immutabile: i fiori, il mare e la ragazza che arriva surfeggiando[15] nella conchiglia, buona per l'etichetta di un sapone[16].

(B. Severgnini, *La testa degli italiani*, Rizzoli, Milano 2008)

---

8. *Calunnia di Apelle*: dipinto di Botticelli ispirato a un'opera omonima fatta dal pittore greco Apelle (IV secolo a.C.).
9. la scoperta dell'America: avvenuta il 12 ottobre 1492, fu il risultato della spedizione guidata dal genovese Cristoforo Colombo per conto della monarchia spagnola. Questa scoperta fece passare in secondo piano i Paesi del Mediterraneo, spostando gli scam-

bi e quindi anche le ricchezze verso le Americhe. La potenza di Firenze ne fu molto danneggiata.
10. buone antenne: buon intuito.
11. attenuante: circostanza che diminuisce la gravità di un fatto.
12. stucchevole: eccessivamente sentimentale, tanto da dare fastidio.
13. *Gioconda* **di Leonardo**: celebre dipinto di Leonardo da Vinci che si trova al Museo del Louvre di Parigi.

14. voleva conciliare ... Cristo: voleva mettere d'accordo la filosofia di Platone e l'insegnamento di Gesù Cristo.
15. surfeggiando: navigando su una tavola da surf. Il verbo *surfeggiare* è l'italianizzazione dell'inglese *to surf*.
16. buona ... di un sapone: la *Nascita di Venere* è stata molto sfruttata anche dalla pubblicità, tra cui quella per diversi prodotti di bellezza.

---

 se ti è piaciuto, leggi anche... B. Severgnini, *Manuale dell'imperfetto viaggiatore*

Attività

1. Leggi fino a riga 22.

a. Fra le seguenti affermazioni sul rapporto tra gli italiani e il loro patrimonio artistico indica quali sono vere secondo l'autore del brano.

1. ☐ Ne sono molto orgogliosi e fanno di tutto per proteggerlo.
2. ☐ Lo danno per scontato, non ne sono affascinati come uno straniero.
3. ☐ Sembrano apprezzarlo più quando sono all'estero che in Italia.
4. ☐ Lo distruggono sistematicamente.
5. ☐ Sono stanchi di essere visti come gli abitanti del "Paese dell'arte".
6. ☐ Lo considerano soprattutto una fonte di guadagno e un motivo per vantarsi.
7. ☐ Lo studiano e ne hanno una conoscenza profonda.

2. Continua la lettura fino a riga 40.

   a. Secondo te, a chi si rivolge l'autore?

   ☐ a tutti gli italiani

   ☐ agli stranieri

   ☐ agli artisti italiani

   b. Nella seguente breve biografia di Botticelli, sostituisci le parole sottolineate con il sinonimo appropriato scegliendolo tra le parole dell'elenco seguente.

   aiutante / con piacere / intelligente / ma / persona eccentrica / scuole artistiche

> Non si chiamava Botticelli, <u>bensì</u> Filipepi. Nato nel 1445, Sandro era figlio di un conciatore fiorentino, poi finì <u>garzone</u> di un orefice da cui prese il nome. Sapeva dipingere: fin da ragazzo bazzicava le <u>botteghe</u> di Filippo Lippi e del Verrocchio. Leggeva Dante e conosceva Leonardo. Era un italiano <u>sveglio</u>, problematico e raccomandato. Stava <u>volentieri</u> con gli amici e aveva fama di <u>stravagante</u>. Guadagnava bene, ma spendeva molto. Odiava il matrimonio e, secondo la tradizione, le donne.

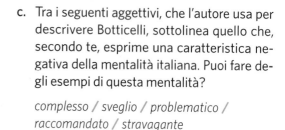

c. Tra i seguenti aggettivi, che l'autore usa per descrivere Botticelli, sottolinea quello che, secondo te, esprime una caratteristica negativa della mentalità italiana. Puoi fare degli esempi di questa mentalità?

   complesso / sveglio / problematico / raccomandato / stravagante

3. Termina la lettura.

   a. Dall'ultima parte del testo, che cosa puoi dedurre sugli italiani?

   ☐ Sono un popolo intelligente, ma non sempre usano la loro intelligenza per fini positivi.

   ☐ Con il loro comportamento dimostrano di non essere tanto intelligenti quanto si dice.

   ☐ Combinano un disastro dopo l'altro.

   b. Confronta la descrizione dei quadri di Botticelli nel brano con la tua risposta nell'attività 3 a p. 201.

   c. Quale riflessione dell'autore viene confermata nell'ultima frase del testo? Esprimila con parole tue.

4. Usando Internet o altre fonti, cerca esempi dei lavori dei rappresentanti del design italiano citati nella prima parte del testo. Quali ti attirano di più e perché, e quali esprimono meglio il "genio italiano"?

5. Descrivi il patrimonio artistico e/o naturale del tuo Paese e il modo in cui è visto. Fa' riferimento ai punti seguenti.

- le opere/i luoghi più importanti che formano questo patrimonio
- l'atteggiamento degli abitanti
- l'atteggiamento dei turisti
- gli eventi e le iniziative culturali
- le leggi per salvaguardare questo patrimonio

T 14 Melania Mazzucco

La lunga attesa dell'angelo

Figlia dello scrittore e commediografo Roberto Mazzucco, Melania Mazzucco
nasce a Roma nel 1966. Pubblica il suo primo romanzo, *Il bacio della Medusa*,
nel 1996 e vince il Premio Strega nel 2003 con il romanzo *Vita*. Riceve numerosi
premi e riconoscimenti letterari per la sua vasta produzione.
Nel libro *La lunga attesa dell'angelo* (2008) racconta la vita del pittore
Tintoretto usando la forma dell'autobiografia.
Collabora con importanti giornali e riviste, oltre a scrivere soggetti
e sceneggiature per il cinema e storie per la radio.

Verso il testo

1. I maggiori capolavori dell'arte italiana sono stati realizzati nel Rinascimento, nelle botteghe
dei grandi artisti che lavoravano per conto dei signori importanti dell'epoca.

a. Abbina le parole alle definizioni corrispondenti.

a. ☐ apprendista
b. ☐ bottega
c. ☐ affrescare
d. ☐ ritratto
e. ☐ corte
f. ☐ committenza
g. ☐ commissione

1. incarico di lavoro
2. laboratorio in cui lavorava un artista con i suoi allievi, oggi
   sinonimo di negozio
3. l'insieme dei committenti, cioè di chi dà un incarico di lavoro
4. eseguire un affresco, cioè un dipinto su una parete
5. chi impara un mestiere
6. rappresentazione di una persona mediante pittura, scultura,
   disegno o fotografia
7. abitazione di re o governanti di un territorio

b. Completa il paragrafo che riassume brevemente i rapporti fra gli artisti e i loro clienti nel Rinascimento scegliendo fra i vocaboli appropriati dall'esercizio precedente.

Nel Rinascimento gli artisti lavoravano principalmente per la Chiesa e per le varie
(1) .... nazionali e internazionali, ma anche per personalità dell'aristocrazia o
per ricchi mercanti. Il possesso di opere d'arte d'autori famosi dava prestigio alle istituzioni
che le acquistavano. Per questa ragione si diffuse molto anche il (2) .... che
immortalava le personalità pubbliche e private. Gli artisti più famosi e quindi più ricchi
spesso avevano una (3) .... in cui gli (4) .... aiutavano il maestro
a completare le grandi opere e al tempo stesso imparavano il mestiere e le tecniche.
Se un artista era bravo, ma non aveva ricchezze proprie, doveva faticare per assicurarsi
delle (5) .... che gli permettessero di vivere e di esprimere la propria arte.

2. **Leggi le biografie di Tiziano e Tintoretto nelle schede Parole e cultura.**

a. Completa la tabella evidenziando le somiglianze e differenze che trovi fra i due pittori.

	Tiziano	Tintoretto
talento		
prima formazione		
contesto di lavoro		
carriera		

b. Secondo te, qual è stata la ragione principale del contrasto fra i due artisti?

☐ sete di guadagno
☐ ambizione
☐ gelosia
☐ altro ....

PAROLE ℮ CULTURA

Tiziano

Tiziano Vecellio nacque a Pieve di Cadore da una famiglia benestante, ma non sappiamo con certezza quando, probabilmente fra il 1480 e il 1485. Fin da piccolo rivelò un talento artistico e la famiglia lo mandò con il fratello maggiore a Venezia. Fece l'apprendistato nella bottega del Bellini, che in quel periodo era il pittore ufficiale della Repubblica di Venezia, allora chiamata Serenissima. Conobbe gli artisti dell'epoca, come Carpaccio, Lorenzo Lotto, Cima da Conegliano. Nel 1508 conosceva senz'altro anche il Giorgione, con cui dipinse il palazzo Fondaco dei Tedeschi. Per sfuggire alla peste, in cui morì anche Giorgione, si trasferì a Padova, dove affrescò la sala principale della Scuola del Santo, un edificio che si trova accanto alla Basilica di Sant'Antonio. Si affermò subito come il migliore tra gli artisti della sua generazione per il personalissimo uso del colore. Nel 1513 fu invitato dal papa a trasferirsi a Roma, ma preferì chiedere l'incarico di pittore ufficiale della Serenissima, che gli fu concesso alla morte del Bellini. La sua bottega vicino al Canal Grande divenne sempre più efficiente per far fronte alle numerosissime commissioni delle corti italiane ed europee e Tiziano divenne il più ricco artista della storia. La morte della moglie segnò una tappa nella sua attività. Rifiutò l'invito di trasferirsi alla corte di Carlo V, ma eseguì comunque per lui un'importante serie di ritratti e opere. Ormai la fama di Tiziano non aveva uguali ed era diventato

● Tiziano Vecellio, *Autoritratto*, 1562.

il pittore più famoso presso le varie corti. Fu significativo il rapporto con la corte di Urbino, per la quale produsse alcuni capolavori come la *Venere di Urbino*. Tiziano si distinse in modo particolare nei ritratti di corte: l'attenzione del pittore per la fisionomia, l'abbigliamento, i gioielli e le armature, al fine di rappresentare il potere incarnato da una persona, raggiunse straordinari risultati di realismo. Nel 1545 si recò a Roma dove incontrò Michelangelo. Al suo ritorno a Venezia, nel 1548, scoprì che Tintoretto aveva ottenuto la sua prima commessa pubblica per la Scuola di San Marco e Paolo Veronese aveva conquistato la protezione dei proprietari delle ville della terraferma. Dalla seconda metà del secolo in poi, Tiziano non fu più il protagonista incontrastato della scena artistica veneziana, pur continuando a dominare la committenza internazionale. Morì di peste nel 1576.

3. I verbi seguenti, o alcuni verbi da essi derivati, sono usati nel testo che proponiamo. Abbina ciascuno al significato corrispondente.

a. ☐ venerare
b. ☐ disprezzare
c. ☐ offuscare
d. ☐ accanirsi
e. ☐ detestare
f. ☐ emergere
g. ☐ alienare
h. ☐ rinnegare

1. comportarsi con crudeltà verso qualcuno
2. non riconoscere più un rapporto di amicizia o affetto
3. giudicare negativamente
4. venir fuori, diventare visibile
5. adorare con sentimenti religiosi
6. odiare profondamente
7. togliere luce, impedire agli altri di brillare
8. allontanare

4. In base alla lettura delle biografie, quali verbi dell'esercizio precedente pensi verranno usati in relazione a Tintoretto e quali in relazione a Tiziano?

a. Verbi in relazione a Tintoretto ....

b. Verbi in relazione a Tiziano ....

PAROLE e CULTURA

Tintoretto

Jacopo Robusti (1519-94), soprannominato il Tintoretto a causa del lavoro del padre che era un tintore di stoffe, fu uno dei più grandi pittori veneziani e probabilmente l'ultimo grande pittore del Rinascimento italiano. L'uso particolare della prospettiva e lo studio della luce che si evidenzia nelle sue opere, però, lo avvicinano molto all'arte barocca. Iniziò la sua attività di pittore come apprendista presso la bottega di Tiziano, da cui fu presto cacciato. Aprì uno studio indipendente, chiedendo pagamenti molto bassi per ottenere le commissioni. Realizzò a Venezia parecchie opere per la parrocchia di Santa Maria dell'Orto, per la Scuola Grande di San Marco, per l'Albergo della Scuola della Trinità, e infine per la Scuola Grande di San Rocco, della quale Tintoretto aspirava a diventare, fin dall'inizio della propria carriera, l'artista "ufficiale". Le Scuole erano le sedi di associazioni benefiche che sorgevano attorno a una chiesa importante; davano assistenza a chi ne faceva parte e alle persone più povere. Ogni Scuola teneva molto ad avere un edificio ricco e pieno di magnifiche decorazioni, per questo ricorreva all'opera di artisti famosi. Dopo un iniziale contrasto con Tiziano che, geloso del suo successo come membro della Scuola di San Rocco si era offerto di eseguire delle opere, si dice che riuscì a ottenere l'incarico regalando un dipinto, anziché farselo pagare.

Riuscì a sostenere la concorrenza con Tiziano anche nel campo dei ritratti, notevole fonte di entrate, grazie all'aiuto della figlia Marietta, pittrice molto dotata, e del figlio Domenico che continuò l'attività dello studio dopo la morte del padre.

● Tintoretto, *Autoritratto*, ca 1588.

*Nel brano seguente il personaggio romanzesco del Tintoretto racconta
dei suoi pensieri e delle sue reazioni alla morte del Tiziano.*

Alla fine di agosto morì Tiziano. Doveva avere novant'anni, diceva di averne più di cento. La sua morte sorprese, perché egli non era più un uomo, un povero essere mortale, ma un dio – inaccessibile *[inavvicinabile]*, venerato ed eterno. [...]

5   Tiziano è immenso. Se qualche nome sopravviverà al secolo, il suo sarà fra quelli: Raffaello[1], Michelangelo[2], Tiziano – e forse un altro. Quell'altro avrei voluto essere io – se non lo sarò, Signore, lascia che non lo sappia mai. Gli devo tutto, perfino il desiderio stesso di diventare pittore. Da ragazzino, più di ogni cosa avrei voluto essere accettato nel suo studio e tremavo dall'emozione il giorno in cui ne varcai la soglia *[vi entrai]*. Appena incrociai i suoi occhi, ebbi paura. Li aveva limpidi, celesti – gelidi. Anche Tiziano mi detestò all'istante. Lui fiutò la mia ambizione, io il suo potere. Lui cercava un allievo, io cercavo me stesso. E adesso era morto. Finalmente, avrei potuto dire – e invece non provai sollievo né consolazione per la scomparsa del mio nemico.

15   La sua ombra ha offuscato la mia generazione. È buono, dicevano di un mio lavoro, ma certo non è un Tiziano. Non ci sono più i pittori di una volta, la pittura del presente non è che la brutta copia di quella del passato, l'età dell'oro è finita. Alla fine quel ritornello[3] mi venne a noia *[mi stancò]*. Per dimostrare che anch'io sapevo dipingere come Tiziano e che se non lo facevo non era per incapacità ma per scelta – essendo ogni generazione chiamata a creare qualcosa di diverso – realizzai dei Tiziano con le mie mani. E tutti li ammiravano. Magnifico, dicevano. Qualche volta ho confessato la verità, qualche volta ho goduto dell'inganno. Ce n'è ancora, di miei Tiziano, in giro per il mondo.

Mi ha combattuto con un accanimento che lo disonora. Quando ero un ragazzino, rifiutandomi. Quando ero un oscuro *[sconosciuto]* mestierante[4], disprezzandomi. Quando cominciavo a emergere, alienandomi i miei protettori e costringendoli a rinnegarmi.

Ho dovuto farmi volpe e faina[5], essere più intelligente di lui – e mille volte più astuto. [...]

30   Quell'uomo aveva tutto, era il faro del secolo, eppure non sopportava neppure l'ombra di una foglia. Invecchiava, diventava un pittore sempre più grande, inimitabile – e il suo livore *[cattiveria]*, invece di scemare *[diminuire]*, aumentava. Indirizzava ad un altro i clienti cui rifiutava di fare un ritratto e che gli chiedevano a quale pittore rivolgersi. Se lo interrogavano sulla nuova generazione, rispondeva che l'arte a Venezia era decaduta e che nessuno dei nuovi era degno dei padri. Quando poteva scegliere a chi affidare i lavori che il governo affidava a lui, nominava chiunque fuorché *[eccetto]* me. Mi aveva conteso *[cercato di portare via]* ogni commissione: a volte si proponeva di realizzare lui stesso un quadro, ben sapendo che non lo

---

1. Raffaello: Raffaello Sanzio, nato a Urbino nel 1483 e morto a Roma nel 1520, è uno dei più famosi pittori del Rinascimento.
2. Michelangelo: Michelangelo Buonarroti (1475-1564) è stato uno dei più

grandi artisti del Rinascimento e di ogni tempo. Scultore, pittore, architetto, fu anche poeta. Suo è l'affresco della Cappella Sistina in Vaticano.
3. ritornello: ripetizione di un motivo melodico, qui lamentela ripetuta.

4. mestierante: chi esercita una professione senza particolare impegno e solo per denaro.
5. volpe e faina: piccoli animali predatori usati spesso come metafore della furbizia e dell'astuzia.

avrebbe mai fatto, solo per impedire a me di ottenerlo. [...] Non mi vergogno di
affermare di aver atteso la sua morte con la pazienza che i mercanti dicono sia
virtù dei cinesi, i quali siedono sulla riva del fiume in attesa che la corrente porti
loro il cadavere del nemico. L'ammiraglio Sebastiano Veniero, il capitano a Lepanto[6] cui feci il ritratto dopo la Vittoria, una volta mi confessò che vince la guerra
non chi vince una battaglia – ma chi vive un giorno in più del suo nemico.

E Tiziano era morto. Dunque aveva portato con sé la sua immotivata invidia, la
sua ostilità implacabile, la sua meschina e superflua *[inutile]* gelosia per me, che per
età avrei potuto esser suo figlio. E anche se negli ultimi tempi mi aveva manifestato un cauto *[prudente]* rispetto, per dimostrarmi che la lunga inimicizia era ormai
spenta, fra noi non sarebbe mai venuto il giorno della conciliazione. Non avrei
mai udito dalla sua bocca le parole con cui mi affidava la sua eredità artistica. Del
resto, non sono nato per essere l'erede di qualcuno – nemmeno di mio padre. [...]

Nonostante il pericolo di contagio[7], andai al suo funerale. L'epidemia aveva imposto strette misure di sicurezza e ormai le autorità pretendevano che venissero
rispettate. Il cavaliere e conte palatino Tiziano Vecellio non ebbe le esequie *[i fune-
rali]* solenni che avrebbe meritato. Solo sporadici fantasmi[8] riemersero dalle case
assediate per tuffarsi nell'oscurità della basilica dei Frari[9] a rendere omaggio alla
memoria di colui che tanto onore ha reso a Venezia. Era già sera. La cerimonia fu
frettolosa. Nella chiesa che, vastissima, appariva miseramente vuota, l'odore
dell'incenso – e dell'aceto[10] – non riusciva a soffocare il fetore *[puzzo]* della morte.
Eravamo i sopravvissuti di un cataclisma *[catastrofe]*, e di un'epoca. Un silenzio
plumbeo[11] assordava Venezia, quella sera di fine estate. Molti piansero. Era come
se, col simbolo centenario della sua gloria, fosse morta Venezia.

(M. Mazzucco, *La lunga attesa dell'angelo*, Mondadori, Milano 2008)

---

6. Lepanto: battaglia navale combattuta nel 1571 tra le flotte della Lega Santa e i Turchi. Veniero era il comandante della flotta di Venezia che contribuì alla vittoria della Lega.
7. contagio: a Venezia era scoppiata un'epidemia di peste, in seguito alla quale era morto Tiziano.
8. sporadici fantasmi: le persone che partecipano alla cerimonia sono talmente poche e impaurite, da sembrare a Tintoretto dei fantasmi.
9. basilica dei Frari: la basilica di Santa Maria Gloriosa dei Frari è una delle chiese più antiche e famose di Venezia.
10. aceto: l'aceto veniva usato come disinfettante e antibatterico in caso di epidemia.
11. plumbeo: pesante come il piombo, opprimente.

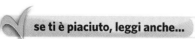

se ti è piaciuto, leggi anche...   A. Banti, *Artemisia*

Attività

1. Leggi le prime quattro righe.

a. A chi viene paragonato Tiziano?

b. Trascrivi i tre aggettivi usati per descriverlo.

1. ....

2. ....

3. ....

c. Indica quale dei tre aggettivi sottolinea:

a. ☐ la durata nel tempo della sua arte e della sua fama;

b. ☐ la distanza fra lui e i comuni mortali;

c. ☐ l'ammirazione e adorazione di cui godeva.

2. **Leggi fino a riga 14.**

a. Individua il nuovo aggettivo usato per descrivere Tiziano. Che aspetto dei primi tre rinforza?

b. Che desiderio esprime Tintoretto nella sua preghiera al Signore?

c. Quale influenza ha avuto Tiziano su Tintoretto bambino?

d. Descrivi lo stato d'animo di Tintoretto prima e dopo l'incontro con il maestro. Che cosa provoca il cambiamento?

e. Sottolinea le due parole che evidenziano le ragioni del contrasto fra le due personalità. In base a quello che sai delle biografie dei due pittori, qual è l'esito del contrasto?

f. Come spieghi la reazione di Tintoretto alla notizia della morte di Tiziano?

3. **Continua la lettura fino a riga 29.**

a. In che senso la presenza di Tiziano impediva ai nuovi artisti di emergere?

b. Che cosa decide di fare Tintoretto per dimostrare a se stesso e agli altri le sue capacità?

c. Evidenzia la frase che descrive l'evoluzione che ogni forma artistica subisce nel tempo.

d. In che modo Tiziano ha perseguitato Tintoretto in ogni fase della sua vita?

e. Che aspetto negativo della personalità di Tiziano viene particolarmente messo in luce?

f. Che giudizio dà Tintoretto di questo atteggiamento e che sentimenti provoca in lui?

4. **Termina la lettura.**

a. In che modo era cambiato il rapporto dei due pittori poco prima della morte di Tiziano?

b. Perché il cambiamento non soddisfa Tintoretto?

c. Che cosa rivela la reazione di Tintoretto al cambiamento di Tiziano, sulle sue reali ambizioni e sulla sua personalità? Cerchia la frase che la esprime nel brano.

d. Che tratti del carattere simili rivelano i due pittori?

e. Che atmosfera viene evocata nella descrizione del funerale? Scegli che cosa, secondo te, viene sottolineato di più nel racconto di Tintoretto.

☐ squallore   ☐ partecipazione
☐ solennità   ☐ solitudine
☐ paura   ☐ affetto
☐ morte

f. Quale frase esprime la grandezza di Tiziano e il suo significato per Venezia?

5. **Riconsidera l'intero testo.**

a. Sintetizza gli aspetti principali del personaggio di Tiziano che emergono dalla scheda biografica e dal testo letterario.

> • aspetto fisico ....
>
> • personalità ....
>
> • formazione ....
>
> • carriera e successi ....
>
> • influenza sugli altri pittori ....
>
> • problemi ....

b. Quali delle seguenti parole descrivono meglio i sentimenti di Tintoretto per Tiziano che emergono dal testo? Sottolineale.

frustrazione / ammirazione / invidia / competizione / rabbia

c. Perché, secondo te, Tintoretto non si sente liberato dalla morte di Tiziano?

6. **Nel periodo di maggiore grandezza dell'arte italiana si verificarono altre rivalità fra grandi artisti. Particolarmente famose sono quelle fra Leonardo da Vinci e Michelangelo e fra Lorenzo Bernini e Francesco Borromini. Cerca in Internet le ragioni delle rivalità.**

L'Italia del bel canto

La tradizione musicale italiana ha sempre manifestato una forte sensibilità verso il canto. Non a caso anche all'estero il "carattere" italiano viene spesso associato a una naturale attitudine per il canto e la stessa lingua italiana viene riconosciuta come particolarmente adatta a essere messa in musica.

Tra i generi musicali per i quali l'Italia è conosciuta nel mondo spicca l'opera lirica.

L'opera lirica o melodramma, cioè un testo teatrale interamente messo in musica, nacque e si sviluppò in Italia alla fine del XVI secolo e diventò modello e punto di riferimento per i compositori di tutta Europa.

Di conseguenza, anche i primi teatri lirici sorsero in Italia, a Venezia, Firenze, Roma e Napoli, dove debuttarono le opere dei più grandi compositori dell'epoca. Spesso, i teatri, da luoghi di intrattenimento privato per la nobiltà, diventarono spazi pubblici, aperti a diverse categorie sociali. Il primo teatro pubblico fu il San Cassiano di Venezia, inaugurato nel 1637.

Il pubblico

Fino al XIX secolo il pubblico non era silenzioso e attento come normalmente succede ai giorni nostri: andare a teatro era soprattutto un'occasione per parlare, fare salotto, giocare a carte e addirittura mangiare, soprattutto durante i recitativi e le arie meno importanti. Esisteva, per esempio, la cosiddetta "aria del sorbetto", un brano cantato, ritenuto di scarso interesse, durante il quale il pubblico mangiava il gelato.

Al contrario quando facevano il loro ingresso la "prima donna" o il "primo uomo", cioè l'interprete di maggior spicco, tutti tacevano e stavano attenti ai momenti in cui il cantante esibiva la sua bravura con passaggi particolarmente virtuosistici. Nell'Ottocento l'aria di presentazione al pubblico del cantante venne chiamata "cavatina" o "aria di sortita", cioè di uscita sul palco.

Il teatro
San Carlo di Napoli.

Opere, teatri e interpreti

Le opere più famose, che ancora oggi vengono rappresentate nei teatri di tutto il mondo, sono state composte, comunque, nel XIX secolo. La tradizione dell'opera lirica continua oggi nei teatri di fama internazionale che esistono a Milano, Venezia, Firenze, Parma, Roma e Napoli. Una sede particolare di spettacoli lirici è l'Arena di Verona, l'anfiteatro romano che si trova nel centro della città, che è il più grande teatro lirico all'aperto del mondo. Famose le rappresentazioni dell'*Aida* di Giuseppe Verdi per la grandiosità delle scene.

Il successo internazionale di molte opere liriche è legato anche alla fama dei suoi interpreti storici e alle loro interpretazioni: da Beniamino Gigli a Giulietta Simionato e Renata Tebaldi, da Luciano Pavarotti a Giuseppe Di Stefano e Renato Bruson.

● Luciano Pavarotti.

● Renato Bruson.

I neologismi: processi di formazione di nuove parole

I **neologismi** sono le parole nuove di cui una lingua si arricchisce continuamente. L'italiano, oltre ai numerosissimi neologismi costituiti da parole straniere che prende in prestito e usa in diversi campi, arricchisce il suo lessico attraverso la formazione di parole nuove a partire da altre già esistenti.

Alcuni neologismi hanno una vita breve e passano presto di moda, altri rimangono più a lungo. Per fare alcuni esempi: oggi vediamo alla televisione le *veline* (cioè belle ragazze che assistono il presentatore di un programma e che indossano vestiti provocanti), mentre la *badante* svolge una nuova professione, che è quella di occuparsi dell'assistenza agli anziani.

La formazione delle parole

In italiano possiamo formare nuove parole principalmente attraverso due processi:

- la **derivazione** (formazione di una nuova parola attraverso l'aggiunta di prefissi e suffissi);

- la **composizione** (formazione di una nuova parola attraverso l'unione di due o più parole).

La derivazione

Per formare nuove parole l'italiano ricorre a **prefissi**, particelle che precedono la parola di base, e a **suffissi**, particelle che seguono la parola di base.

Per esempio, con l'aggiunta del prefisso *ri-*, che indica una ripetizione, si sono formate le parole *ri-accendere, ri-acchiappare, ri-accompagnare, ri-alzare* e moltissime altre.

Con il prefisso *in-*, che significa "non" e quindi nega il significato di una parola, si sono formate *in-adatto, in- affidabile, in-affondabile, in-animato, in-arrivabile, in-felice, in-consueto* e moltissime altre ancora.

Con l'aggiunta di suffissi alla parola *libro* si sono formate le parole *libr-aio, libr-ario, libr-eria, libr-esco*. Da *pane* si sono formate *pan-ettiere, pan-etteria, pan-ificio*.

Da *fiore* si sono formate *fior-aio, fior-ista, fior-ino, fior-iera*.

Alcuni prefissi e alcuni suffissi sono più produttivi di altri, nel senso che entrano nella formazione di numerosissime parole derivate. Abbiamo già segnalato i prefissi *ri-* e *in-*, potremmo aggiungere il suffisso *-ista* che entra nella formazione di *farmac-ista, marm-ista, giall-ista, giornal-ista, aut-ista, bar-ista, camion-ista, autostopp-ista* e molte altre ancora.

La composizione

L'italiano forma nuove parole accostando e unendo due o più parole tra di loro.

La combinazione riguarda parole che appartengono alle più diverse categorie grammaticali.

Per esempio, *portachiavi, apriscatole, lavastoviglie* sono il risultato della combinazione di un verbo e un nome.

Capostazione, capolavoro, terremoto sono il risultato di due nomi uniti.

Mezzaluna, francobollo, piattaforma sono il risultato della combinazione di un aggettivo e un nome.

ZOOM SULLA LINGUA

---

1. Forma gli aggettivi che derivano dai nomi elencati, usando i suffissi *-ale, -ile, -bile, -ico, -istico, -oso, -esco, -evole* e facendo tutti i cambiamenti necessari.

a. arte ....
b. calcio ....
c. fama ....
d. giovane ....
e. incanto ....
f. ironia ....

g. romanzo ....
h. senso ....
i. sentimento ....
l. strada ....
m. studente ....
n. tasca ....

2. Unisci uno dei prefissi seguenti ai nomi elencati e forma delle parole.

anti / auto / bio / iper / maxi / mini / pluri / stra / super

a. ....attivo
b. ....gonna
c. ....lingue

d. ....logico
e. ....pasto
f. ....ricco

g. ....schermo
h. ....uomo
i. ....stima

3. Se non li conosci, cerca il significato dei seguenti neologismi italiani (o italianizzazioni di parole straniere). Poi scrivi accanto a ciascuno l'iniziale del campo in cui vengono usati, scegliendolo tra quelli elencati.

- politica ed economia (P)
- gergo giovanile (G)

- abitudini alimentari (A)
- informatica e social network (I)

a. ☐ apericena
b. ☐ casinista
c. ☐ chattare

d. ☐ cliccare
e. ☐ cyber-cinico
f. ☐ euroscettico

g. ☐ globalizzazione
h. ☐ googlare
i. ☐ messaggiare

l. ☐ rimorchiare
m. ☐ sballo

◎ Palestra linguistica

1. CAMPO SEMANTICO DEL CALCIO **T5** P. 172 Rileggi il testo di Laila Wadia e completa lo schema con le parole che riguardano il calcio.

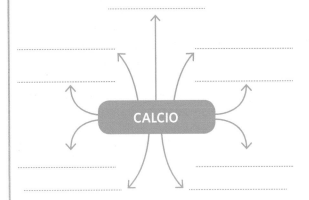

2. MODI DI DIRE CON *conto* **T6** P. 176 Abbina i modi di dire alle spiegazioni corrispondenti, come nell'esempio.

a. ☒ fare i conti
b. ☐ per conto di qualcuno
c. ☐ far conto su qualcuno
d. ☐ tenere da conto qualcosa
e. ☐ tenere conto di qualcosa
f. ☐ per conto mio
g. ☐ rendersi conto

1. considerare, prendere nota
2. far valere le proprie ragioni
3. fidarsi di, fare affidamento su qualcuno
4. capire
5. conservare con cura
6. a mio parere, per quanto mi riguarda
7. al posto di qualcuno

3. MODI DI DIRE CON *a* Completa le frasi con una delle seguenti espressioni in cui è presente la preposizione *a*.

alla cieca / a stento / a breve / a notte fonda / a tratti / al massimo

a. Ha guadagnato .... la penultima posizione.
b. .... si disputerà la gara di salto con l'asta.

c. Poiché c'è una differenza di orario di ben sette ore, la partita andrà in onda
....

d. Non sono nella forma migliore per la corsa, quindi se sono fortunato .... arriverò quarto.

e. Dovete concentrarvi, individuare il bersaglio e non tirare ....

f. .... la pista diventa scivolosa e pericolosa.

4. CAMPO SEMANTICO DELLO SPORT Inserisci le seguenti parole nel gruppo corretto.

squadra / scatto / scalata / rigore / falcata / rampone / portiere / moschettone / rete / corsa a ostacoli / blocchi di partenza / bivacco / attaccante

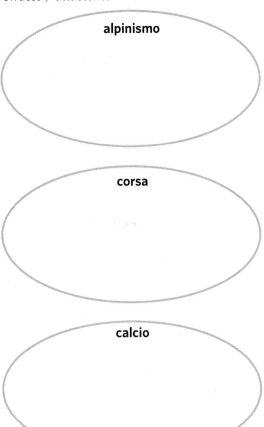

5. CAMPO SEMANTICO DELLO SPORT **Abbina i seguenti gruppi di parole all'insieme a cui appartengono.**

a. ☐ calcio, basket, pallavolo, cricket
b. ☐ jogging, cento metri a ostacoli, maratona, duecento metri
c. ☐ nuoto, ciclismo, tennis, corsa, salto in alto
d. ☐ pedana, asticella, anelli, pertica, spalliera

1. sport individuali
2. sport di squadra
3. attrezzi sportivi
4. tipi di corsa

6. MODI DI DIRE CON *arte* **Completa le frasi con l'espressione corretta.**

a. Essere *figlio d'arte* vuol dire
☐ essere un figlio di attori o di cantanti che continua l'attività dei genitori.
☐ vivere l'arte come una madre.
b. Avere un *nome d'arte* vuol dire
☐ avere un nome particolarmente originale.
☐ avere un nome inventato per presentarsi al pubblico.
c. Fare qualcosa *a regola d'arte* vuol dire
☐ fare qualcosa seguendo le regole.
☐ fare qualcosa benissimo, con la massima cura.
d. Non avere *né arte né parte* vuol dire
☐ non avere nessuna abilità artistica.
☐ non avere né un lavoro né i soldi per vivere.

7. LESSICO DELL'ARTE **Completa le descrizioni che riguardano dei manufatti artistici con una delle seguenti parole.**

affresco / miniatura / tavola / mosaico / acquerello

a. Per _____ si intende un dipinto realizzato con colori a olio eseguito su legno.
b. Un _____ è un dipinto generalmente di grandi dimensioni realizzato sull'intonaco fresco di un muro con colori sciolti in acqua.
c. Un _____ è un quadro dipinto realizzato generalmente su cartone secondo una tecnica che usa colori

preparati con gomma e sciolti in acqua. Può avere dimensioni diverse.

d. Una _____ è un dipinto di piccolissime dimensioni eseguito con grande cura e attenzione per i particolari. Può essere realizzato su legno e su carta, per decorare pagine di libri o piccoli oggetti di avorio.
e. Un _____ è una decorazione da parete o pavimento fatta di tanti piccoli pezzi di pietra, ceramica o vetro.

8. CAMPO SEMANTICO DEL SUONO **Completa la tabella con le parole mancanti.**

nome	verbo
fruscio	frusciare
suono	_____
_____	squillare
trillo	_____
_____	rumoreggiare
urlo	_____
_____	gridare

9. PREFISSI *s-* E *in-* **Forma il contrario dei seguenti aggettivi usando i prefissi *s-* o *in-*, come in *condito/scondito* e *mangiabile/immangiabile*. Quando usi *in-*, fa' il cambiamento se necessario.**

a. possibile _____
b. prudente _____
c. contento _____
d. fortunato _____
e. legale _____
f. felice _____
g. vivibile _____
h. soddisfatto _____
i. leale _____
l. capace _____
m. regolare _____
n. paziente _____
o. piacevole _____
p. definito _____

10. SUFFISSO *-mento* Completa la tabella con le parole che si formano aggiungendo *-mento* alla radice dei seguenti verbi, come nell'esempio.

avvicinarsi	avvicinamento
combattere	*combattimento*
accavallare	*accavallamento*
accomodare	*accomodamento*
abbonarsi	*abbona*
dirottare	
giovare	
muoversi	
inquadrare	
incolonnare	
rallentare	
completare	
piegare	
apprendere	
inseguire	
abbinare	
distanziare	
chiarire	
allenare	
finanziare	
disfare	

11. USO DELLA FORMA IMPERSONALE **T1** P. 157 Per dare una ricetta si può usare l'imperativo, il presente indicativo, la forma impersonale o semplicemente l'infinito.
Trasforma le fasi della ricetta di Clara Sereni per il pollo al sale nella forma impersonale.

a. Su un foglio di stagnola dispongo la metà del sale a fontana.

_____

b. Al centro metto il pollo.

_____

c. Poi ricopro il pollo con altro sale, in modo

da formare un blocco più o meno rotondo.

_____

d. Chiudo la stagnola.

_____

e. Inforno a 250 gradi per due ore.

_____

f. Tolgo la stagnola.

_____

g. Rompo con il martello la crosta che si è formata.

_____

12. USO DELL'IMPERATIVO **T2** P. 160 Riprendi l'elenco ordinato delle fasi della ricetta degli arancini nell'attività 2 a p. 162. Riscrivi la ricetta per un amico usando le forme dell'imperativo.

13. USO DELLE PREPOSIZIONI Completa le frasi con la preposizione, semplice o articolata, adatta. Scegli tra *a*, *con*, *di*.

a. Milano è famosa per il risotto *alla* zafferano e la cotoletta *alla* milanese.

b. A Torino non posso fare a meno di comprare una torta *con* le nocciole del Piemonte.

c. In Emilia-Romagna è d'obbligo mangiare le tagliatelle *al* ragù.

d. In Toscana è buona la carne: avete mai provato la bistecca *alla* fiorentina? *arancini regolate*

e. A Napoli fanno i supplì *di* riso *con* la mozzarella e i piselli. E ricordate che in Campania troverete la migliore mozzarella *di* bufala!

f. Cercate di essere nel Lazio al momento giusto per mangiare i carciofi *alla* romana. Invece gli spaghetti *alla* amatriciana e *alla* carbonara si trovano sul menù di quasi tutti i ristoranti italiani nel mondo.

14. ALTERNANZA INDICATIVO PASSATO PROSSIMO / IMPERFETTO Completa le frasi con la forma adatta del verbo tra parentesi. Scegli tra l'indicativo imperfetto e passato prossimo.

a. L'anno scorso .... (*imparare*) a giocare a cricket dai miei amici indiani.

b. .... (*fare*) il tifo per la squadra della Juventus perché avevo un amico torinese.

c. Ieri alla televisione .... (*trasmettere*) la finale dei Mondiali di calcio.

d. Quando Luigi .... (*essere*) giovane, gli .... (*piacere*) giocare a pallavolo e d'inverno .... (*andare*) a sciare.

e. .... (*addormentarsi*) e ho perso il derby tra la Roma e la Lazio.

f. Durante la partita .... (*esserci*) alcuni tifosi che .... (*lanciare*) insulti all'arbitro.

15. CONCORDANZA DEL PARTICIPIO PASSATO **T7** P. 180 Completa le frasi scegliendo la forma verbale corretta tra le due indicate tra parentesi.

a. Per affrontare la scalata .... (*c'è voluto / ci sono voluti*) mesi di preparazione.

b. .... (*Era sceso / Era scesa*) la notte e nel bivacco faceva molto freddo.

c. Noi .... (*ci siamo passati / ci siamo passato*) la corda intorno alla vita prima di affrontare l'ultimo tratto della scalata, mentre loro .... (*sono saliti / sono salito*) senza nessuna sicurezza.

d. Li ho sempre .... (*ammirato / ammirati*) per il loro coraggio e la loro passione per la montagna.

e. I due scalatori .... (*si sono avventurato / si sono avventurati*) verso la cima quando ormai stava arrivando un temporale.

f. .... (*Hanno raggiunto / Hanno raggiunte*) insieme le più alte vette delle Alpi.

16. ALTERNANZA INDICATIVO PASSATO PROSSIMO / PASSATO REMOTO Completa le frasi con la forma adatta del verbo tra parentesi. Scegli tra l'indicativo passato prossimo e passato remoto.

a. Sandro Botticelli .... (*nascere*) nel 1445 da un conciatore fiorentino.

b. Botticelli .... (*dipingere*) la *Primavera* a trentatré anni.

c. Caruso .... (*essere*) uno dei più grandi cantanti lirici italiani del Novecento.

d. Per anni io .... (*essere*) un grande appassionato delle canzoni di Lucio Battisti e mi .... (*dispiacere*) molto quando è morto.

e. L'orchestra .... (*cominciare*) a suonare una canzone napoletana dalla melodia struggente.

17. USO DEI TEMPI VERBALI DELL'INDICATIVO **T14** P. 205 Completa le frasi con la forma adatta del verbo tra parentesi.

a. Tiziano .... (*imparare*) l'arte della pittura nella bottega del Bellini.

b. Gli occhi di Tiziano .... (*essere*) limpidi, celesti e gelidi. Tintoretto, quando lo .... (*conoscere*), ne .... (*rimanere*) impaurito.

c. La bravura di Tiziano .... (*mettere*) in ombra la fama dei suoi contemporanei.

d. Per Tintoretto l'arte di Tiziano .... (*essere*) una specie di persecuzione.

e. Quando Tiziano .... (*morire*), Tintoretto non .... (*provare*) alcun sollievo.

f. Per dimostrare che .... (*sapere*) dipingere come Tiziano, Tintoretto .... (*dipingere*) dei falsi.

g. Negli ultimi tempi della sua vita Tiziano .... (*dimostrare*) a Tintoretto un cauto rispetto.

Migrazioni interne ed esterne

I brani scelti per questo capitolo descrivono alcune delle situazioni in cui, in periodi storici diversi, si sono verificati dei significativi spostamenti della popolazione italiana all'estero o all'interno dell'Italia stessa, e il più recente arrivo in Italia di popolazioni straniere.

1 Leggi la scheda Parole e cultura.

a. Quando è iniziata l'emigrazione all'estero e quando all'interno dell'Italia?

b. Che realtà economica emerge nel periodo dell'emigrazione interna?

c. Fra i Paesi stranieri, citati come meta degli emigranti, è incluso anche il tuo?

PAROLE e CULTURA

L'emigrazione italiana

Dopo l'unità d'Italia nel 1861, iniziò da parte degli italiani un movimento di emigrazione che è stato definito il più grande esodo migratorio della storia moderna.

Fino al 1900 l'emigrazione interessò prevalentemente le regioni settentrionali in cui erano poche o scarse le possibilità di lavoro, con il Veneto al primo posto, seguito dal Friuli-Venezia Giulia e dal Piemonte.

Dopo il 1900 il fenomeno coinvolse anche le regioni del Sud: le regioni maggiormente interessate furono la Calabria, la Campania e la Sicilia. Le nazioni europee verso cui si indirizzarono questi italiani furono, nell'ordine: la Francia, la Svizzera, la Germania, il Belgio, la Gran Bretagna. Quelle extraeuropee furono, nell'ordine, gli Stati Uniti, l'Argentina, il Brasile, il Canada, l'Australia e il Venezuela. Negli anni Cinquanta iniziò un forte flusso migratorio interno, dal Sud, economicamente depresso, verso il Nord, in cui si cominciavano a sentire gli effetti della rinascita economica favorita dagli aiuti economici statunitensi arrivati nel secondo dopoguerra.

Molti, tuttavia, continuarono a emigrare all'estero a causa della povertà oppure spinti dal sogno di costruirsi una vita più agiata.

2 Secondo te, quali sono le ragioni principali che portano una persona a emigrare?

☐ la povertà
☐ la situazione politica
☐ la difficoltà a trovare lavoro
☐ il desiderio di conoscere Paesi diversi
☐ il mito di una qualità di vita migliore
☐ il desiderio di imparare una lingua straniera
☐ altro ....

3 Che fattori possono trasformare un Paese in cui prevale l'emigrazione in un Paese che riceve immigrati?

4 Leggi le seguenti didascalie dei fotogrammi in apertura di capitolo (che trovi anche qui in basso) e raggruppa correttamente i titoli dei film nella tabella in base all'argomento.

emigrazione esterna	emigrazione interna	immigrazione in Italia

① *La mortadella*, Mario Monicelli (1972), è una commedia che mette in scena gli stereotipi dell'emigrante. La protagonista che va a trovare il fidanzato emigrato a New York ha problemi alla dogana perché non può portare la mortadella.

② *Rocco e i suoi fratelli*, Luchino Visconti (1960), tratta il tema dell'emigrazione tra il Sud e il Nord Italia attraverso il racconto della disgregazione di una famiglia di lucani emigrata a Milano.

③ *I magliari*, Francesco Rosi (1959), ambientato in Germania, tratta il problema dello sfruttamento e della malavita all'interno della comunità degli stessi immigrati.

④ *Riso amaro*, Giuseppe De Santis (1949), affronta il problema dell'immigrazione interna. Ambientato nelle risaie della pianura vercellese, denuncia lo sfruttamento dei lavoratori e quello femminile in particolare.

⑤ *Bello, onesto, emigrato Australia sposerebbe compaesana illibata,* Luigi Zampa (1971), è una commedia con Alberto Sordi nei panni di un emigrato nella lontanissima Australia: cerca una moglie italiana per corrispondenza, ma viene imbrogliato.

⑥ *La prima neve*, Andrea Segre (2013): Dani, nato in Togo e fuggito dalla guerra di Libia, viene ospitato in una casa di accoglienza in un paesino del Trentino. Il suo rapporto con il nipote del falegname che gli dà lavoro si rivelerà profondamente significativo per la vita di entrambi.

⑦ *Terraferma*, Emanuele Crialese (2011), racconta di due pescatori di un'isola siciliana che salvano la vita di alcuni migranti africani avvistati in mare su una zattera. La loro azione li porta a scontrarsi con la legge, con la comunità dell'isola e con le loro famiglie.

T1 Giuseppe Culicchia

Torino è casa mia

Nato a Torino nel 1965, Giuseppe Culicchia pubblica nel 1994 il suo primo romanzo, *Tutti giù per terra*, che ottiene due premi. Dal romanzo è tratto un film di successo. Seguono numerosi altri libri, tra cui *Paso Doble* (1995), *Torino è casa mia* (2005), *Ba-da-bum!* (2013). Lo stile di Culicchia annulla la distanza tra lingua letteraria e lingua quotidiana. I suoi romanzi spesso descrivono con ironia vari aspetti della società contemporanea.

◉ Verso il testo

1. Il tuo Paese è un luogo di immigrazione o di emigrazione? Che nazione/i sono coinvolte negli spostamenti migratori?

2. Completa la tabella con il nome o l'aggettivo appropriato.

nome	aggettivo
Sicilia	....
....	calabrese
....	napoletano
Puglia	....
....	marocchino
....	tunisino
Algeria	....
....	senegalese
....	nigeriano
Cina	....
Albania	....
Romania	....

Il brano che proponiamo è tratto dal capitolo intitolato L'ingresso.
L'autore parla dei diversi flussi di immigrazione nella città di Torino.

**» mp3
traccia 27**

L'ingresso, per me che sono figlio di un siciliano arrivato a Torino in treno nell'ormai lontano 1946, corrisponde alla stazione di Porta Nuova[1]. [...]
Porta Nuova in origine faceva parte della cinta muraria fortificata[2] voluta da Carlo Emanuele I. Demolita *[abbattuta]* dai francesi sotto Napoleone,

5 diventò una stazione tra il 1860 e il 1868. La facciata di Carlo Ceppi e Alessandro Mazzucchetti è larga quasi 130 metri. Vista d'inverno, quando a Torino si accendono le Luci d'Artista[3], sembra una torta nuziale *[per il matrimonio]*. Ai torinesi però Porta Nuova non piace granché *[molto]*. È piena di brutta gente, come tutte le stazioni. E poi da Porta Nuova sono arrivati in troppi.

10 Prima tutti quei siciliani. Poi tutti quei calabresi. Poi tutti quei napoletani. Poi tutti quei pugliesi. Poi tutti quei marocchini. Poi tutti quei tunisini. Poi tutti quegli algerini. Poi tutti quei senegalesi. Poi tutti quei nigeriani. Poi tutti quei cinesi. Poi tutti quegli albanesi. Poi tutti quei rumeni. Il bello però è che nel corso del tempo, seppure *[anche se]* a fatica, anche i nuovi arrivati hanno cominciato

15 a sentirsi un po' torinesi.

E così, i siciliani si sono a loro volta lamentati, nell'ordine, prima per via *[a causa]* di tutti quei calabresi e poi per tutti quei napoletani, pugliesi, marocchini, tunisini, algerini, senegalesi, nigeriani, cinesi, albanesi, rumeni. I calabresi prima per via di tutti quei napoletani e poi per tutti quei pugliesi, marocchini, tunisini, alge-

20 rini, senegalesi, nigeriani, cinesi, albanesi, rumeni. I napoletani prima per via di tutti quei pugliesi e poi per tutti quei marocchini, tunisini, algerini, senegalesi, nigeriani, cinesi, albanesi, rumeni. I pugliesi prima per via di tutti quei marocchini e poi per tutti quei tunisini, algerini, senegalesi, nigeriani, cinesi, albanesi, rumeni. I marocchini prima per via di tutti quei tunisini e poi per tutti quegli algeri-

25 ni, senegalesi, nigeriani, cinesi, albanesi, rumeni. I tunisini prima per via di tutti quegli algerini e poi per tutti quei senegalesi, nigeriani, cinesi, albanesi, rumeni. Gli algerini, prima per via di tutti quei senegalesi e poi per tutti quei nigeriani, cinesi, albanesi, rumeni... E avanti così. Quanto ai rumeni, aspettano con ansia che a Torino si decida a emigrare qualcun altro: perché loro, gli ultimi arrivati, non

30 sanno con chi prendersela *[lamentarsi]*.

(G. Culicchia, *Torino è casa mia*, Laterza, Bari 2008)

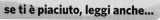

1. stazione di Porta Nuova: la stazione ferroviaria principale di Torino.
2. cinta muraria fortificata: mura difensive che circondano la città.
3. Luci d'Artista: nome di una manifestazione che si svolge a Torino, dai primi di novembre fino a gennaio, fin dal 1998. Si tratta dell'esposizione di opere d'arte luminose, che trasformano strade e piazze della città in una sorta di galleria d'arte all'aperto.

● La stazione di Porta Nuova a Torino.

se ti è piaciuto, leggi anche...

G. Culicchia, *Torino è casa mia*, cap. *La cucina*

PAROLE e CULTURA

Le mura di Torino

La città di Torino si è sviluppata a partire dalla struttura di un antico accampamento romano e fino al XVI secolo è rimasta all'interno dei confini di questo accampamento, che è stato definito "il Quadrilatero". L'ampliamento, di cui parla l'autore del brano, fu realizzato da Carlo Emanuele I, duca della dinastia dei Savoia che fece costruire un nuovo perimetro di mura fortificate.

◉ Attività

1. Leggi fino a riga 9.

  a. Riassumi gli aspetti della descrizione di Porta Nuova seguendo i punti elencati qui sotto.

- le origini della stazione che le danno il nome
- le opinioni dei torinesi sulla stazione
- la ragione per cui i torinesi hanno un certo atteggiamento nei confronti della stazione

....

....

....

....

2. Termina la lettura.

  a. Quanti flussi, cioè spostamenti migratori, vengono elencati e a quali tipi di emigrazione si riferiscono?

  b. Dall'elenco degli immigrati che idea si ricava sulla capacità di "accoglienza" della città?

  c. Quali sono, secondo te, le ragioni per cui Torino ha attirato tanti immigrati?

  ☐ la sua università
  ☐ le sue industrie
  ☐ la sua ricchezza
  ☐ il carattere dei suoi abitanti

3. Riconsidera l'intero testo ed esamina lo stile della scrittura.

  a. Che effetto crea l'uso dell'elencazione? Cita una frase che motiva la tua risposta.

  ☐ scherzoso   ☐ affettuoso
  ☐ brillante   ☐ monotono
  ☐ bonario

  b. Secondo te, lo scrittore che idea vuole comunicare al lettore riguardo agli immigrati?

4. Considera l'affermazione riferita alla stazione di Porta Nuova: «È piena di brutta gente, come tutte le stazioni».

  a. A quali categorie di «brutta gente» pensi che si riferisca? Completa lo schema.

STAZIONE

  b. Pensi che l'affermazione possa riferirsi alla stazione della tua città?

T2 Gian Antonio Stella

Il maestro magro

Nato ad Asolo (Treviso) nel 1953, Gian Antonio Stella è un giornalista del «Corriere della Sera» e scrive di politica e società. Oltre al romanzo *Il maestro magro* (2005), ha pubblicato molti libri in cui descrive alcuni aspetti caratteristici dell'Italia contemporanea. Tra questi ricordiamo: *Schei. Dal boom alla rivolta: il mitico Nordest* (1996), *Chic: viaggio tra gli italiani che hanno fatto i soldi* (2000), *L'orda: quando gli albanesi eravamo noi* (2003). Insieme a Sergio Rizzo ha scritto i saggi *La casta* (2007) e *Vandali: l'assalto alle bellezze d'Italia* (2011).

Verso il testo

1. Guarda le immagini.

a. Abbina le illustrazioni alle didascalie corrispondenti.

a. ☐ **Una Lambretta.**
È un famoso scooter italiano prodotto dalla Innocenti fra il 1947 e il 1972. Il nome deriva dal fiume Lambro, che scorre nella zona di Lambrate a Milano, dove c'era la fabbrica.

b. ☐ **Una Topolino.**
È il nome della prima Fiat 500, prodotta a Torino dal 1936 al 1955.

c. ☐ **Una "cucina americana" degli anni Sessanta.**
Le prime cucine componibili, che venivano chiamate appunto "all'americana", furono prodotte in Brianza, una zona in provincia di Como ricca di piccole e grandi industrie di mobili, che da allora sono conosciute in tutto il mondo per la loro qualità.

① ② ③

b. Guarda la cartina. Dove erano fabbricati i prodotti illustrati nella pagina precedente? In che modo pensi che la distribuzione delle aree industriali abbia influenzato i flussi migratori interni all'Italia?

2. Abbina le parole e le espressioni alle definizioni corrispondenti.

a. ☐ sferragliare
b. ☐ sparare
c. ☐ spararle grosse
d ☐ sparare al massimo
e. ☐ pigliare in giro qualcuno

1. raccontare cose esagerate o inverosimili
2. ridere di qualcuno
3. produrre rumori con oggetti di ferro; in particolare si usa per descrivere il rumore del treno che passa sulle rotaie
4. esplodere colpi con un'arma da fuoco
5. far funzionare qualcosa al massimo delle sue possibilità

Il protagonista del romanzo è Ariosto Aliquò, detto Osto, un maestro siciliano che, negli anni Cinquanta del Novecento, lascia l'isola per andare al Nord. La sua prima tappa è il Polesine, una zona intorno al delta del fiume Po, in quegli anni poverissima. Lì non trova di meglio che insegnare agli adulti analfabeti, e diventa, appunto, un "maestro magro", detto così a causa dello scarsissimo stipendio. In seguito Osto si trasferisce a Torino.

>> mp3
traccia **28**

«La vogliamo spegnere questa luce sì o no?», lo scosse con tono ultimativo *[autoritario]*, strappandolo ai suoi pensieri, il prepotente che stava accanto al finestrino e che già aveva comunicato a tutto lo scompartimento quanto, essendo lui contabile al Poligrafico dello Stato[1] «con un ruolo di
5 altissima responsabilità», non sopportasse chi seminava i sedili di briciole, chi stappava i fiaschi per bere direttamente dal collo, chi teneva due bambini sulle ginocchia invadendo gli spazi degli altri viaggiatori, chi tagliava la soppressata[2], chi accendeva un'Alfa[3] dietro l'altra, chi leggeva sospirando fotoromanzi e insomma un po' tutta l'umanità che, in quella gelida notte di ottobre, sudava e
10 sbuffava e si faceva aria con le riviste nell'afa opprimente di quel treno che sferragliava verso il Nord col riscaldamento sparato al massimo «che neanche a luglio nelle Murge[4]! Neanche a luglio nelle Murge!».

Osto si alzò, portò la mano all'interruttore sopra la porta, chiese a tutti gli altri passeggeri «spengo?» per sottolineare che non obbediva alle bizze *[capricci]* del
15 villano *[maleducato]* con altissima responsabilità, e uscì in corridoio, aprendo l'u-

1. Poligrafico dello Stato: ente istituito nel 1928 con sede a Roma per la pubblicazione e diffusione delle pubblicazioni dello Stato.
2. soppressata: tipo di salame.
3. Alfa: marca di sigaretta popolare.
All'epoca sui treni si poteva fumare.
4. Murge: altopiano al centro della Puglia, caratterizzato da clima caldo e arido.

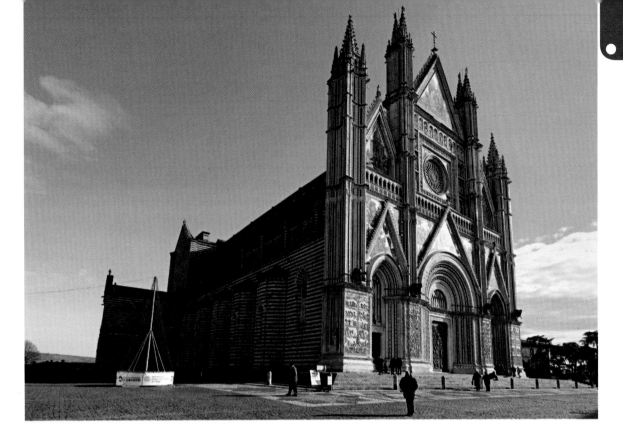

● Il duomo di Orvieto.

nico dei seggiolini laterali[5] rimasto libero. Cercò nel buio della notte un segno che gli dicesse dove stavano. La risposta arrivò dai cartelli di una stazione che proprio allora sfilarono dietro i finestrini. Orvieto[6]. Ricordò l'immagine del Duomo vista sui libri. Quelle strisce di marmo verde e bianco orizzontali. Un
20 giorno o l'altro, pensò, doveva venire anche qui.

La cosa che più lo turbava, in quella notte di viaggio verso il Nord, un viaggio senza ritorno che marcava *[segnava]* come un taglio di cesoia[7] il rifiuto rabbioso per quella sua isola che amava e odiava come si può amare e odiare solo una donna di sorridente crudeltà, era proprio quel passaggio senza tappe dalle gine-
25 stre al carpino[8], dal cannolo[9] al clinto[10], dal marzapane[11] alla polenta. Aveva visto dal finestrino Reggio di Calabria e Salerno e Napoli, e a Roma era riuscito appena a scendere due minuti per bere alla fontanella sui binari e ogni volta aveva giurato che lì, un giorno o l'altro, smaltito *[finito]* il rancore per il suo paese e la Sicilia e tutto il Mezzogiorno, sarebbe dovuto tornare. Non che si facesse illu-
30 sioni, sull'Alta Italia *[Italia settentrionale]*. Però...

«Tu conosci l'Alta Italia?», lo fece sobbalzare, come se avesse intercettato *[ascoltato]* i suoi pensieri, il ragazzo del seggiolino accanto, un giovanotto sui vent'anni con la faccia coperta da efelidi *[lentiggini]* e un ciuffo a banana.

«Dai giornali», rispose Osto.

35 «Coi primi soldi mi ci voglio comprare una Lambretta. Gialla. E poi una Topo-lino rossa. E una cucina di formica[12] per mia madre».

---

5. seggiolini laterali: piccoli sedili pieghevoli che si trovano nei corridoi di alcuni treni.
6. Orvieto: città dell'Umbria, nell'Italia centrale.
7. cesoia: utensile a forma di forbice per tagliare lamiere e cartoni.
8. carpino: albero simile a una betulla, comune nelle regioni del Nord Italia.
9. cannolo: dolce siciliano ripieno di ricotta e canditi.
10. clinto: tipo di vino rosso veneto, a bassa gradazione e di poco pregio.
11. marzapane: dolce siciliano a base di pasta di mandorle.
12. formica: (pronunciato *fòrmica*) materiale usato per rivestire i mobili.

«Tutto programmato, eh?», sorrise il maestro.

«Ho un cugino a Moncalieri[13]. Fa l'operaio. Il giorno che l'hanno preso *[assunto]* alla Fiat[14] dice che si è presentato due ore prima del turno, in giacca e cravatta,
40 per paura di non sentire la sveglia. Giù al paese lo pigliavamo in giro, leggendo le sue lettere. Ma la cucina di formica ce l'ha. Verde pallido. Ha mandato a sua madre perfino una foto. Dice che non solo ha l'acqua in casa ma può lasciare il rubinetto aperto pure tutta la notte e l'acqua non smette mai di uscire». Si fermò e riprese: «Tu ci credi che l'acqua non smette mai di uscire?».
45 «Sicuro. Ne hanno tanta, al Nord».

«A me mancheranno i fichi».

«Ci sono anche in Alta Italia. Forse maturano dopo, ma ci sono».

(G.A. Stella, *Il maestro magro*, Rizzoli, Milano 2005)

---

13. **Moncalieri**: cittadina molto vicina a Torino.
14. **Fiat**: la maggiore fabbrica automobilistica italiana con sede a Torino.

 se ti è piaciuto, leggi anche...   G. Culicchia, *Ritorno a Torino dei signori Tornio*

⦿ Attività

1. Leggi fino a riga 20.

  a. Elenca tutti gli elementi di disagio del viaggio in treno verso il Nord.

  b. Quale risulta particolarmente sgradevole per Osto e perché?

  c. Che cosa decide di fare?

2. Continua la lettura fino a riga 30.

  a. Descrivi con parole tue i sentimenti di Osto verso la terra che abbandona e il significato che il viaggio ha per la sua vita. Fornisci appropriate citazioni dal testo.

  b. Quali immagini vengono usate per sottolineare il contrasto fra il Nord e il Sud? Che aspetti evocano?

  c. Sottolinea la frase che descrive le aspettative di Osto riguardo la vita al Nord. Come definiresti il suo atteggiamento?

  ☐ ottimista
  ☐ diffidente
  ☐ realistico
  ☐ rassegnato
  ☐ altro ....

3. Termina la lettura.

  a. Che immagine del Nord Italia emerge dal dialogo fra Osto e il ragazzo?

  b. Secondo te, Osto e il ragazzo hanno lo stesso atteggiamento verso il Settentrione? Perché?

  c. Quali differenze emergono fra il contesto sociale del Nord e del Sud?

4. Riconsidera l'intero testo.

  a. Quali dei seguenti aspetti della narrazione rendono particolarmente vivida e realistica la scena descritta?

  ☐ l'uso del dialogo
  ☐ la scelta degli aggettivi
  ☐ la meticolosità della descrizione
  ☐ l'inserimento di spezzoni di dialogo nella descrizione

  b. Quali aspetti della personalità di Osto e quali desideri emergono dal suo comportamento?

5. Nel luogo in cui abiti esiste o è esistita una differenza sociale ed economica fra le diverse parti del Paese?

T4 Melania Mazzucco

T3 ››
Giuseppe Culicchia, **iW**
Ritorno a Torino dei signori Tornio

Vita

Figlia dello scrittore e commediografo Roberto Mazzucco, Melania Mazzucco nasce a Roma nel 1966. Pubblica il suo primo romanzo, *Il bacio della Medusa*, nel 1996 e vince il Premio Strega nel 2003 con il romanzo *Vita*. Riceve numerosi premi e riconoscimenti letterari per la sua vasta produzione.
Nel libro *La lunga attesa dell'angelo* (2008) racconta la vita del pittore Tintoretto usando la forma dell'autobiografia.
Collabora con importanti giornali e riviste, oltre a scrivere soggetti e sceneggiature per il cinema e storie per la radio.

♀ Verso il testo

1. Guarda le immagini e leggi le didascalie nella scheda Parole e cultura.

    a. Secondo te, qual era la preoccupazione maggiore degli emigranti durante la traversata verso gli Stati Uniti?

    b. Quale pensi che sia la ragione principale che ha portato alla creazione di Little Italy?

PAROLE e CULTURA

Emigranti a New York

● Emigranti italiani sbarcano a New York nel 1900. Ellis Island, una piccola isola della baia di New York, è stata fino al 1954 il punto di raccolta degli emigranti che sbarcavano negli Stati Uniti. Sull'isola c'era il centro in cui si svolgevano i primi controlli dei documenti e le visite mediche per selezionare gli immigrati per l'ammissione. Quelli che risultavano "non idonei" all'entrata negli Stati Uniti venivano imbarcati sulla stessa nave con cui erano arrivati e rispediti indietro. Il centro è stato trasformato in un museo.

● Little Italy, in italiano "Piccola Italia", è il nome dato a vari insediamenti italiani nelle città americane. Nella foto, Mulberry Street negli anni Trenta, una via della Little Italy di New York, nella parte meridionale di Manhattan. Nel corso del xx secolo l'area si è molto ridotta. Ogni anno a settembre si festeggia ancora la festa di San Gennaro, il santo patrono di Napoli, con una processione lungo Mulberry Street.

2. Abbina le parole alle definizioni corrispondenti.

a. ☐ emarginazione

b. ☐ ghettizzazione

c. ☐ rimozione

d. ☐ cancellazione

1. eliminazione di ogni traccia fisica e materiale di eventi e ricordi
2. isolamento di una minoranza dalla comunità
3. dimenticanza inconscia di qualcosa, spesso di qualcosa che ha fatto soffrire
4. esclusione di una o più persone dalla vita della comunità

Nel romanzo Vita *l'autrice ricostruisce la storia della sua famiglia, in particolare del nonno Diamante e di Vita, entrambi emigrati negli Stati Uniti agli inizi del secolo scorso rispettivamente a 11 e 9 anni. Arrivati a New York, raggiungono il padre di Vita. Le loro esistenze si snodano sullo sfondo di miseria dei quartieri italiani di New York nei primi anni del Novecento. Diamante lascerà l'America e rientrerà in Italia da giovane. Vita resterà in America, dove farà carriera, si sposerà con un emigrante italiano e avrà figli americani.*

Nel brano che segue, l'autrice descrive una sua visita a New York, durante la quale alcuni luoghi della città le fanno ricordare la storia della sua famiglia.

● Mulberry Street a Little Italy (New York) durante la festa di San Gennaro a settembre.

>> mp3
traccia 29

Mi aggirai fra i corridoi del rinomato *[famoso]* reparto psichiatrico. Parlai coi medici ispanici[1] che curano i malati ispanici. Il Bellevue è ancora l'ospedale gratuito di New York, e i poveri oggi parlano latino[2]. Negli anni Quaranta, mi spiegò il giovane dottore, la maggior parte dei ricovera-
5 ti erano italiani.

Gli italiani erano la minoranza etnica più miserabile della città. Più miserabili degli ebrei, dei polacchi, dei rumeni e perfino dei negri. «Erano negri», mi disse, «che non parlavano nemmeno l'inglese». Annuii *[feci cenno di sì con la testa]*, colpita dalla sferzante *[sconvolgente]* associazione. Non ci avevo mai pensato. Mi tor-
10 narono in mente i vecchi dal viso contadino che ci avevano fermato il giorno precedente a Coney Island[3], e che avevano cercato di intavolare una conversazione con noi. Non ci capivamo. Ciò che essi credevano italiano era un'altra lingua. Dialetti parlati nel Mezzogiorno[4] molti anni fa. Ci avevano chiamati paisà[5].

Fu così, camminando per ore lungo le interminabili strade di downtown[6] che
15 sembrano non condurre a niente, che ci ritrovammo a Little Italy. Non era un quartiere abitato, né vivo – piuttosto un museo, un teatro. Ci fece un'impressione deprimente. Tutto era ricostruito a uso dei turisti. Le vetrine dipinte a tricolore, le bandiere, i ristoranti con un fasullo *[non autentico]* menu italiano (il ristorante partenopeo *[napoletano]* proponeva cotolette alla Milanese e riso allo zaffe-
20 rano). La nostra guida francese ammoniva i visitatori di non usare la parola mafia a Little Italy. Era solo razzismo, e inutile, per giunta, perché quella non era Little Italy. Gli italiani se n'erano andati – erano scomparsi, si erano confusi e annullati nell'America che avevamo attorno. Nessuno dei baristi, dei camerieri e dei proprietari dei ristoranti che si affacciavano su Mulberry Street provava
25 la minima nostalgia del passato. Erano come i guardiani dei cimiteri di guerra, o delle trincee sulle Dolomiti. Custodivano il ricordo di una battaglia persa. Mettevano in scena, ripulita, purificata, scrostata di ogni dolore, sangue e vergogna, la cartolina di un mondo che non era mai esistito. [...]

Prince Street era la strada più alla moda del quartiere. Prince Street. Una
30 strada di boutique, gallerie d'arte, ristoranti con main course[7] a 25 dollari, locali esotici. Prince Street. Perché mi sembrava di aver già sentito questo nome?

L'avevo letto da qualche parte? Guardai le case a tre piani, le finestre, i cortili, le scale antincendio. A Prince Street c'era stato il padre di mio padre, dissi distrattamente a Luigi. Venne in America da ragazzo. Quando? disse lui. Non me lo
35 ricordavo. Era una vecchia storia, e da molto tempo nessuno me ne parlava più.

(M. Mazzucco, *Vita*, Rizzoli, Milano 2003)

---

1. ispanici: provenienti dall'America meridionale.
2. latino: in questo caso significa "lingua di origine latina", lo spagnolo, la seconda lingua più parlata attualmente negli Stati Uniti.
3. Coney Island: piccola penisola nel territorio di Brooklyn dove nel 1895 fu fondato il primo parco dei divertimenti chiamato Luna, da cui deriva il nome "luna park". La sua ruota panoramica e l'ottovolante, ormai in disuso, sono monumenti di architettura.
4. Mezzogiorno: il Meridione d'Italia.
5. paisà: (dialetto napoletano) "persona del mio stesso paese", "compaesano", "compatriota".
6. downtown: zona direzionale e di uffici presente nelle metropoli. Letteralmente significa "città che si trova in basso", per il fatto che spesso queste aree si trovano nella parte meridionale o centro-meridionale delle città.
7. main course: "piatto/portata principale" di un pasto.

 se ti è piaciuto, leggi anche... gli altri capitoli del libro

◉ Attività

1. Leggi fino a riga 13.

  a. Dove si trova la scrittrice e che cosa sta facendo?

  b. Che cosa apprende sulla situazione degli immigrati italiani negli anni Quaranta? Sottolinea il paragone usato per descriverla.

  c. Che cosa scopre la scrittrice quando incontra degli immigrati anziani?

2. Continua la lettura fino a riga 28.

  a. Come si è trasformata Little Italy? Completa la tabella con gli elementi che trovi nel testo.

Little Italy ieri	Little Italy oggi

  b. Che cosa rivela questa trasformazione sull'identità degli emigrati?
  ☐ attaccamento alla madre patria
  ☐ integrazione nella nuova nazione
  ☐ rimozione del passato
  ☐ altro ....

  c. Che cosa intende la scrittrice quando dice «Custodivano il ricordo di una battaglia persa»?
  ☐ Gli emigranti erano partiti con l'illusione di una vita migliore e avevano incontrato ostacoli e sofferenza.
  ☐ Si era perso il ricordo della vita di allora.
  ☐ La realtà era stata molto diversa dal ricordo che se ne aveva.
  ☐ Altro ....

  d. Quali stereotipi sugli italiani emergono dalla descrizione di Little Italy?

3. Termina la lettura.

  a. Che ricordo riaffiora nella scrittrice passeggiando per Prince Street?

  b. Per quale motivo la sua "dimenticanza" si collega al concetto di "battaglia persa"?
  ☐ Perché nessuno ricorda la vita di allora.
  ☐ Perché nessuno in realtà vuole ricordare.
  ☐ Perché è passato troppo tempo.
  ☐ Altro ....

4. Esiste una Little Italy o una comunità straniera analoga nel tuo Paese?

● Emigranti in arrivo a Ellis Island.

T5 Giovanni Pascoli

Italy

Giovanni Pascoli nasce nel 1855 a San Mauro di Romagna. Trascorre un'infanzia serena fino a quando la morte del padre, vittima di un delitto mai spiegato, sconvolge la vita della famiglia: i Pascoli sono costretti a lasciare la casa e perdono la sicurezza economica. Altri lutti segnano dolorosamente la giovinezza del poeta. Dopo la laurea in Lettere, nel 1882 inizia la carriera di insegnante, prima in vari licei e, infine, ottiene la cattedra di Letteratura italiana all'Università di Bologna. Nel disperato tentativo di ricostruire il nucleo familiare della fanciullezza, chiama le due sorelle a vivere con sé e rinuncia a costruirsi una nuova famiglia. Muore a Bologna nel 1912. Numerose sono le sue raccolte poetiche, scritte sia in italiano sia in latino. Le più importanti sono: *Myricae* (1891), *Canti di Castelvecchio* (1903), *Poemi conviviali* (1904), *Primi poemetti* (1904) e *Nuovi poemetti* (1909).

◉ Verso il testo

1. Prendi in esame il titolo del poemetto che proponiamo, che è *Italy: sacro all'Italia raminga*, guarda la fotografia a destra e leggi la didascalia.

    a. Quali pensi che siano stati i possibili criteri di scelta del testo da mettere in scena per il centenario?
      ☐ lo stile poetico
      ☐ il tema
      ☐ l'attualità del contenuto

2. Leggi il brano seguente, stralcio di un'intervista all'attore Giuseppe Battiston, e rispondi alle domande nella pagina successiva.

«Nella ricerca del materiale pascoliano – dice Giuseppe Battiston – mi sono imbattuto in una serie di fotografie e di queste una mi ha colpito in modo particolare: la foto di un barcone carico all'inverosimile. Di italiani. L'analogia con i tempi che viviamo, con la nostra Storia contemporanea, che sarà "futura Storia e Memoria", è il motivo per cui ho scelto di proporre questo poema. Vorrei che l'Italia, gli italiani avessero rispetto per la propria Memoria e ne facessero un patrimonio».

◆ Nel 2012, nel centenario della morte di Giovanni Pascoli, l'attore Giuseppe Battiston e il musicista Gianmaria Testa hanno messo in scena e portato in tournée in Italia la lettura del poema *Italy*. Il poema racconta la storia di una famiglia di emigranti che ritorna al paese natale, in Toscana, per lasciare una bambina malata di tisi alle cure della nonna.

a. Qual è la ragione della scelta del testo per lo spettacolo?

b. Che cosa significa, secondo te, "avere rispetto per la propria memoria"?

☐ non rinnegare alcun aspetto della propria storia passata

☐ apprendere dalla propria storia passata

☐ nascondere i capitoli brutti della propria storia per difenderne l'immagine

☐ esaltare la propria identità nazionale

☐ altro ....

Proponiamo due brevissimi stralci da Italy, *che è un poema narrativo, diviso in venti lunghe strofe, contenuto nella raccolta* Primi poemetti. *Il primo testo è l'inizio del poema, il secondo è tratto dalla strofa VI, in cui viene descritto il sogno dell'emigrante che spera di fare abbastanza soldi per tornare in patria.*

A Caprona[1], una sera di febbraio,
gente veniva, ed era già per l'erta *[salita]*,
veniva su da Cincinnati, *Ohio*[2].

La strada, con quel tempo, era deserta.
5 Pioveva, prima adagio *[piano]*, ora a dirotto,
tamburellando su l'ombrella aperta.

La Ghita e Beppe di Taddeo lì sotto
erano, sotto la cerata ombrella
del padre: una ragazza, un giovinotto.

10 E c'era anche una bimba malatella,
in collo a Beppe, e di su la sua spalla
mesceva giù *[versava, faceva scendere]*, le bionde
lunghe anella *[riccioli]*.

---

1. Caprona: Caprona di Castelvecchio, paesino della Garfagnana, in Toscana, di cui è originaria la famiglia che torna in Italia.

2. Cincinnati, *Ohio*: l'Ohio è uno Stato del nord-est degli Stati Uniti e Cincinnati è una delle sue città più importanti.

● Emigranti italiani dell'inizio del Novecento in attesa dell'imbarco.

[...] Un campettino da vangare, un nido
da riposare: riposare, e ancora
15 gettare in sogno quel lontano grido:

will you buy[3]... per Chicago, Baltimora
buy images[4]... per Troy, Memphis, Atlanta,
con una voce che te stesso accora *[fa soffrire]*:

cheap[5]!... Nella notte, solo in mezzo a tanta
20 gente; *cheap! cheap!* tra un urlerio che opprime;
cheap!... finalmente un altro odi, che canta...

(G. Pascoli, *Primi poemetti*, Guanda, Milano 2005)

---

3. *will you buy* : "vuoi comperare".   **4.** *buy images* : "comperare santini".   **5.** *cheap*: "a buon mercato".

 se ti è piaciuto, leggi anche...   G. Rodari, *Il treno degli emigranti*

◉ Attività

1. Leggi i versi 1-12.

   a. Completa annotando gli elementi che vengono descritti nel primo quadro.

> • personaggi ....
> • che cosa fanno ....
> • dove sono ....
> • quando ....
> • da dove vengono ....
> • che tempo fa ....

   b. Che tempo verbale viene usato? Che cosa sottolinea?
    ☐ la durata del viaggio
    ☐ l'arrivo
    ☐ la fatica del viaggio

2. Leggi i versi 13-15.

   a. Secondo te, che cosa rappresenta per l'emigrante il «campettino da vangare»?

   b. Individua il verbo ripetuto che sottolinea la fatica della vita dell'emigrante. Che cosa ci fa dedurre sulla sua vita?

   c. Che cosa esprime, secondo te, l'uso del verbo «gettare»?
    ☐ il rifiuto del passato di emigrante
    ☐ la voglia di dimenticare il passato di emigrante
    ☐ altro ....

3. Termina la lettura.

   a. Completa annotando gli elementi con cui viene descritto l'emigrante.

> • parole che grida ....
> • mestiere che svolge ....
> • stato d'animo ....
> • con chi riesce a comunicare ....

4. Riconsidera l'intero testo.

   a. Che funzione ha, secondo te, l'uso della lingua straniera?

   b. Che contesto sociale e umano viene evocato?

T 6 Gian Antonio Stella

L'orda: quando gli albanesi eravamo noi

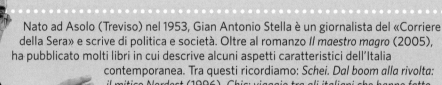

Nato ad Asolo (Treviso) nel 1953, Gian Antonio Stella è un giornalista del «Corriere della Sera» e scrive di politica e società. Oltre al romanzo *Il maestro magro* (2005), ha pubblicato molti libri in cui descrive alcuni aspetti caratteristici dell'Italia contemporanea. Tra questi ricordiamo: *Schei. Dal boom alla rivolta: il mitico Nordest* (1996), *Chic: viaggio tra gli italiani che hanno fatto i soldi* (2000), *L'orda: quando gli albanesi eravamo noi* (2003). Insieme a Sergio Rizzo ha scritto i saggi *La casta* (2007) e *Vandali: l'assalto alle bellezze d'Italia* (2011).

⚲ Verso il testo

1. Guarda le immagini, leggi le didascalie e fai ipotesi sul tema del testo.

Emigranti italiani di inizio Novecento su una nave.

Fotogramma dal documentario *La nave dolce* di Daniele Vicari, che racconta lo sbarco di decine di migliaia di migranti albanesi in Puglia nel 1991.

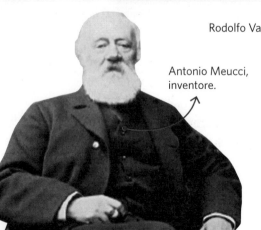

Antonio Meucci, inventore.

Rodolfo Valentino, attore.

2. Quali delle parole ed espressioni dell'elenco seguente descrivono un atteggiamento negativo e quali un atteggiamento positivo verso gli immigrati? Inseriscile nel gruppo corretto.

accusare / ben accolti / diffamare / diffidenza / discriminare / emarginare / fare fortuna / vietare /
ostilità / raggiungere il benessere / sopravvivere tra mille difficoltà / guadagnarsi la stima e il rispetto

atteggiamento positivo	atteggiamento negativo

3. Abbina le parole e le espressioni ai significati corrispondenti.

a. ☐ vietare l'accesso
b. ☐ martellare
c. ☐ schiacciare
d. ☐ Paese d'adozione
e. ☐ apporto
f. ☐ esodo
g. ☐ dare lustro
h. ☐ insediarsi

1. dare prestigio, gloria
2. proibire l'ingresso
3. pressare, comprimere
4. contributo
5. migrazione volontaria di un'intera comunità
6. nazione scelta per vivere
7. sistemarsi in un luogo
8. colpire ripetutamente, con un martello o con un attrezzo

Proponiamo un brano tratto dall'introduzione del libro L'orda: quando gli albanesi
eravamo noi. *L'autore ricostruisce la storia degli emigranti italiani, costretti a lasciare
la propria terra in cerca di lavoro, negli anni che vanno dal 1876 al 1976. Gli albanesi
del titolo sono il popolo dell'Albania, piccolo Stato dei Balcani. L'autore li identifica
con la totalità degli emigranti perché verso la fine del Novecento – in seguito a una
gravissima crisi del loro Paese – sono arrivati in Italia in grandissimo numero.*

La feccia[1] del pianeta, questo eravamo. Meglio: così eravamo visti. Non eravamo considerati di razza bianca nei tribunali dell'Alabama[2]. Ci era vietato
l'accesso alle sale d'aspetto di terza classe[3] alla stazione di Basilea[4]. Venivamo martellati da campagne di stampa indecenti che ci dipingevano come «una
5   maledetta razza di assassini». Cercavamo casa schiacciati dalla fama d'essere
«sporchi come maiali». Dovevamo tenere nascosti i bambini come Anna Frank[5] in
una Svizzera dove ci era proibito portarceli dietro. Eravamo emarginati dai preti

1. feccia: parte peggiore (letteralmente, residuo che si forma in fondo alle
bottiglie o alle botti di vino).
2. tribunali dell'Alabama: l'autore si
riferisce al razzismo negli Stati Uniti e
all'epoca in cui le persone di colore
erano fortemente discriminate, particolarmente negli Stati del Sud, come
l'Alabama. Proprio in questo Stato,
nel 1922, una donna italiana fu defini-

ta in un processo "non di razza bianca" e quindi condannata.
3. sale d'aspetto di terza classe: nelle
stazioni ferroviarie svizzere le sale d'a-
spetto per i viaggiatori erano divise per
classi. La terza è ovviamente la peggiore.
4. Basilea: terza città della Svizzera
per importanza.
5. Anna Frank: ragazza ebrea tedesca
(1929-45), diventata famosa perché ha

scritto un diario – che in seguito ha
avuto uno straordinario successo –
per raccontare la sua vita mentre stava
nascosta con la famiglia in una soffitta
di Amsterdam (Olanda), nel tentativo
di sfuggire ai nazisti, i tedeschi che,
prima e durante la Seconda guerra
mondiale (1939-45), hanno perseguitato gli ebrei.

● Buenos Aires, 1905: la ricerca dei bagagli all'Hotel de Inmigrantes da parte di immigrati italiani.

dei paesi d'adozione come cattolici primitivi e un po' pagani. Finivamo appesi *[attaccati]* nei pubblici linciaggi[6] con l'accusa di fare i crumiri[7] o semplicemente di essere «tutti siciliani[8]».

«Bel paese, brutta gente». Ce lo siamo tirati dietro per un pezzo, questo modo di dire diffuso in tutta l'Europa e scelto dallo scrittore Claus Gatterer[9] come titolo di un romanzo in cui racconta la diffidenza e l'ostilità dei sud-tirolesi verso gli italiani. Oggi raccontiamo a noi stessi, con patriottica ipocrisia *[falsità]*, che eravamo «poveri ma belli»[10], che i nostri nonni erano molto diversi dai curdi o dai cingalesi[11] che sbarcano sulle nostre coste, che ci insediavamo senza creare problemi, che nei paesi di immigrazione eravamo ben accolti o ci guadagnavamo comunque subito la stima, il rispetto, l'affetto delle popolazioni locali. Ma non è così.

25 Certo, la nostra storia collettiva di emigranti – cominciata in tempi lontani se è vero che un proverbio del '400 dice che «passeri e fiorentini son per tutto il mondo» e che Vasco da Gama[12] incontrava veneziani in quasi tutti i porti dell'India – è nel complesso positiva. Molto, molto, molto positiva. [...]

Non c'è paese che non si sia arricchito, economicamente e culturalmente, con 30 l'apporto degli italiani.

In 27 milioni se ne andarono, nel secolo del grande esodo dal 1876 al 1976. E tantissimi fecero davvero fortuna [...]. Quelli sì li ricordiamo, noi italiani. Quelli che ci hanno dato lustro *[fama]*, che ci hanno inorgoglito, che grazie alla serenità guadagnata col raggiungimento del benessere non ci hanno fatto pesare l'ottuso 35 *[poco intelligente]* e indecente silenzio dal quale sono sempre stati accompagnati. Gli altri no. Quelli che non ce l'hanno fatta e sopravvivono oggi tra mille difficoltà nelle periferie di San Paolo, Buenos Aires, New York o Melbourne[13] fatichiamo a ricordarli. Abbiamo perduto 27 milioni di padri e di fratelli eppure quasi non ne trovi traccia *[segno]* nei libri di scuola. Erano partiti, fine. Erano la testimonianza 40 di una storica sconfitta, fine. Erano una piaga *[ferita]* da nascondere, fine.

(G.A. Stella, *L'orda: quando gli albanesi eravamo noi*, Rizzoli, Milano 2003)

---

6. linciaggi: campagne diffamatorie che consistono nel parlar male di qualcuno ovunque e con qualunque mezzo di comunicazione.
7. crumiri: quelli che lavorano anche quando i loro compagni di lavoro fanno sciopero.
8. siciliani: qui significa "mafiosi". Alcuni siciliani che appartenevano alla mafia l'hanno esportata all'estero, soprattutto negli Stati Uniti.

9. Claus Gatterer: giornalista e storico altoatesino (1924-84) che si è occupato dei problemi di convivenza tra gruppi etnici diversi, in particolare tra altoatesini e italiani.
10. poveri ma belli: l'autore cita il titolo di un famoso film del 1956, del regista Dino Risi.
11. curdi ... cingalesi: i curdi si trovano soprattutto in Turchia, Iran, Iraq e Siria. Non hanno una patria e sono stati

spesso perseguitati dalle popolazioni presso cui si sono rifugiati. I cingalesi sono gli abitanti di Ceylon, l'isola al largo della costa sud-orientale dell'India.
12. Vasco da Gama: navigatore portoghese (1469-1524) che ha raggiunto per primo in nave l'India (1498).
13. San Paolo ... Melbourne: grandissime città che si trovano, nell'ordine, in Brasile, in Argentina, negli Stati Uniti e in Australia.

se ti è piaciuto, leggi anche... il testo dello stesso autore a p. 225

⊙ Attività

1. **Leggi il testo fino a riga 11.**

   a. Da cosa capisci che l'autore si sente personalmente coinvolto nella situazione che descrive?

   b. Completa le seguenti frasi che si riferiscono al trattamento che ricevevano gli italiani all'estero. Quale ti colpisce di più e perché?

   1. Erano visti come ....

   2. In Alabama ....

   ....

   3. Non avevano il permesso di ....

   ....

   4. Erano dipinti come una ....

   ....

   5. Erano considerati ....

   6. Non potevano portare ....

   7. I preti nei Paesi d'adozione li consideravano

   ....

   8. Erano accusati di ....

   e di ....

   c. Dire che gli emigranti sono «tutti siciliani» è come dire che

   ☐ sono tutti mafiosi.

   ☐ solo i siciliani sono emigrati.

   ☐ solo i siciliani si sono fatti conoscere.

2. **Termina la lettura.**

   a. Considera l'espressione «Bel paese, brutta gente» dal punto di vista linguistico: che cosa ti colpisce? Quale atteggiamento dei Paesi in cui emigravano gli italiani interpreta?

   b. L'autore dice che gli italiani si sono inventati un passato "diverso". Indica se le seguenti affermazioni che riguardano l'emigrazione italiana sono vere o false.

   1. Eravamo «poveri ma belli».   Ⓥ Ⓕ

   2. Abbiamo contribuito alla ricchezza e alla cultura dei Paesi ospitanti.   Ⓥ Ⓕ

   3. La nostra storia di emigranti è molto antica.   Ⓥ Ⓕ

   4. Eravamo ben accolti dovunque.   Ⓥ Ⓕ

   5. Ricordiamo con riconoscenza tutti i nostri emigrati.   Ⓥ Ⓕ

   6. Molti emigranti hanno avuto successo, altri purtroppo no, hanno solo faticato.   Ⓥ Ⓕ

   c. Sottolinea i due aggettivi con cui l'autore giudica con rabbia il silenzio che circonda gli emigrati italiani che «non ce l'hanno fatta». Quale di questi aggettivi è usato anche nella prima parte del testo per definire gli stranieri che ci hanno odiato?

   d. Cerchia le frasi che spiegano il motivo di questo silenzio, anche nei libri di scuola.

   e. Qual è il motivo del silenzio? Scegli fra le seguenti parole.

   ☐ paura   ☐ imbarazzo

   ☐ timidezza   ☐ orgoglio

   ☐ vergogna

3. L'autore ricorda che «Non c'è paese che non si sia arricchito [...] con l'apporto degli italiani». Ci sono italiani nel tuo Paese? Qual è o quale è stato il loro contributo? Completa la scheda inserendo i dati relativi alla presenza di italiani nel tuo Paese in base alle informazioni che hai o che riesci a trovare.

> **Gli italiani presenti nel mio Paese**
>
> • quanti sono ....
>
> • quando sono arrivati ....
>
> ....
>
> • che lavori hanno fatto ....
>
> ....
>
> • che lavori fanno adesso (se sono cambiati) ....
>
> ....
>
> ....
>
> • che reputazione hanno ....
>
> ....

4. Ci sono stati emigranti che hanno lasciato il tuo Paese in cerca di una vita migliore? Che cosa sai di loro? Fai riferimento ai punti seguenti.

   ● dove sono andati

   ● come sono stati accolti

   ● che lavoro hanno fatto

   ● emigranti famosi e in che ambito

T7 Carmine Abate

La festa del ritorno

Carmine Abate nasce nel 1954 a Carfizzi, un paese di lingua albanese della Calabria. Dopo la laurea in Lettere si trasferisce in Germania dove insegna in una scuola per immigrati e inizia a scrivere e pubblicare le sue prime opere, in lingua tedesca. Rientrato in Italia si stabilisce in Trentino e continua l'attività di scrittore e insegnante. Uno dei temi principali delle sue opere è il razzismo, insieme a quello della multiculturalità. Il primo libro pubblicato in Italia, nel 1993, è la raccolta di racconti *Il muro dei muri*. Tra i suoi numerosi romanzi ricordiamo *La festa del ritorno* (2004), *Gli anni veloci* (2008), *La collina del vento*, Premio Campiello 2012, e *Il bacio del pane* (2013).

◉ Verso il testo

1. Leggi il seguente brano che si riferisce all'emigrazione italiana dopo la Seconda guerra mondiale, tratto dal catalogo del Museo nazionale dell'Emigrazione Italiana di Roma, e poi rispondi alle domande.

   a. Quali sono le mete della migrazione interna ed esterna nel periodo considerato?

   b. Qual era il percorso dei clandestini e che pericoli comportava?

L'emigrazione italiana dopo la Seconda guerra mondiale

In questo periodo le nuove mete degli italiani sono il Canada, l'Argentina, il Venezuela e l'Australia. [...]

Contemporaneamente le migrazioni interne, soprattutto dal Sud al Nord, raggiungono numeri importanti e cambiano la geografia umana del paese: la campagna e la montagna sono così abbandonate e ingenti masse si spostano dal Sud e dal Nord-Est verso il triangolo industriale *[fra Genova, Milano e Torino]* e la capitale. [...]

[...] la clandestinità è per gli emigranti italiani una condizione antica, tanto è vero che si calcolano in almeno 4 milioni quelli che sono partiti senza documenti dopo il 1876. Negli Stati Uniti Alberto Anastasia, boss di Cosa Nostra, dichiarava negli anni 1950 di aver fatto entrare clandestinamente almeno 60.000 connazionali, evitando loro qualsiasi controllo. Dopo la Seconda guerra mondiale il percorso è meno rocambolesco *[avventuroso]* ed è in genere affidato a una

rete di guide e contrabbandieri che fanno scavalcare le Alpi, per poi giungere in Francia, Svizzera o Belgio. [...]

L'emigrazione clandestina attraverso le Alpi verso la Francia era un percorso seguito dagli emigrati italiani, non solo piemontesi, ma anche siciliani, come illustrato da Pietro Germi nel film *Il cammino della speranza*. Nel 1962, 87 italiani trovarono la morte al "passo del diavolo" presso Ventimiglia per recarsi clandestinamente in Francia. Ancora a metà degli anni 1970 circa 30 mila bambini erano tenuti nascosti in casa («non ridere, non piangere, non fare rumore») dai loro genitori emigrati in Svizzera che temevano di essere rimpatriati perché il governo elvetico proibiva ai lavoratori stagionali di farsi accompagnare dalla famiglia.

(A. Nicosia, L. Prencipe, a cura di, *Museo nazionale Emigrazione Italiana*, Gangemi, Roma 2009)

2. Riconsidera le informazioni che hai appena letto.

a. Perché pensi che molti lavoratori emigranti scegliessero di lasciare la famiglia in Italia e mantenerla da lontano?

b. Quali problemi dovevano affrontare, secondo te, queste famiglie "divise"?

3. Abbina le espressioni idiomatiche alle spiegazioni corrispondenti.

a. ☐ lavorare come un mulo
b. ☐ essere stanco morto
c. ☐ dare una dritta
d. ☐ non passare nemmeno per l'anticamera del cervello

1. dare indicazioni
2. essere una cosa impensabile
3. impegnarsi duramente in un lavoro faticoso
4. essere stanchissimo

4. Che sensazioni prova, secondo te, l'emigrante che rientra in Italia e in famiglia solo per le ferie?

Il romanzo intreccia il racconto di un padre che descrive la sua vita di emigrante e quello di suo figlio, che vive angosciosamente le partenze del padre. Le due narrazioni ricostruiscono la vita della famiglia, le difficoltà e i drammi esistenziali vissuti dai suoi componenti. I due testi che ti proponiamo sono il racconto del ritorno del padre per Natale, fatto dal figlio, e le riflessioni del padre sulle difficoltà di mantenere i contatti con i familiari lontani.

» mp3
traccia **30**

La festa cominciò in piazza non appena lui scese dalla corriera. La festa del ritorno di mio padre e, insieme, quella di Natale. Era carico di regali per tutti: per i parenti, gli amici, i vicini di casa, per me, la Piccola, la nonna e la mamma. Non aveva dimenticato nessuno. A Elisa, il regalo più bello: una

5 macchina da scrivere portatile, che le sarebbe stata utile, disse mio padre, in vista della tesi di laurea. Lei lo ringraziò con un bacio sulla guancia nera di barba. «Corro a provarla», disse. E si chiuse nella sua stanza a battere sui tasti, un lento ticchettio[1] da principiante, spesso nervoso.

La nostra casa era affollata di gente che veniva a salutare lui e faceva gli auguri

10 di buon Natale alla nostra famiglia. Tutti i vecchi del Palacco[2] ricevettero un pacchetto di sigarette francesi, tutti i bambini una stecca [*tavoletta*] di cioccolato francese, tutte le donne almeno due paia di calze di nylon. E tutti ringraziarono compar[3] Tullio, l'amico Tullio, Tullio il cugì[4], il nipote, il bir[5], «grazie, grazie», cento volte e più.

15 Confusa tra la folla riconoscente, la mamma cercava invano di attirare l'attenzione di mio padre con il lungo elenco di «robe [*cose*] genuine e saporitose[6]» che gli aveva preparato per la cena del ritorno. La Piccola lo tirava per la giacca, «vre, vre[7], che bel disegno ti ho fatto», e la nonna lo elogiava davanti a tutti senza ritegno [*misura*]: «Ki bir ësht i

20 mirë si buka, oj, com'è generoso, questo figlio mio».

In quel turbinio [*confusione*] di voci e rumori, mio padre si accendeva una sigaretta dopo l'al-

25 tra, lanciava nuvolette di fumo attorno a sé e, nella nebbia che bruciava agli occhi, pareva sperso [*confuso*], irriconoscibile. A cena, solo con la sua famiglia, ritrovava il sorriso innamorato della mamma, il vino forte, i sapo-

30

---

1. ticchettio: battiti ripetuti con rapida frequenza.
2. Palacco: quartiere di Carfizzi, che è il paese di origine dell'autore del brano.
3. compar: troncamento di *compare*,

padrino di battesimo o di cresima. In passato era usato per rivolgersi ai conoscenti, come forma di rispetto.
4. cugì: (forma dialettale) "cugino".
5. bir: termine albanese che significa

"maschio primogenito".
6. saporitose: (forma dialettale) "saporite".
7. vre, vre: (lingua albanese) "guarda, guarda".

ri piccanti della giovinezza, sardella, sarde salate, giardiniera[8], quatre[9] col finocchio selvatico, e così, boccone dopo boccone, scacciava lo sperdimento [il disorientamento] dallo sguardo: la
35   festa ricominciava con allegria.

Confesso che non mi ero accorto di nulla – disse mio padre piano e diede le spalle al fuoco perché lo ascoltassi solo io –. Lavoravo nove, dieci mesi come un mulo, a te-
40   sta abbassata. Non guardavo né avanti né indietro, ma giù la terra e ne ingoiavo la polvere. Ammetto pure che si guadagnava bene, però la schiena, di sera, la sentivi scatrejata[10] e io mi buttavo sulla branda[11] stanco morto: il tempo
45   di pensare a voi che crescevate senza di me, il tempo di un rimpianto a faccia in giù sul mio cuscino, per non farmi vedere dagli altri, e con la bocca amara di fumo mi addormentavo.

◆ Immigrati italiani a Toronto impegnati nella costruzione di una fognatura.

Il giorno dopo, al cantiere stradale. Chilometri e chilometri di asfalto. Che a
50   srotolarli [metterli uno dopo l'altro] in direzione sud, fantasticavo a volte, sarei arrivato in paese, avrei riabbracciato la mia famiglia, compresa Spertina[12], e non sarei più partito. Per anni, dico, anni e anni...
      Nel frattempo mi contentavo di tornare da voi per le ferie e mi sembrava che tutto era a posto come l'avevo lasciato l'anno prima. Ero convinto di conoscervi
55   bene, invece non conoscevo nessuno, nemmanco [nemmeno] me stesso, se ci penso.
      La tua malattia è stata una scossa elettrica. Superata, sì, però poi mi aveva lasciato una moscerìa[13] dentro il cuore.
      Tua madre, per lettera, mi ripeteva che eri diventato una bestia fricata[14], che a scuola non andavi più bene e che liticavi[15] con tutti. E io ero partito in anticipo
60   per te, per darti una dritta, una mano sicura, da padre.
      Che Elisa era molto più inguaiata[16] di te, non mi passava nemmanco per l'anticamera. Tua madre non sapeva se dirmelo, che parole usare. Aveva paura della mia reazione ma, se poi lo venivo a sapere da un'altra persona, ha ragionato che era peggio.

                                         (C. Abate, *La festa del ritorno*, Mondadori, Milano 2004)

---

8. giardiniera: conserva di verdure miste sott'olio.
9. quatre: dolci regionali.
10. scatrejata: (forma dialettale) "sconnessa".

11. branda: letto pieghevole di metallo o di tela.
12. Spertina: nome del cane di famiglia.
13. moscerìa: (forma dialettale) "debolezza".

14. bestia fricata: (forma dialettale) "animale in trappola".
15. liticavi: (forma dialettale) "litigavi".
16. inguaiata: (forma dialettale) "nei guai".

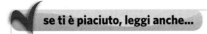 **se ti è piaciuto, leggi anche...**   C. Abate, a cura di, *In questa terra altrove: testi letterari di emigranti italiani in Germania*

◉ Attività

1. Leggi la prima frase del primo brano. Come ti aspetti che sia la festa per un emigrante che torna a casa? Che cosa succede? Chi fa cosa?

2. Continua la lettura fino a riga 35.

    a. La festa per il ritorno del padre del ragazzino corrisponde alle tue aspettative?

    b. Individua gli elementi che rivelano che il padre ha avuto relativa fortuna come emigrante.

    c. Sottolinea l'espressione che descrive lo stato d'animo del padre in mezzo alla folla, poi completa lo schema.

che cosa lo suscita

STATO D'ANIMO DEL PADRE

quando lo perde

d. Dal brano ti sembra che il padre riesca a mantenere un rapporto profondo con la sua famiglia? Perché?

e. Completa la tabella con gli aspetti positivi e gli aspetti negativi della situazione dell'emigrante che puoi ricavare dal testo.

aspetti positivi	aspetti negativi

3. Termina la lettura.

    a. Quali di questi vocaboli useresti per sintetizzare i sentimenti che dominano il padre all'estero? Spiega le tue scelte.
☐ rabbia
☐ fatica
☐ dolore
☐ nostalgia
☐ solitudine
☐ sogno
☐ speranza

    b. In che modo la descrizione della vita all'estero spiega lo spaesamento del ritorno?

    c. A quale amara consapevolezza giunge il padre circa la sua famiglia?

4. Riconsidera entrambi i testi.

    a. Che funzione ha, secondo te, l'uso di termini dialettali e colloquiali?

    b. Quali sensazioni, fra quelle che hai elencato nell'attività 4 a p. 241, ritrovi descritte nei testi che hai letto?

T 10 Gianrico Carofiglio

Né qui né altrove: una notte a Bari

T8 »
Mario Rigoni Stern,
L'ultimo viaggio di un emigrante

T9 »
Leonardo Sciascia,
Il lungo viaggio

Gianrico Carofiglio nasce a Bari nel 1961. Dopo aver esercitato la magistratura ed essere stato anche sostituto procuratore antimafia a Bari, lascia le cariche istituzionali e si dedica alla scrittura a tempo pieno. Scrive romanzi, racconti, saggi e sceneggiature. La trilogia dei gialli che ha come protagonista l'avvocato Guido Guerrieri ha un grande successo. Fra le sue opere ricordiamo i romanzi *Il passato è una terra straniera* (2004), *Né qui né altrove: una notte a Bari* (2008), una rivisitazione della città fra presente e passato, e *Il bordo vertiginoso delle cose* (2013).

📍 Verso il testo

1. Guarda le immagini.

  a. Indica con I (Italia) quelle che, secondo te, si riferiscono a Bari, città italiana della Puglia, e con US (Stati Uniti) quelle che si riferiscono a Evanston, cittadina dell'Illinois negli Stati Uniti.

  b. Quali sono gli aspetti che maggiormente le differenziano?

  c. Come immagini che sia la vita nell'una e nell'altra?

①

②

③

④

2. Leggi la scheda Parole e cultura e poi rispondi alle domande.

   a. Quando e come cambia l'emigrazione italiana alla fine del Novecento?

   b. Che tipi di attività svolgono i primi immigrati in Italia?

PAROLE *e* **CULTURA**

Il nuovo volto delle emigrazioni italiane

Negli ultimi anni del Novecento la presenza italiana nel mondo è cambiata.

Con lo sviluppo sociale ed economico del Paese, l'emigrazione ha coinvolto principalmente personale qualificato e tecnici a seguito di aziende, cui si sono aggiunti studenti e docenti universitari.

Tra il 2001 e il 2006 c'è stato un incremento del 53% dei laureati iscritti all'Aire (Anagrafe degli italiani residenti all'estero).

Tra il 1996 e il 2002, ogni anno, 3300 laureati hanno scelto una residenza fuori dall'Italia.

Negli anni 1970-80 sono iniziate le immigrazioni in Italia. Erano soprattutto tunisini che trovavano lavoro come braccianti nei settori della pesca e dell'agricoltura, donne filippine, eritree, capoverdiane, somale e latino-americane che facevano le domestiche, manovali edili iugoslavi, rifugiati politici e studenti.

Oggi l'italiano è una delle lingue più studiate al mondo ed è parlato da circa 200 milioni di persone, alcune di origine italiana, altre interessate alla lingua e cultura italiana.

3. Abbina i verbi e le espressioni alle spiegazioni corrispondenti.

   a. ☐ sentirsi a proprio agio o a disagio

   b. ☐ fare effetto

   c. ☐ puntare su qualcuno o qualcosa

   d. ☐ in spregio

   e. ☐ scrollare le spalle

   1. alzarle e abbassarle per esprimere disinteresse

   2. scommettere

   3. colpire, provocare turbamento

   4. sentirsi bene o male in un ambiente o in una situazione

   5. per disprezzo

Il romanzo segue la vicenda di quattro amici di Bari che si ritrovano una sera per festeggiare il ritorno di uno di loro, Paolo, che è partito per gli Stati Uniti nel 1993. I brani che ti presentiamo accennano ai nuovi problemi di emigrazione e immigrazione che coinvolgono attualmente l'Italia.

» mp3
traccia **31**

A Chicago, come a New York e in altre città americane viste tante volte al cinema, avevo sperimentato un senso di familiarità quasi domestica *[di casa]*. La sensazione di essere a casa, a mio agio. Paradossalmente: molto meno altrove di quanto mi sentissi quando ero a casa mia per davvero.

5 Mi faceva effetto pensare che una persona con la quale avevo condiviso un pezzo della mia vita adesso viveva là.

Era come se avesse attraversato il diaframma *[la barriera]* che divide il mondo della vita reale (e banale) da quello della fantasia e dei sogni, e fosse diventato il personaggio di un film.

10 Paolo era cresciuto come me sulla linea di confine fra i quartieri San Nicola, Murat e Libertà. Era cresciuto nel ritmo lievemente ossessivo *[tormentoso]* delle nostre vite circoscritte *[ristrette]* e un po' claustrofobiche[1]; e poi, con uno scatto imprevedibile, era riuscito a scappare, pensai. Con una traiettoria *[linea]* lunghissima e consapevole, attraverso l'Europa, l'Oceano, l'America.

15 E adesso era cittadino degli Stati Uniti e abitava a Evanston, Illinois[2], in una casa col prato, la piscina e il barbecue, aveva una di quelle macchine lunghe e incongrue *[sproporzionate]*, sua moglie si chiamava Meg, o Sharon, o Susan (in realtà non ce l'aveva detto come si chiamava, sua moglie), e i suoi figli mangiavano cereali a colazione, e hamburger circondati di purè di patate a cena, e forse par-

20 lavano l'italiano ma lo avrebbero dimenticato. Mi prese una curiosità febbrile *[fortissima]* di come poteva essere la sua vita. [...]

La voce di Giampiero si incuneò *[si inserì]* nei miei pensieri. Parlava con me.

«Certo che quando eravamo ragazzi se uno avesse scommesso su chi se ne andava, fra noi, avrebbe puntato su di te. E invece, guarda la vita».

25 Appunto.

Scrollai le spalle con aria indifferente. In realtà non ero indifferente, e anzi quell'argomento mi metteva a disagio. Così chiesi a Paolo di parlarci ancora della vita americana.

«Non è che tutto sia fantastico, da quelle parti», fece Paolo, ancora con un tono

30 di impercettibile riluttanza *[resistenza]*. «Le cose funzionano, hai l'impressione di fare qualcosa di utile e che il merito sia riconosciuto. Però manca qualcosa. Sono diversi i rapporti fra le persone. C'è una competizione feroce e c'è un senso di precarietà *[incertezza]*, implicito e inesorabile. Frequenti qualcuno, sono amici tuoi, credi che starete insieme per sempre. Poi questi all'improvviso partono, vanno a

35 stare a 5000 chilometri e magari non vi vedete più. Lo stesso succede nelle famiglie. È normale che un figlio non veda i genitori per più di un anno perché, faccio per dire *[per esempio]*, loro vivono a Philadelphia e lui sta a Seattle».

---

1. claustrofobiche: che possono causare claustrofobia. La claustrofobia è la paura di trovarsi confinato in un luogo chiuso. Qui non si vuol dire che davvero c'era il pericolo di avere questo disturbo, ma è un modo per sottolineare maggiormente il fatto che Paolo si sentiva soffocato in quel mondo.

2. Illinois: Stato americano del Midwest.

Giampiero stava per dire qualcosa, ma poi si trattenne. Lo vidi nettamente nell'espressione del suo viso che mutava *[cambiava]*, come di chi sta per parlare, e
40 poi un pensiero gli attraversa la mente e gli dice che è meglio di no, che è meglio stare zitti. Fui certo che stava per dire quello che anch'io avevo pensato. E io avevo pensato che non era stato poi così diverso per uno che se n'era andato a vivere a 8000 chilometri da casa salutando sua madre, una fidanzata, la sorella. Gli amici.

Questo pensiero aleggiò *[passò leggero]* fra noi, e di sicuro anche Paolo se ne rese
45 conto. [...]

Erano le undici passate, il corso *[la via principale]* si era animato, come accade sempre più o meno a quell'ora. Paolo si guardava attorno con aria stupita. La sua faccia aveva perso quell'espressione di leggera impazienza che aveva tenuto sotto controllo per tutta la serata ma che di tanto in tanto, inevitabilmente, era af-
50 fiorata *[emersa]*. Adesso sembrava meno teso nel controllo, e incuriosito. La città in cui aveva abitato, tanti anni prima, a quell'ora di sera di un giorno nel mezzo della settimana era un posto deserto. Adesso invece la strada era piena di gente, ai tavolini dei bar, sotto i funghi caloriferi[3]; seduta sulle panchine, ammassata vicino ai locali più o meno di moda.

55 Il porto è un universo a parte. Se ti capita di girarci di notte, non riesci a capire come possa essere così sterminato *[immenso]*, come sia possibile che un posto così grande sia contenuto nella città, quando – ti sembra – potrebbe essere il territorio sconosciuto, con squarci *[aperture]* che assomigliano al palcoscenico di un sogno inquietante, dove sembra che valgano regole diverse da
60 quelle del mondo esterno.

Fu in quel territorio sconosciuto che, nell'estate del 1991, ci fu il più colossale sbarco di clandestini della storia contemporanea. Perlomeno della storia del mondo occidentale. La motonave *Vlora* – un indescrivibile rottame[4] che si muoveva sull'acqua in spregio a ogni regola della meccanica dei fluidi – caricò a Du-
65 razzo[5], trasportò attraverso l'Adriatico assolato, e scaricò nel porto di Bari un

---

3. funghi caloriferi: strutture a forma di fungo fatte per riscaldare.

4. rottame: cosa rotta e inservibile.

5. Durazzo: la più importante città dell'Albania, subito dopo la capitale Tirana.

● Una veduta del porto di Bari.

mare umano di quindicimila albanesi (avete letto bene; *quindicimila*, tutti su una sola nave) in fuga dal regime che si stava sbriciolando[6]. Rivedere oggi quelle immagini, che fecero il giro del mondo rimbalzando sui satelliti della CNN[7] e delle altre televisioni, pensare che quelle scene di migrazioni bibliche[8] si siano
70   verificate a qualche centinaio di metri dalle nostre case, mentre noi eravamo intenti alle nostre occupazioni (e continuammo a esserlo), genera un senso totale di spaesamento *[smarrimento]*. Mentre passava la Storia non eravamo davvero qui. Né altrove.

(G. Carofiglio, Né qui né altrove: una notte a Bari, Laterza, Bari 2008)

---

6. regime ... sbriciolando: il regime comunista in Albania è caduto definitivamente negli anni Novanta.
7. CNN: acronimo per *Cable News*

Network, rete televisiva statunitense fondata nel 1980, visibile in tutto il mondo grazie alla tecnologia satellitare.

8. migrazioni bibliche: si riferisce alle dispersioni del popolo ebreo, costretto ad abbandonare la Palestina.

se ti è piaciuto, leggi anche...   G. Carofiglio, *Il bordo vertiginoso delle cose*

Attività

1. Leggi fino a riga 21.

  a. Che tipo di conoscenza dell'America emerge dai pensieri di chi narra?

  b. Sottolinea tutti gli aggettivi che descrivono il tipo di vita a Bari e il verbo che descrive la partenza di Paolo. Come è vista dagli amici la partenza di quest'ultimo?

  c. Individua gli stereotipi sulla vita americana che sono presenti nella descrizione della vita di Paolo in America immaginata dall'amico.

  d. A quale situazione sociale fa pensare?

2. Continua la lettura fino a riga 41.

  a. Completa la tabella con gli aspetti positivi e negativi della vita di Paolo in America.

aspetti positivi	aspetti negativi

  b. Che contraddizione emerge dal discorso di Paolo e come reagiscono gli amici?

  c. Secondo te, qual è il pensiero del narratore e di Giampiero? Fa' delle ipotesi.

3. Continua la lettura fino a riga 54.

  a. Verifica le ipotesi che hai fatto nell'attività 2c.

  b. Che aspetto della città colpisce Paolo? Che cosa rivela la sua reazione?

4. Termina la lettura.

  a. Che parte della città hanno raggiunto gli amici nella loro nottata attraverso la città?

  b. Riassumi con parole tue l'avvenimento ricordato dal narratore e spiega come reagisce la popolazione locale.

  c. Che cosa significa, secondo te, la frase «non eravamo davvero qui. Né altrove»?

5. Metti a confronto l'emigrazione di Paolo con quella dei protagonisti dell'avvenimento del 1991.

6. Conosci direttamente o indirettamente altri avvenimenti simili a quello raccontato nell'ultima parte del testo? Che collegamenti trovi con i precedenti testi da te letti in questo capitolo?

 Laila Wadia

Amiche per la pelle

Laila Wadia nasce a Bombay, in India, nel 1966 e si trasferisce in Italia nel 1986. Giornalista, traduttrice e interprete, vive a Trieste dove collabora con l'università. I suoi racconti e romanzi parlano della condizione degli immigrati in Italia. Il suo libro più famoso è *Amiche per la pelle* (2007), che racconta di quattro straniere che vivono nello stesso palazzo e delle loro difficoltà di inserimento. *Come diventare italiani in 24 ore* (2010) offre una panoramica ironica degli stereotipi che riguardano gli italiani.

♀ Verso il testo

1. Il brano che leggerai è tratto dal capitolo intitolato *L'inquilino scontroso*.

   a. Che parole colleghi per significato alla parola *inquilino*?

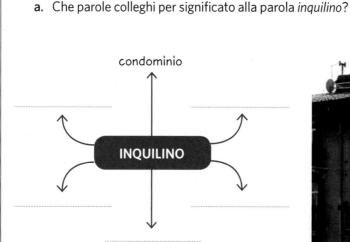

condominio

INQUILINO

   b. Secondo te, di quale aspetto del processo di integrazione degli immigrati nella società italiana parlerà il testo?
Convivenza
☐ nel quartiere.
☐ sul posto di lavoro.
☐ a scuola.

● Un condominio della città di Trieste.

2. Completa il testo che illustra la condizione abitativa degli immigrati utilizzando correttamente le parole dell'elenco seguente.

abitazioni / acquisti / affitti / affitto / connazionali / prestito / proprietari / regolari / residenti

In Italia ci sono circa 4,5 milioni di stranieri regolarmente residenti. La maggioranza degli immigrati (1) .... si rivolge al mercato delle case in (2) .... e la domanda è in aumento dall'autunno del 2008, parallelamente alla crescente difficoltà che si incontra per avere dalle banche soldi in (3) .... per comprare una casa.

La via dell'affitto non è semplice. Gli (4) .... sono alti, spesso i contratti di affitto sono irregolari, intermediari e (5) .... non affittano volentieri agli stranieri a causa di non pochi pregiudizi. Da sottolineare poi la scarsa qualità, in media, delle (6) .... e la frequente condizione di sovraffollamento degli spazi.

Il 61,3 per cento degli immigrati residenti vive in affitto, il 9,1 per cento abita presso parenti o altri (7) .... , l'8,5 per cento presso il luogo di lavoro.

Il resto degli stranieri (8) .... , circa il 20 per cento del totale, vive in una casa di proprietà. Il dato è in costante aumento, negli anni 2004-2008 si è avuto un vero e proprio boom degli (9) .... di case da parte degli stranieri residenti.

(dati tratti da Osservatorio Nazionale Immigrati e Casa, www.ilsole24ore.com)

Il testo racconta l'esperienza della protagonista al suo arrivo in un condominio della città di Trieste e i difficili rapporti con uno dei suoi vicini di casa.

Io sono stata bersagliata *[colpita]* dalla misantropia[1] del signor Rosso il primo giorno che ho messo piede *[sono arrivata]* in via Ungaretti 25. Sentendo i rumori che accompagnano un trasloco *[cambio di casa]*, ha aperto la porta del suo appartamento con una scatto e mi ha fissato con i suoi occhi grigi e acquosi *[dal*

5 *colore sbiadito]*. Aveva addosso *[era vestito con]* un pigiama a quadratini azzurri e bianchi nonostante fossero quasi le undici del mattino. Il mozzicone *[pezzo residuo]* della sua inseparabile Diana[2] gli pendeva dalle labbra come un foruncolo *[brufolo]* ardente. Aveva il riporto[3] grigio che gli penzolava dalla parte sbagliata come un topo morto. Ho fatto un sussulto *[movimento improvviso]* e per un momen-

10 to ho pensato che fosse pazzo.

«Cazzo[4], altri neri[5]», ha borbottato.

Mi trovavo in Italia da pochi giorni e non capivo bene la lingua, per di più ero giovane e ingenua.

«Io mi chia-mo Shan-ti Ku-mar», gli ho risposto, scandendo le parole e allun-

15 gando la mano. «Mio marito è Ash-ok Ku-mar. Abit-teremo terzo piano. Piacere di co-no-scer-la, signor Cazzo Altrineri».

---

1. misantropia: avversione per il genere umano che porta a condurre un'esistenza riservata e ad evitare i rapporti con la gente.
2. Diana: marca di sigarette, una volta popolare per il basso costo.

3. riporto: ciuffo di capelli che gli uomini che hanno pochi capelli lasciano crescere e poi pettinano in modo da mascherare il fatto di essere calvi.
4. Cazzo: pene, membro maschile. La parola viene usata nel linguaggio

molto informale come un'imprecazione.
5. neri: termine dispregiativo, come *negri*, con cui si indicano le persone di pelle nera.

Dopo quel primo incontro, il signor Rosso ha girato alla larga da me [*mi ha evitato*]. Non che lui frequenti gli altri o ci scambi due chiacchiere. Bussa alla porta come un martello pneumatico[6] se deve lamentarsi di qualcosa. Annuncia il suo

20 disappunto [*irritazione*]: «Negri! Fate silenzio, sono le sette di sera e sto dormendo!», sbatte la porta appena concluso il suo discorso, senza concedere all'accusato la benché minima [*nessuna*] difesa, e se ne va picchiando forte le sue ciabatte di lana sulle scale di pietra.

Di tutti gli inquilini il signor Rosso degna di attenzione solo due persone: Lule

25 e mia figlia Kamla, che chiama Camilla. Le rispetta perché sono le uniche a non avere timore di lui.

Lule è una donna forte e non ha paura di niente e di nessuno. Ha dovuto lasciare i suoi tre figli in Albania con la suocera per venire in Italia a seguito del marito. A Durazzo non c'è molto lavoro per un uomo onesto, sostiene. Nessuno sa

30 che impiego ha suo marito, l'ingegnere Besim Cardani. È sempre in giro per l'Italia con degli amici. Qualunque cosa faccia gli deve rendere un sacco di soldi, perché Lule è sempre vestita da gran signora, come se fosse pronta per andare alla prima[7] di una rappresentazione teatrale. Lule ha un cuore d'oro[8], però. Dice sempre che le fa tanta pena il signor Rosso, tutto solo in casa a fumare le sue

35 Diana e a leggere libri vecchi e polverosi. Mangia poco e male, e tabacca incessantemente[9].

(L. Wadia, *Amiche per la pelle*, e/o, Roma 2007)

---

6. martello pneumatico: strumento meccanico che serve a perforare superfici dure, come un muro di pietra o l'asfalto delle strade.
7. prima: spettacolo inaugurale di una stagione teatrale o lirica.
8. ha un cuore d'oro: è un modo di dire che significa "è molto generosa con gli altri".
9. tabacca incessantemente: letteralmente "fiuta tabacco dal naso in continuazione"; in italiano regionale significa anche "fuma".

 se ti è piaciuto, leggi anche... S. Azzedine, *Mio padre fa la donna delle pulizie*

◉ Attività

1. Scorri velocemente il testo e verifica quali parole dell'attività 1a a p. 250 sono presenti.

2. Leggi fino a riga 16.

a. Elenca le informazioni sul signor Rosso.

b. Che cosa rivela il suo modo di parlare?

c. Che reazione provoca nella sua interlocutrice?

d. In che tipo di palazzo pensi che si svolga la scena?

e. Il breve scambio comunicativo fra Shanti e il signor Rosso comincia con un insulto, ma poi diventa comico: perché?

3. Termina la lettura.

a. Elenca le informazioni sul tipo di abitanti dello stabile di via Ungaretti.

b. Il comportamento del signor Rosso descritto in questa parte modifica o conferma la descrizione precedente? Come lo definiresti?

☐ misantropo
☐ prepotente
☐ razzista
☐ maschilista
☐ maleducato

c. L'opinione di Lule sul signor Rosso getta una nuova luce sull'uomo. Quale?

4. Riconsidera l'intero testo.

a. A che situazione sociale ti fanno pensare i fatti descritti?

b. Che nuovi significati aggiungono, alla seconda parte del testo, le seguenti tre informazioni?

- Il romanzo è ambientato a Trieste.
- È stato pubblicato nel 2007.

- È opera di una scrittrice indiana, nata a Bombay, ma residente a Trieste.

c. In che misura ti identifichi con la protagonista quando dice: «Mi trovavo in Italia da pochi giorni e non capivo bene la lingua, per di più ero giovane e ingenua»? Ti sei mai trovato/a in una situazione simile in un Paese di cui non parli bene la lingua? Racconta la tua esperienza, soffermandoti sui tuoi sentimenti e reazioni e sull'atteggiamento degli altri.

PAROLE e CULTURA

Integrazione: le due facce della medaglia

Il problema della casa resta centrale e complesso nel processo di integrazione degli immigrati in Italia. Lungi dall'essere un problema risolto, continuano a coesistere situazioni critiche, che si creano di volta in volta, e numerose realtà positive, in cui si è cercato di creare le condizioni per garantire a tutti una casa dignitosa.

Il muro di via Anelli

La vicenda di via Anelli, una strada situata in una zona periferica della città di Padova, ha riguardato cinque condomini di piccoli appartamenti costruiti negli anni Settanta per gli studenti universitari. Per la loro posizione relativamente periferica e per la grande economicità, i palazzi cominciarono a ospitare una quantità sempre crescente di stranieri e, alla fine degli anni Novanta, quasi tutti gli italiani avevano abbandonato le proprietà. Con il tempo nella zona presero forma diverse attività legate al traffico di droga e alla prostituzione. Per rendere possibile il controllo degli edifici da parte delle forze dell'ordine, nell'agosto del 2009 l'amministrazione comunale decise di innalzare una recinzione lunga circa 80 metri e alta 3. Il muro fu oggetto di feroci critiche da parte dei media anche a livello internazionale e qualche giornalista lo paragonò al muro di Berlino, che riduceva via Anelli a un ghetto, frutto di

● Il muro di via Anelli.

intolleranza e discriminazione.
Gli interventi delle forze dell'ordine non riuscirono di fatto a cambiare la situazione e i cinque edifici furono in seguito interamente liberati e alcuni appartamenti murati per evitarne la rioccupazione.

I tetti colorati

Con il finanziamento del Ministero dell'Interno e del Fondo Europeo per l'Immigrazione, la provincia di Ragusa, in Sicilia, nel settembre del 2013 ha dato il via al progetto "I tetti colorati" rivolto agli immigrati, che mira a soddisfare il bisogno di un'abitazione che non sia precaria. Il progetto comprende l'apertura di uno sportello per il pubblico a cui rivolgersi per avere informazioni sulla disponibilità del mercato della casa e sulle procedure da seguire, un'agenzia gratuita per mettere in contatto chi cerca una casa in affitto o da comprare e chi vuole vendere o affittare. Sono chiari gli obiettivi del progetto: assicurare il rispetto del diritto alla casa e favorire i rapporti tra gli immigrati e la popolazione locale.

● Ragusa.

L'Italia fra emigrazione e immigrazione

Gli italiani che sono emigrati a partire dall'Ottocento hanno, per più di un secolo, fornito manodopera in numerosissimi Paesi stranieri, fino al secondo dopoguerra, quando si è aggiunto un forte flusso migratorio anche interno, dalle regioni meridionali verso quelle settentrionali.

A partire dagli anni Ottanta del Novecento si è verificata un'inversione di tendenza che ha trasformato l'Italia da Paese di emigrazione a uno di immigrazione. Il fenomeno è stato favorito anche dal fatto che l'Italia, per la sua posizione geografica, è spesso il primo punto di approdo in Europa. Molti cittadini provenienti dai Paesi dell'Africa, e in parte del Medio Oriente, hanno finito per stabilirsi da noi perché l'accesso ad altri Paesi europei, che offrivano migliori condizioni di lavoro, era ostacolato da norme d'ingresso più restrittive. Il fenomeno, iniziato con l'arrivo di collaboratrici/collaboratori domestici, principalmente dalle Filippine, si è ben presto esteso a varie nazionalità.

La collocazione geografica dell'Italia, ai confini dell'Unione Europea sia a sud che a est, la difficoltà di controllare tutte le coste, la presenza di malavita organizzata che sfrutta l'occasione, con le modalità di una "nuova tratta di schiavi", hanno favorito entrate sempre più massicce, tanto da rendere difficile valutare la reale presenza di stranieri in Italia, soprattutto alla luce dei molti clandestini e lavoratori in nero che vivono nel Paese.

Mentre in un primo tempo gli immigrati venivano facilmente assorbiti come manodopera in settori rifiutati dagli italiani, la crisi economica iniziata nel 2008 ha creato un clima di conflittualità, in contrasto con i principi comunitari di multiculturalità e multietnicità. In Italia il problema è aggravato da una mancanza di legislazione normativa organica nei riguardi dell'immigrazione, presente invece in altri Paesi. Nel novembre del 2007 il presidente della Repubblica Giorgio Napolitano ha sottolineato il problema in una dichiarazione pubblica, sollecitando la riforma della legge sulla cittadinanza dei figli di immigrati, nati o cresciuti in Italia.

Igiaba Scego — La mia casa è dove sono

Il fenomeno di immigrazione degli anni Ottanta è diventato subito oggetto di studi sociali. Il coinvolgimento degli immigrati che raccontano le loro esperienze ha dato inizio negli anni Novanta alla cosiddetta "letteratura della migrazione", cioè la produzione letteraria di scrittori stranieri che vivono in Italia e scrivono in lingua italiana. Il fenomeno si era già verificato, a partire dagli anni Cinquanta del Novecento, nei Paesi con un più antico passato coloniale, come ad esempio la Gran Bretagna.

La produzione letteraria migrante in Italia si differenzia però in quanto la lingua italiana non è un'eredità coloniale, ma una scelta di cultura. I primi scritti sono spesso autobiografici e parlano di violenza e di razzismo, di solitudine e della difficoltà di integrazione tra immigrati e cittadini italiani.

Questa letteratura si sta evolvendo anche in forme diverse dal romanzo, arricchendosi con altre tradizioni letterarie e artistiche. Sta diventando anche uno stimolo per approfondire la storia del passato migratorio italiano, che tende a essere rimosso, perché si tratta di una storia dolorosa e per molti aspetti non diversa da quella di tanti immigrati senegalesi, albanesi, nigeriani e cinesi.

Al tempo stesso il fenomeno dell'emigrazione italiana non si è esaurito. Oggi gli italiani sono ancora al primo posto tra i migranti comunitari, con una prevalenza di partenze dall'Italia meridionale e insulare, con la regione Sicilia al primo posto. Quello che è cambiato è il livello sociale e culturale di gran parte degli emigranti, che sono spesso laureati che non trovano sbocchi di lavoro nell'industria o nella ricerca. La cosiddetta "fuga dei cervelli" dei giovani che nel 2004 toccava il 25% è salita dopo tre anni a quasi il 38%.

◉ Cittadini italiani residenti all'estero

Dove sono

4 341 156 (7,3% dei circa 60 milioni di italiani residenti in Italia, +3,1% rispetto al 2012)

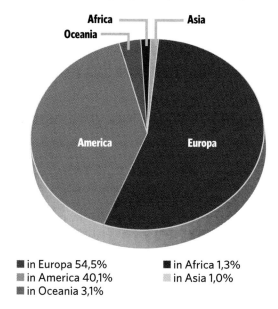

- in Europa 54,5%
- in America 40,1%
- in Oceania 3,1%
- in Africa 1,3%
- in Asia 1,0%

Da dove sono partiti

- 32% dal Nord
- 15,0% dal Centro
- 52,8% dal Sud

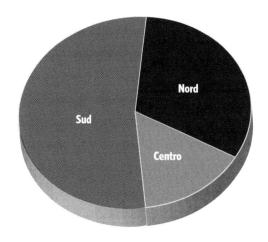

(dati tratti dal *Rapporto italiani nel mondo 2013*, Fondazione Migrantes)

Le figure retoriche

Le figure retoriche sono accorgimenti linguistici usati dagli scrittori per creare un particolare effetto di significato o di suono nella comunicazione letteraria.
Nella tabella che segue riportiamo la descrizione di alcune figure molto importanti e largamente usate.

figura retorica	descrizione	esempio
iperbole	Consiste nell'esagerare una descrizione attraverso l'uso di espressioni volutamente eccessive che ne amplificano il significato dando una visione alterata della realtà.	Fu così, camminando per ore lungo le **interminabili** strade di downtown che sembrano non condurre a niente, che ci ritrovammo a Little Italy. Non era un quartiere abitato, né vivo – piuttosto un museo, un teatro. M. Mazzucco, *Vita*, p. 229

ZOOM SULLA LINGUA

metafora	Consiste nel sostituire un termine con un altro che ha un diretto rapporto di somiglianza con il termine sostituito e ne assume il significato.	Rivedere oggi quelle immagini, che fecero il giro del mondo **rimbalzando** sui satelliti della CNN e delle altre televisioni [...]. G. Carofiglio, *Né qui né altrove: una notte a Bari*, p. 245
personificazione	Consiste nell'attribuire azioni o qualità umane a idee astratte, oggetti e animali.	Era una notte che pareva fatta apposta, un'oscurità cagliata che a muoversi quasi se ne sentiva il peso. E faceva spavento, **respiro di quella belva che era il mondo**, il suono del mare: un respiro che veniva a spegnersi ai loro piedi. L. Sciascia, *Il lungo viaggio* 🅘🅦
similitudine	Consiste nel paragonare due termini mettendone in evidenza un elemento comune. Il collegamento tra i due termini avviene con il *come* o forme simili: *tale, simile a, sembra, pare*. Si usa per chiarire un concetto, o per dare maggiore vivacità a ciò di cui si parla.	Vista d'inverno, quando a Torino si accendono le Luci d'Artista, **sembra una torta nuziale**. G. Culicchia, *Torino è casa mia*, p. 222

1. Leggi le frasi tratte da alcuni testi di questo capitolo e indica quale figura retorica contengono tra le due che indichiamo tra parentesi.

a. Cercavamo casa schiacciati dalla fama d'essere «sporchi come maiali». (*iperbole / similitudine*)

G.A. Stella, *L'orda: quando gli albanesi eravamo noi*, p. 236

b. Lavoravo nove, dieci mesi come un mulo, a testa abbassata. Non guardavo né avanti né indietro, ma giù la terra e ne ingoiavo la polvere. (*similitudine / personificazione*)

C. Abate, *La festa del ritorno*, p. 240

c. «Vieni a cercarmi in America, sanguisuga: magari ti ridò i tuoi soldi, ma senza interesse, se ti riesce di trovarmi.» (*metafora / personificazione*)

L. Sciascia, *Il lungo viaggio* 🅘🅦

d. La feccia del pianeta, questo eravamo. [...] Venivamo martellati da campagne di stampa indecenti che ci dipingevano come «una maledetta razza di assassini». (*iperbole / metafora*)

G.A. Stella, *L'orda: quando gli albanesi eravamo noi*, p. 236

e. [...] e scaricò nel porto di Bari un mare umano di quindicimila albanesi (avete letto bene; quindicimila, tutti su una sola nave) in fuga dal regime che si stava sbriciolando. (*similitudine / iperbole*)

G. Carofiglio, *Né qui né altrove: una notte a Bari*, p. 245

2. Leggi il testo e indica il tipo delle figure retoriche sottolineate.

La cosa che più lo turbava, in quella notte di viaggio verso il Nord, un viaggio senza ritorno che marcava <u>come un taglio di cesoia</u> il rifiuto rabbioso per quella sua isola che amava e odiava <u>come si può amare e odiare solo una donna di sorridente crudeltà</u>, era proprio quel passaggio senza tappe <u>dalle ginestre al carpino, dal cannolo al clinto, dal marzapane alla polenta</u>. Aveva visto dal finestrino Reggio di Calabria e Salerno e Napoli, e a Roma era riuscito appena a scendere due minuti per bere alla fontanella sui binari e ogni volta aveva giurato che lì, un giorno o l'altro, smaltito il rancore per il suo paese e la Sicilia e tutto il Mezzogiorno, sarebbe dovuto tornare.

G.A. Stella, *Il maestro magro*, p. 225

Palestra linguistica

1. LESSICO RELATIVO ALLA CONVIVENZA DI PERSONE DI ORIGINE DIVERSA IN UNA SOCIETÀ **Abbina le seguenti parole alle spiegazioni corrispondenti.**

a. ☐ inserimento
b. ☐ integrazione
c. ☐ accoglienza
d. ☐ inclusione
e. ☐ intercultura
f. ☑ multiculturalismo

1. la coesistenza di culture diverse all'interno della stessa società
2. il considerare le persone che provengono da Paesi diversi membri della stessa comunità
3. l'incontro tra culture diverse
4. l'entrare a far parte di una comunità
5. l'insieme delle modalità secondo le quali istituzioni e persone ricevono gli immigrati nel proprio Paese
6. l'armoniosa convivenza di gruppi etnici diversi all'interno di una comunità

2. PREFISSI *multi-* E *inter-* **I prefissi *multi-*, che sta per *molti*, e *inter-*, che sta per *tra*, uniti ad alcuni aggettivi, come per esempio *etnico*, *razziale*, *mediale*, *nazionale*, *continentale*, *urbano*, formano altri nuovi aggettivi. Usa i due prefissi per formare dei nuovi aggettivi e poi spiegane il significato.**

....

....

....

....

3. PREFISSO *ri-* **T7** P. 240 **Il prefisso *ri-*, che esprime la ripetizione di un'azione, entra nella formazione di numerosi verbi. Ne trovi alcuni esempi nel testo di Abate a p. 240. Completa le frasi con uno dei verbi elencati di seguito, modificati dal prefisso *ri-*, come nell'esempio.**

conquistare / abbracciare / lanciare / fluire / lavare / cominciare / trovare / pulire / costruire

a. Gli italiani hanno **riconquistato** il primato nella moda.

b. Ho dovuto .... la camicia perché la macchia non era andata via.
c. L'acqua cominciava a .... nel canale di raccolta.
d. Abbiamo .... a frequentare il corso di pittura.
e. Luigi ha .... la palla oltre la linea.
f. Hanno .... il ristorante proprio come era una volta.
g. Avevano .... il salone da ogni traccia della festa.
h. La mamma ha .... il sorriso e la gioia della giovinezza.
i. Non vedevo l'ora di .... i miei figli.

4. PREFISSO *dis-* **T10** P. 245 **Con l'aggiunta del prefisso *dis-* si possono formare sia nomi che aggettivi di significato contrario alla parola base.**
Completa le frasi inserendo correttamente il contrario dei seguenti aggettivi, formato con l'aggiunta del prefisso *dis-*.

organizzato / agiato / adorno / educativo / onesto / onorato / simile / attento

a. È stato .... da parte tua non dire come stavano le cose.
b. Si sentì .... quando la notizia di quello che aveva fatto si diffuse in tutto il paese.
c. La crisi economica ha reso .... molte persone che prima non lo erano.
d. Il modo di fare dei due fratelli era molto ...., ma c'era qualcosa che li accomunava.
e. Il suo modo di vestire era .... e un po' sciatto e gli dava un'aria triste.
f. Scusami, non ho sentito quello che dicevi, ero ....
g. Il suo esempio era fortemente ....
h. Il viaggio non è andato bene perché era troppo ....

5. PREFISSI *in-* E *an-* Altri prefissi che servono a fare il contrario degli aggettivi sono *in-* e *an-*. Forma il contrario dei seguenti aggettivi scegliendo tra i prefissi *dis-*, *in-*, *an-*. Quando usi *in-*, fa' il cambiamento se necessario.

felice	
abile	
continuo	
credibile	
agevole	
alcolico	
utile	
abbagliante	
riconoscibile	

6. MODI DI DIRE CON PAROLE CHE RIGUARDANO PARTI DEL CORPO **T7** P. 240, **T11** P. 250 Completa i modi di dire, di cui ti diamo di seguito la spiegazione, scegliendo tra le parole elencate.

mente / testa / cuore / bocca (x2) / lingua / occhio / mani

a. non aprire ...., cioè essere silenzioso
b. mettersi le .... nei capelli, cioè essere disperato
c. essere senza ...., cioè essere crudele
d. tenere d'.............., cioè controllare
e. avere la .... lunga, cioè parlare molto
f. far girare la ...., cioè fare innamorare qualcuno
g. avere la .... amara, cioè essere deluso
h. tornare in ...., cioè ricordarsi

7. SUFFISSI *-ante* E *-ente* Completa con gli aggettivi mancanti, come nell'esempio.

a. chi emigra → emigrante
b. chi parla → ....
c. chi non ode → ....
d. chi convive → ....

e. chi commercia → ....
f. chi non vede → ....
g. chi naviga → ....
h. chi scrive → ....
i. chi perde → ....

8. FORMAZIONE DI PAROLE Completa la tabella con le parole mancanti.

nome	verbo
arrivo	arrivare
partenza	
	approdare
	scomparire
discesa	
corsa	
	sbarcare
imbarco	
	trasferire

9. USO DEL CONGIUNTIVO PRESENTE Completa le frasi inserendo la forma corretta del congiuntivo presente del verbo tra parentesi.

a. Dite loro che .... (*aspettare*).
b. Non che io lo .... (*frequentare*) spesso.
c. È raro che lui .... (*rivolgersi*) a me.
d. Qualche volta capita che io ci .... (*scambiare*) quattro chiacchiere.
e. È probabile che Paola .... (*arrivare*) in tempo per la cena.
f. Non posso credere che tu .... (*dare*) ragione a tuo fratello.

10. USO DEL CONGIUNTIVO IMPERFETTO Completa le frasi, riferibili ai testi del capitolo, inserendo la forma corretta del congiuntivo imperfetto del verbo tra parentesi.

a. Mi sentivo a casa più di quanto .... (*credere*).
b. Era come se Marco lo .... (*vedere*) per la prima volta.

c. Ero curioso di sapere come _____ (*essere*) la sua vita laggiù.

d. Ci aveva detto chiaramente quanto non _____ (*sopportare*) più di vedere il figlio disoccupato.

e. Non vorrei che la moglie si _____ (*fare*) illusioni sulle sue intenzioni.

f. Cercarono un cartello stradale che _____ (*dire*) loro dove erano approdati.

11. Uso del congiuntivo **Completa le frasi inserendo la forma corretta del congiuntivo del verbo tra parentesi.**

a. Con il primo stipendio che prenderai, vorrei che tu mi _____ (*regalare*) un nuovo telefonino.

b. Non vorrei che tutti in paese _____ (*continuare*) a prenderlo in giro.

c. Che _____ (*essere*) proprio vero che nelle piccole città di provincia americane tutti hanno la piscina?

d. Dicevano che non _____ (*esserci*) lavoro per un uomo onesto.

e. Si vestiva sempre in maniera molto elegante, non come se _____ (*dovere*) andare in ufficio ma a una festa.

f. Nonostante _____ (*piovere*), andrò a fare una bella camminata in campagna.

12. Periodo ipotetico **Completa i periodi come nell'esempio.**

a. Se **sbaglio** (*sbagliare*), correggimi.

b. Se Mario _____ (*parlare*) di meno e _____ (*fare*) di più, sarebbe meglio.

c. Anche se _____ (*essere*) mezzanotte passata, la gente stava fuori nei bar a chiacchierare come se _____ (*essere*) pieno giorno.

d. Nonostante che _____ (*trovarsi*) nella sua città e con i suoi amici, sentiva addosso un senso di estraneità.

e. Benché _____ (*conoscersi*) da lungo tempo, ormai si erano persi di vista e non sapevano più nulla l'uno dell'altro.

f. Sebbene _____ (*essere*) tardi, vorrei arrivare fino al porto.

g. Forse era meglio che nessuno di noi _____ (*dire*) una parola.

13. Connettivi temporali **Scrivi una breve cronaca di un viaggio che hai fatto, usando le seguenti espressioni per scandire il tempo del racconto.**

Per cominciare: *prima di tutto, all'inizio, appena arrivati a..., in un primo momento*

Per proseguire: *poi, più tardi, dopo, allora, in un secondo momento*

Per finire: *alla fine, infine, per concludere*

L'Italia in giallo

I brani di questo capitolo coprono un periodo che va dagli anni Trenta del Novecento ai giorni nostri e appartengono tutti al genere giallo, termine con cui in Italia si indicano storie incentrate su un delitto e sulle indagini che portano alla scoperta dell'assassino. Il nome deriva dal colore della copertina della prima collana dedicata al genere, proposta dalla casa editrice Arnoldo Mondadori nel 1929, che era appunto giallo. I romanzi che appartengono a questo genere letterario, anche se sono molto diversi tra loro, hanno delle caratteristiche comuni, come un crimine avvolto nel mistero e raccontato in modo tale da tenere avvinti i lettori in un affascinante gioco di scoperta della soluzione dell'enigma. Considerato inizialmente come "letteratura popolare" in opposizione alla "letteratura alta", a partire dalla seconda metà del Novecento il genere è stato praticato anche da autori molto famosi.

Andrea Camilleri

Il ladro di merendine

Sellerio editore Palermo

1 Quali sono, secondo te, i giusti "ingredienti" di un buon giallo? Scegli fra i seguenti o aggiungine altri.

☐ la descrizione del delitto
☐ la trama avvincente
☐ il metodo investigativo
☐ l'ambientazione realistica
☐ la personalità del detective
☐ l'indagine psicologica
☐ altro ....

2 Elenca gli aspetti sociali che possono emergere da un romanzo giallo.

3 Quali aspetti differenziano i gialli letterari da quelli più popolari, secondo te?

☐ la complessità della trama
☐ lo stile di scrittura
☐ l'originalità della storia
☐ la scelta dell'ambiente
☐ i temi trattati

4 Quale pensi che sia la ragione che porta uno scrittore già famoso a scegliere di scrivere un giallo?

☐ Vuole dare più importanza al genere.
☐ Desidera comunicare le sue idee a un pubblico più ampio.
☐ Vuole mettere in evidenza la complessità della realtà.
☐ Desidera indagare l'animo umano.
☐ Altro ....

5 Leggi la scheda Parole e cultura nella pagina seguente. Quale degli aspetti elencati ti coinvolge di più nella lettura di un giallo?

La struttura del giallo

Il romanzo giallo o la *detective story*, come viene chiamato nel mondo anglosassone, patria d'origine di questo genere, è caratterizzato da un certo numero di elementi costanti che vengono combinati in un infinito numero di varianti in modo da rendere la situazione sempre nuova. La storia, di solito, parte da un delitto o crimine avvolto nel mistero e si sviluppa con l'indagine del detective o delle forze dell'ordine, allo scopo di scoprire il colpevole e risolvere il mistero.

Il **racconto** si basa sull'occultamento di informazioni, digressioni e depistaggi ed è caratterizzato dalla suspense, che deriva dalla tensione fra il racconto lineare degli eventi e i vari elementi formali che ne impediscono il flusso: descrizioni, dialoghi, commenti narrativi, interventi e ipotesi errate di un personaggio depistante. Il lettore è coinvolto nel gioco della scoperta del "chi, come, quando e perché".

I **personaggi** fissi del giallo, oltre agli autori del crimine, sono l'investigatore, l'eventuale personaggio spalla come il Dottor Watson in *Sherlock Holmes* e l'antagonista. Il **detective**, privato o istituzionale, è in genere un personaggio che pur incarnando i valori sociali e morali di un'epoca è, tuttavia, in qualche modo, al di sopra o al di fuori della norma. Non sempre è una figura eroica, anzi spesso veste i panni dell'antieroe.

L'**ambiente** del giallo è molto importante perché può descrivere delle realtà storiche o sociali e suscitare in maniera diversa l'interesse dei lettori: stimolando la curiosità, se la storia avviene in periodi o Paesi lontani, oppure fornendo una chiave per comprendere il mondo attuale, se legato alla realtà in cui si vive.

La tipologia del **crimine**, i modi di indagine, il funzionamento del sistema giudiziario riflettono il cambiamento della percezione sociale di questi temi. Ai delitti per rapina o vendetta si aggiungono delitti per droga, sfruttamento della prostituzione, complotti politici, malavita organizzata e non sempre la giustizia finale è assicurata.

● Sherlock Holmes, il famoso detective creato da Arthur Conan Doyle alla fine del XIX secolo.

 Augusto De Angelis

Il banchiere assassinato

Augusto De Angelis (1888-1944), scrittore e giornalista, pubblica il suo primo romanzo giallo, *Il banchiere assassinato*, nel 1935. Il protagonista è il commissario della Squadra Mobile di Milano Carlo De Vincenzi, che compare anche in romanzi successivi. Nonostante la fama dello scrittore, la censura fascista impone il sequestro delle sue opere e, nel 1943, De Angelis viene arrestato con l'accusa di antifascismo. Liberato dopo pochi mesi, muore qualche giorno dopo il rilascio, in seguito a un pestaggio fascista. La sua opera, a lungo dimenticata, viene fatta rivivere tra il 1974 e il 1977 grazie a una serie di sceneggiati televisivi mandati in onda dalla Rai, in cui il commissario De Vincenzi è impersonato da un famoso attore dell'epoca, Paolo Stoppa (1906-1988). Nel 2000 la casa editrice Sellerio inizia la ripubblicazione di alcuni suoi romanzi polizieschi.

⦿ Verso il testo

1. Leggi la scheda Parole e cultura.

   a. Che regole dovevano seguire gli autori di gialli in epoca fascista?

PAROLE *e* CULTURA

Il genere giallo e l'epoca fascista

Durante gli anni del regime fascista (1922-43), il Ministero della Cultura Popolare temeva il possibile cattivo influsso delle storie di genere giallo sui giovani, tanto che arrivò a stabilire delle regole che gli autori dovevano seguire: l'assassino non doveva mai essere italiano; il bene doveva trionfare sempre sul male; il colpevole, alla fine, doveva essere catturato da una polizia efficiente. Nel 1941 la collana "I libri gialli" della Mondadori fu soppressa e la censura culminò nel decreto legge del 1943 che vietava la pubblicazione di nuovi gialli e ne decretava il sequestro. Nonostante le severe restrizioni, la produzione di gialli continuò. La collana della Mondadori ritornò sul mercato nel 1947, con una serie di libri che avevano come protagonista l'avvocato americano Perry Mason.

2. Abbina i verbi ai significati corrispondenti.

<table>
<tr><td>a. ☒ trasalire</td><td>1. parlare articolando male le sillabe, con interruzioni ed esitazioni</td></tr>
<tr><td>b. ☐ fissare</td><td>2. diventare bianco in faccia</td></tr>
<tr><td>c. ☐ impallidire</td><td>3. fare una serie di domande a una persona</td></tr>
<tr><td>d. ☐ mormorare</td><td>4. fare un salto per un'improvvisa emozione</td></tr>
<tr><td>e. ☐ mentire</td><td>5. guardare con insistenza</td></tr>
<tr><td>f. ☐ balbettare</td><td>6. dire una bugia</td></tr>
<tr><td>g. ☐ avere un sobbalzo</td><td>7. parlare a voce molto bassa</td></tr>
<tr><td>h. ☐ interrogare</td><td>8. fare un movimento improvviso, come un salto</td></tr>
</table>

3. A chi associ i verbi dell'esercizio precedente? Completa la tabella.

commissario di Polizia	persona sospetta/testimone

*Il commissario De Vincenzi sta indagando su un delitto in cui è coinvolto
un suo ex compagno di scuola, Giannetto Aurigi.*

Ebbene, che altro c'era da fare? De Vincenzi doveva alzarsi, ringraziare,
scusarsi e andarsene.
«Mi perdoni d'averla disturbata. Ho interrogato lei come tutti gli altri
inquilini della casa. La notte scorsa è stato commesso un delitto qui dentro...»

5   Il giovane trasalì.
«Un delitto?», chiese.
«Già. È stato ucciso un uomo. Il banchiere Garlini. Lo conosceva?»
«No, davvero!», rispose, ma il commissario sentì che la voce aveva avuto un
piccolo fremito *[agitazione improvvisa]*, una esitazione.

10   Allora, aggiunse, fissandolo:
«È stato ucciso in casa di Giannetto Aurigi».

● Il palazzo
di giustizia
di Milano,
costruito
negli anni
del Fascismo.

Questa volta il giovane ebbe un sobbalzo. Così violento ed improvviso, che la tavola a cui si appoggiava ne tremò. E impallidì. Bianco di cera, si fece. E con quei suoi lineamenti[1] sottili, aristocratici, il pallore gli diede subito l'aspetto di un ammalato.

«Conosce il signor Aurigi?»

«No», mormorò.

Mentiva. Era tanto evidente che mentiva, che lui stesso ebbe paura della propria menzogna e s'affrettò a balbettare:

«Voglio dire... Lo conosco di nome... L'ho incontrato qualche volta per le scale...»

«Dove si trovava, la notte scorsa, lei?», chiese freddamente De Vincenzi.

(A. De Angelis, *Il banchiere assassinato*, Sellerio, Palermo 2009)

---

1. lineamenti: tratti del viso.

se ti è piaciuto, leggi anche... A. De Angelis, *L'impronta del gatto*

Attività

1. Leggi il brano.

a. Perché De Vincenzi ricomincia a interrogare l'inquilino?

b. Sottolinea le parole e le espressioni che rivelano le reazioni dell'interrogato. Da che punto di vista sono descritte?

2. Rileggi il brano ed esamina il comportamento di De Vincenzi.

a. Descrivi con parole tue come cambia l'atteggiamento del commissario nel corso del brano. Elenca nella tabella le azioni del commissario che indicano i suoi diversi atteggiamenti. Segui l'esempio.

azione	che cosa indica
Decide di alzarsi, ringraziare, scusarsi e andarsene. Chiede scusa per il disturbo.	Pensa di avere finito e di non avere più niente da fare lì.

b. Rileggi le parole e le espressioni che si riferiscono alla reazione dell'interrogato. Che impressione ne ricavi?

☐ Il giovane è colpevole.

☐ Il giovane ha paura.

☐ Il giovane non è colpevole, ma ha qualcosa da nascondere.

c. Dal modo in cui si svolge l'interrogatorio, che cosa puoi dedurre sull'indagine del commissario De Vincenzi? Su che cosa si basa il suo metodo di indagine?

☐ sull'intuizione personale

☐ sull'analisi delle prove

☐ sull'analisi psicologica

● Milano, piazzale Loreto negli anni Quaranta, dove fu esposto il corpo di Mussolini nel 1945.

T 2 Gianrico Carofiglio

Testimone inconsapevole

Gianrico Carofiglio nasce a Bari nel 1961. Dopo aver esercitato la magistratura ed essere stato anche sostituto procuratore antimafia a Bari, lascia le cariche istituzionali e si dedica alla scrittura a tempo pieno. Scrive romanzi, racconti, saggi e sceneggiature. La trilogia dei gialli che ha come protagonista l'avvocato Guido Guerrieri ha un grande successo. Fra le sue opere ricordiamo i romanzi *Il passato è una terra straniera* (2004), *Né qui né altrove: una notte a Bari* (2008), una rivisitazione della città fra presente e passato, e *Il bordo vertiginoso delle cose* (2013).

◉ Verso il testo

1. Se non lo conosci, cerca il significato dei seguenti termini, che sono nel testo che leggerai. Poi inseriscili nella categoria giusta nella tabella qui sotto.

carcere / custodia cautelare / difesa / giudice per le indagini preliminari / omicidio / ordinanza / sequestro di persona / spacciatore

reati	persone	azioni e decisioni in tribunale	luoghi

2. Nel brano che proponiamo è un avvocato a condurre le indagini. Crea una rete di parole, usando quelle elencate nell'attività precedente e altre che conosci.

L'avvocato Guerrieri, protagonista del romanzo, va nel suo studio, dove deve ricevere una signora per una causa di separazione.

>> mp3
traccia **32**

Lei aveva scelto me come avvocato e quel pomeriggio l'aspettavo per definire i dettagli della difesa.
Quando arrivai Maria Teresa[1] mi disse che la megera[2] non era ancora arrivata. Invece da almeno
5 mezz'ora mi aspettava una donna di colore. Non aveva appuntamento ma – diceva – si trattava di una cosa molto importante. Come sempre.

Aspettava nella saletta. Sbirciai *[guardai]* dalla porta socchiusa e vidi una ragazza imponente[3], con una faccia
10 bella ma severa. Non doveva avere più di trent'anni.

Dissi a Maria Teresa di farla passare nella mia stanza di lì a due minuti. Mi tolsi la giacca, raggiunsi la scrivania, accesi una sigaretta e la donna entrò.

15 Aspettò che le dicessi di sedersi e con voce quasi priva di accento disse «grazie avvocato». Ero sempre in dubbio, con i clienti stranieri se usare il *tu* o il *lei*. Molti non capiscono il *lei* e la conversazione diventa surreale.

20 Dal modo con cui la donna disse «grazie avvocato» seppi subito che avrei potuto usare il *lei* senza alcuna preoccupazione di non essere compreso.

Quando le chiesi quale fosse il suo problema mi passò dei fogli spillati[4], con intestazione «Ufficio del giudice per le indagini preliminari[5], ordinanza di cu-
25 stodia cautelare[6] in carcere».

Droga, pensai immediatamente. Il suo uomo è uno spacciatore. Poi però, altrettanto rapidamente, mi parve impossibile.

Tutti noi procediamo per stereotipi[7]. Chi dice che non è vero è un bugiardo. Il primo stereotipo mi aveva suggerito la seguente sequenza: africano, custodia
30 cautelare, droga. Gli africani vengono arrestati soprattutto per questo motivo.

Subito però era entrato in azione il secondo stereotipo. La donna aveva un aspetto aristocratico e non sembrava la donna di uno spacciatore.

Avevo ragione. Il suo compagno non era stato arrestato per droga ma per il sequestro e l'omicidio di un bambino di nove anni.

(G. Carofiglio, *Testimone inconsapevole*, Sellerio, Palermo 2002)

---

1. Maria Teresa: è la segretaria e assistente dell'avvocato Guerrieri.
2. megera: donna di brutto aspetto e carattere maligno.
3. imponente: grande, alta e di costituzione robusta.

4. spillati: uniti con uno spillo o un punto metallico.
5. giudice per le indagini preliminari: detto anche "gip", interviene appunto nella fase iniziale delle indagini per garantirne la legalità.

6. custodia cautelare: carcerazione preventiva, che avviene cioè prima che l'imputato sia processato.
7. stereotipi: idee precostituite su persone o fatti.

 se ti è piaciuto, leggi anche... G. Carofiglio, *Ad occhi chiusi*

Attività

1. Leggi fino a riga 22.

a. Chi racconta la storia?

b. Elenca le informazioni che ricavi sull'avvocato Guerrieri fino a questo punto.

c. Completa il seguente breve riassunto sul dubbio che ha l'avvocato, cioè su come condurre la conversazione con la nuova cliente.

Il dubbio dell'avvocato è che (1) ....
....

perché (2) ....
....

Poi si rende conto che il suo è un dubbio inutile perché (3) ....
....

2. Termina la lettura.

a. Completa il seguente paragrafo che ricostruisce il pensiero dell'avvocato guidato da due forti stereotipi.

All'inizio l'avvocato Guerrieri pensa che il compagno della donna debba essere uno
(1) ....perché associa la nazionalità dell'uomo, che è
(2) .... , e il fatto che abbia ricevuto un'ordinanza di
(3) ....cautelare, alla (4) ....
Però cambia idea perché la donna ha un aspetto
(5) ....
e non sembra la compagna di uno (6) ....

b. Che tipo di persona emerge dai pensieri e dalle azioni dell'avvocato? Scegli tra i termini seguenti e poi motiva la tua risposta con degli esempi tratti dal testo.

☐ prevenuta
☐ progressista
☐ formale
☐ prepotente
☐ arrogante
☐ amichevole

3. Condividi le tue opinioni sull'affermazione del protagonista: «Tutti noi procediamo per stereotipi. Chi dice che non è vero è un bugiardo».

4. Qual è il tuo rapporto con l'uso del *tu* e del *Lei*? È difficile come crede l'avvocato Guerrieri? Racconta qualche esperienza concreta in cui questa o altre difficoltà linguistiche hanno provocato conversazioni "surreali" o divertenti.

 **T4** Laura Grimaldi

T3 »
Carlo Lucarelli,
Via delle oche
iW

Il sospetto

Laura Grimaldi (1928-2012) nasce vicino a Firenze e trascorre la maggior parte della sua vita a Milano. Traduttrice e consulente della casa editrice Arnoldo Mondadori per la letteratura inglese, diventa poi direttore responsabile di varie collezioni di narrativa, fra cui il "Giallo Mondadori". Firma moltissime traduzioni di libri polizieschi, genere di cui è stata una dei maggiori esperti in Italia, e scrive, a sua volta, saggi, romanzi, testi per la televisione e sceneggiature per il cinema. Fra i suoi romanzi, tradotti in varie lingue, ricordiamo *Il sospetto* (1988), *La paura* (1993), *Profumo di casa* (1997) e *Faccia un bel respiro* (2012).

⚲ Verso il testo

1. Un delitto molto comune, di cui parlano spesso i gialli, è quello a sfondo sessuale. Chi sono in prevalenza le vittime?

2. Abbina i verbi ai significati corrispondenti.

a. ☐ artigliare
b. ☐ strattonare
c. ☐ graffiare
d. ☐ sussultare
e. ☐ contorcersi
f. ☐ aggrapparsi
g. ☐ infierire

1. fare movimenti di torsione per il dolore o per evitare un pericolo
2. afferrare con forza e ferire, come se si avessero artigli
3. agire con crudeltà e ferocia, accanirsi contro qualcuno
4. ferire con le unghie
5. attaccarsi con forza
6. fare un movimento improvviso per paura o per gioia
7. strappare violentemente, tirare bruscamente

3. Completa la tabella.

verbo	nome	aggettivo/participio passato
artigliare		
strattonare		
graffiare		
sussultare		
contorcersi		
aggrapparsi	–	

4. Guarda l'illustrazione e inserisci le didascalie.

cruscotto / freno a mano / parabrezza / finestrino / chiavi / fari

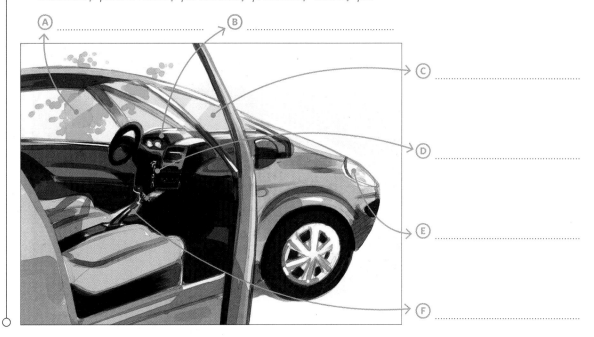

La città di Firenze è impaurita per una serie di delitti le cui vittime sono coppiette appartate in macchina. Il clima di terrore cattura anche Matilde, un'aristocratica vedova fiorentina che vive con il figlio Enea, scapolo timido e dipendente da lei. I particolari della cronaca cittadina coincidono con alcuni comportamenti del figlio e a poco a poco la donna comincia a sospettare di lui, divisa fra il desiderio di proteggerlo e quello di fermarlo.

» mp3
traccia **33**

Su una piazzuola a destra della strada per Certaldo[1], il novilunio[2] rende buio il cielo e l'oscurità inghiotte *[mangia]* ogni cosa. La vegetazione, che chiude da tre lati lo spazio in cui è posteggiata la macchina, è fitta. Sulla provinciale il traffico è ininterrotto, ma le sciabolate[3] di luce dei fari non arri-

5 vano a penetrare *[entrare dentro]* i cespugli. La ragazza è la prima a scorgere *[vedere]* la grande ombra prendere forma e avanzare verso la macchina.

È sul sedile posteriore e aspetta che il ragazzo la raggiunga.

Lui, chino *[piegato]* a cercare i fazzoletti di carta sotto il cruscotto, si sente artigliare i capelli dalle dita di lei, dà uno strattone per liberarsi e qualcosa gli

10 graffia la cute *[pelle]*. Sta per dire «sei pazza?», ma l'urlo della sua compagna è

---

1. Certaldo: cittadina della Toscana in provincia di Firenze.
2. novilunio: prima fase del ciclo luna-

re in cui la luna mostra alla terra la sua faccia scura.
3. sciabolate: colpi di sciabola, arma con

lama lunga e ricurva. Qui è un'espressione metaforica che descrive i fasci di luce che colpiscono come sciabole.

così alto e stridulo da comunicargli la paura. Vede anche lui l'ombra. Mette in moto con gesti scomposti, innesta [mette] la
15 retromarcia. Ma non si ricorda del freno a mano, e la macchina indietreggia sobbalzando con strappi violenti. L'ombra alza un braccio, lo tende, spara con-
20 tro il parabrezza, avanza a passi rapidi, più veloce della macchina, la raggiunge e appoggia una mano sul tetto, mentre con l'altra continua a sparare, questa
25 volta dentro il finestrino sinistro. [...]

La macchina esce dalla piazzuola, taglia di traverso la strada, ha un ultimo sussulto, fini-
30 sce nel fossato dalla parte opposta, a muso in giù.

Il corpo del ragazzo si contorce per tre volte, ad ogni proiettile che lo raggiunge. Uno si
35 conficca [entra] nei muscoli della spalla, gli altri due dritti nella testa. La ragazza viene colpita alla fronte, e l'unico gesto è

convulso e involontario: ritrae la mano con la quale si è aggrappata come in
40 cerca di protezione ai capelli di lui. La fibbia dell'orologio resta impigliata [bloccata] fra quei capelli, il cinturino si spezza, l'orologio cade sul tappetino. La grande ombra si ferma, ergendosi [alzandosi], in un'altezza che il bagliore [la luce abbagliante] dei fari accesi distorce [deforma] e allunga, proiettandola fin nel buio oltre la raggiera[4] di luce, rendendola enorme. Infila la mano attraverso il
45 finestrino fracassato[5], strappa le chiavi dal cruscotto, le scaglia lontano fra i cespugli. [...] Poi spara ancora, questa volta contro i fari, unici testimoni vivi del delitto.

L'uomo non indugia come le altre volte a infierire sul corpo della ragazza. Non estrae [tira fuori] la lama come negli omicidi precedenti per incidere la car-
50 ne tenera della sua vittima.

(L. Grimaldi, *Il sospetto*, Mondadori, Milano 1988)

---

4. **raggiera:** insieme di raggi.
5. **fracassato:** fatto a pezzi con violenza.

 se ti è piaciuto, leggi anche...   L. Grimaldi, *Profumo di casa*

◉ Attività

1. Leggi fino a riga 18.

  a. Riassumi brevemente i fatti seguendo la seguente scaletta.

> • chi sono i personaggi ....
>
> • dove sono ....
>
> • in quale parte della giornata avvengono i fatti ....
>
> • che cosa fa la ragazza ....
>
> • come reagisce il ragazzo ....
>
> • perché agisce così ....

  b. Che aspetto viene messo in evidenza nella descrizione dell'ambiente e che aspettative crea nel lettore?

  c. Che cosa trasmettono le personificazioni dell'oscurità che inghiotte e della vegetazione che chiude lo spazio?

  ☐ paura   ☐ violenza   ☐ immobilità

  d. Quali parole in particolare evidenziano lo stato d'animo e le reazioni dei protagonisti?

2. Termina la lettura.

  a. Riassumi i fatti.

  b. Quale informazione nel brano rivela che il criminale è un serial killer?

  c. In che modo il crimine è diverso da quelli precedenti?

3. Riconsidera l'intero testo ed esamina lo stile e il linguaggio.

  a. In quale parte il narratore descrive maggiormente l'atmosfera e le sensazioni soggettive, e in quale invece insiste sui fatti e sui dettagli?

  b. Quali dei seguenti aggettivi sceglieresti per definire il linguaggio usato nelle varie parti?

  ☐ emotivo   ☐ figurato
  ☐ preciso   ☐ gergale
  ☐ dettagliato

  c. Da che punto di vista è descritta la scena? È un punto di vista fisso o mobile? In che modo il punto di vista influenza il lettore?

  ☐ Crea suspense.
  ☐ Rende le immagini più vive.
  ☐ Rende la narrazione obiettiva.

4. Nella cronaca del tuo Paese sono frequenti delitti simili a quello descritto nel brano? Raccontane qualcuno.

◉ Panorama di Certaldo.

T5 Andrea Camilleri

La danza del gabbiano

Nato a Porto Empedocle (Agrigento) nel 1925, Andrea Camilleri inizia a lavorare come regista teatrale negli anni Cinquanta. In seguito, segue per la Rai la produzione di sceneggiati che hanno molto successo, fra cui i gialli con il tenente Sheridan e le inchieste del commissario Maigret. Nel 1978 inizia a pubblicare i primi libri di narrativa. Nel 1980 firma il primo romanzo ambientato a Vigata, un'immaginaria cittadina siciliana che è lo sfondo di molti suoi romanzi ed è il paese del commissario Montalbano: il personaggio nasce nel 1994 e ha subito un grandissimo successo.
I libri che lo hanno come protagonista diventano best seller e da alcuni vengono realizzati adattamenti televisivi. La vastissima produzione dello scrittore include anche romanzi storici e biografie romanzate di pittori.

Verso il testo

1. Guarda l'immagine. Quale pensi che sia l'ambientazione della storia?

2. Le seguenti parole sono presenti nel testo che leggerai. Confermano o cambiano l'ipotesi che hai fatto nell'attività precedente?

quarto piano / reparto / stanza 6 /
pazienti / operato alla testa / ricoverato

3. Usa i vocaboli dell'attività precedente per scrivere una breve scena di un romanzo giallo.

● Una scena della serie televisiva *Il commissario Montalbano*.

4. Quali di questi aggettivi useresti per descrivere un buon detective?

- ☐ aggressivo
- ☐ ambiguo
- ☐ cauto
- ☐ comprensivo
- ☐ diretto
- ☐ formale
- ☐ freddo
- ☐ incalzante
- ☐ informale
- ☐ rabbioso
- ☐ sarcastico
- ☐ severo

Un agente della squadra di Montalbano, Fazio, è scomparso. Durante le ricerche si scopre un cadavere da cui parte una complessa indagine. Nel brano seguente Montalbano è con un'infermiera dell'ospedale in cui era stato ricoverato Fazio e dove è stato visto l'ultima volta prima di scomparire.

«Ho capito che c'era qualcosa che non funzionava già dal nostro primo incontro. Hai fatto un grosso errore».

«Quale?»

«Vedi, Angela, tu mi hai domandato chi cercavo. E io ti ho risposto che volevo
5 andare a trovare un amico che avevano operato alla testa e che si chiamava Fazio. Tu allora mi hai portato subito al quarto piano».

«E dove dovevo portarti? Lo sai come sono fatti gli ospedali? A reparti. Se tu mi dici che il tuo amico è stato operato alla testa, io so già che è ricoverato al quarto piano, nel reparto del professor Bartolomeo!»

10 «Giustissimo. Ma come facevi a sapere che stava nella stanza 6? Non ti sei consultata con nessuno, m'hai portato dritta dritta davanti alla porta giusta! O mi vuoi far credere che sai a memoria il posto di ognuno dei trecento pazienti di quell'ospedale?»

La picciotta si muzzicò il labbro e non replicò nenti.

Stavano assittati nella càmmara di mangiari, con la porta-finestra chiusa.

15 Angela era annata in bagno e si era tanticchia *[un po']* rinfrescata. E il commissario si era rimittuta la cammisa e macari lui si era annato a lavari la facci, sudatizza per la scena recitata.

«In quello stesso giorno, nel dopopranzo *[pomeriggio]*, sono tornato con la mia macchina e non con quella di servizio, come avevo fatto in mattinata. Ma tu sapevi che
20 ero venuto con la mia auto. Ne hai accennato quando abbiamo stabilito come venire qua a Vigàta. Come facevi a saperlo? Il parcheggio è lontano dall'ospedale, dalle finestre non si vede, qualcuno perciò deve certamente averti informata. È così?»

Angela fici 'nzinga *[segno]* di sì con la testa.

«Altro errore: l'addetta anziana al bancone non sapeva assolutamente dove Fa-
25 zio era stato trasferito. Tu, davanti ai miei occhi, sei andata a informarti con lei e sei tornata guidandomi fino all'ascensore che portava appunto all'attico. Quindi eri già a conoscenza di dove era stato portato Fazio, ma hai fatto un po' di teatro[1] per convincermi che l'informazione te l'avesse data l'addetta anziana. È così?»

«Sì».

---

1. hai fatto un po' di teatro: *fare un po' di teatro* significa recitare un po', fare finta, per portare qualcuno su una falsa pista.

30 «Ultimo errore più grosso degli altri. Quando ti ho dato le chiavi della mia macchina che avevo messo in una posizione difficile da trovare, ti ho dato un numero di targa completamente diverso da quello che ho. Io, arrivando, ti ci ho trovato dentro. Segno che conoscevi così bene la mia macchina attraverso la descrizione che te ne avevano fatta che non hai nemmeno guardato la targa».

35 Montalbano si versò tanticchia di whisky.

«Danne un poco anche a me, ti assicuro che non sono più in grado di sbronzar-mi [ubriacarmi]», fici [fece] Angela.

Il commissario glielo detti [diede].

«Come hanno fatto a tirarti dentro a 'sta [questa] storia?»

40 Lei si pigliò [prese] la testa tra le mano e non arrispunnì [rispose].

(A. Camilleri, *La danza del gabbiano*, Sellerio, Palermo 2009)

 se ti è piaciuto, leggi anche... A. Camilleri, *La pazienza del ragno*

Attività

1. Leggi fino a riga 12.

   a. Riassumi con parole tue il primo errore fatto dall'infermiera.

   b. Che cosa dimostra questa parte del dialogo? Che Montalbano
- ☐ tira a indovinare.
- ☐ basa il suo ragionamento sull'analisi scientifica dei fatti.
- ☐ vuole che l'infermiera sia colpevole.

2. Leggi la parte di testo ricca di espressioni dialettali fino a riga 17.

   a. Ricomponi la parafrasi in italiano mettendo in ordine le seguenti frasi.
- ☐ Montalbano si era rimesso la camicia
- ☒ La ragazza si morse il labbro
- ☐ e anche lui era andato a lavarsi la faccia, sudata per la scena recitata.
- ☐ e non disse niente.
- ☐ Erano seduti nella camera da pranzo.
- ☐ Angela era andata in bagno e si era rinfrescata un po'.

   b. L'espressione «la scena recitata» di riga 17 conferma o cambia la tua risposta alla domanda 1b?

3. Termina la lettura.

   a. L'interrogatorio ha lo scopo di scoprire i fatti o di trarre conferma dei fatti? Cita esempi per le tue risposte.

   b. Riassumi gli errori fatti da Angela e le osservazioni e deduzioni che portano Montalbano a smascherarli.

errore di Angela	deduzioni di Montalbano

   c. Che aspetti del carattere del commissario emergono? Indica gli aggettivi che useresti per descriverlo.

4. Considera la lingua del testo. In quali parti l'autore usa il dialetto, in quali l'italiano? Che effetto crea sul lettore?

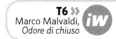
T6 »
Marco Malvaldi,
Odore di chiuso

T7 Maurizio De Giovanni

Vipera

Maurizio De Giovanni nasce a Napoli nel 1958. Nel 2005 vince un concorso per scrittori di gialli, con un racconto che vede come protagonista il commissario Ricciardi, ambientato nella Napoli degli anni Trenta. Il commissario, dotato del potere di percepire gli ultimi pensieri delle vittime, diventa poi il protagonista di una serie di romanzi, tra cui *Il senso del dolore* (2007), *La condanna del sangue* (2008), *Il giorno dei morti* (2010), *Vipera* (2012).
Nel 2012 dà inizio a una nuova serie di racconti polizieschi, ambientata ai giorni nostri, con al centro un nuovo personaggio, l'ispettore Lojacono. I romanzi con Ricciardi hanno grande successo di pubblico e sono tradotti in molti Paesi europei.

⬤ Verso il testo

1. Completa il testo che descrive l'ispettore Ricciardi inserendo correttamente le parole dell'elenco seguente.

liberavano / mani / posto / tasca / attraversava / capelli / occhi / diritto / donna

Luigi Alfredo Ricciardi era di statura media, magro. Scuro di pelle, gli **(1)** .... verdi che risaltavano sul viso; i **(2)** .... neri, pettinati all'indietro e lisciati con la brillantina *[crema per rendere lucidi i capelli]*, **(3)** .... talvolta un ciuffo che gli **(4)** .... la fronte e che lui, distrattamente, metteva a

(5) .... con un gesto secco. Il naso era **(6)** .... e sottile, come le labbra, le **(7)** .... piccole, quasi femminili: nervose, sempre in movimento. Le teneva in **(8)** ...., consapevole del fatto che tradivano la sua emozione, la tensione. [...]

Non aveva amici, non frequentava nessuno, non usciva la sera, non aveva una

(9) .... La sua famiglia si esauriva con la tata Rosa, ormai settantenne, che lo assisteva con assoluta devozione, amandolo teneramente senza però mai provare a comprenderne gli sguardi e i pensieri.

2. Abbina i verbi ai significati corrispondenti.

a. ☐ accoltellare   c. ☐ impiccare   e. ☐ soffocare   g. ☐ strangolare

b. ☐ ammazzare   d. ☐ ferire   f. ☐ sfregiare

1. colpire procurando uno strappo, un taglio sulla pelle
2. uccidere qualcuno stringendogli con forza la gola
3. uccidere in modo violento
4. ferire gravemente qualcuno rovinandogli il volto
5. uccidere o ferire a colpi di coltello
6. impedire a qualcuno di respirare fino a farlo morire
7. appendere qualcuno a una corda per il collo per farlo morire

3. Indica per le seguenti espressioni che troverai nel brano qual è il sinonimo più (+) o meno (-) volgare.

a. Bordelli:
☐ case d'appuntamento
☐ casini

b. Signorine che vendevano piacere:
☐ puttane
☐ prostitute

L'ispettore Ricciardi, commissario a Napoli negli anni Trenta, fa un sopralluogo in un casa d'appuntamento dove è stata misteriosamente uccisa una prostituta, soprannominata "Vipera".

» mp3
traccia 34

A Ricciardi i bordelli non piacevano.

Non per una questione morale, beninteso *[ovviamente]*. Era dell'opinione che ciò che accadeva tra adulti consenzienti *[d'accordo]* fosse affar loro, ognuno era libero di passare il tempo e spendere i propri soldi come preferiva, e

5   quello era un modo migliore di tanti altri. Ma gli era toccato *[capitato]* di vedere, in passato, come la passione che derivava dal sesso fosse un utensile *[strumento]* difficile a maneggiarsi, che troppo spesso portava a farsi del male. Ricordava l'immagine di uomini accoltellati, di suicidi[1] disperati, di padri di famiglia impiccati per i favori di una di quelle signorine che vendevano il piacere; e d'altra

10   parte, lo sapeva fin troppo bene, l'amore contendeva alla fame il triste primato[2] di maggior generatore di morte e delitto.

Ma sapeva altrettanto bene, pensò mentre saliva la rampa[3] di scale che portava all'anticamera del Paradiso[4], che l'amore era una malattia connessa all'essenza stessa del genere umano, e che nessuno, per quanti sforzi facesse, ne poteva

15   essere immune *[libero]*. Neanche lui stesso.

---

1. suicidi: un suicida è una persona che si è uccisa.

2. contendeva alla fame il triste primato: contendere il primato significa "essere in gara per avere il primo posto".

3. rampa: serie di gradini di una scala che si trovano tra un piano e l'altro.

4. Paradiso: è il nome del bordello.

Quando fu arrivata in cima alla scalinata, la vecchia custode [sorvegliante] si fermò, si girò verso i quattro uomini e annunciò con voce cavernosa:

«Trasite. Hanno ammazzato a Vipera»[5].

Quando era appena entrato in polizia si era trovato spesso a dover accorrere
20 coi colleghi in case[6] di infimo [bassissimo] livello, dove a intervalli regolari si verificavano risse [liti violente], ferimenti o casi di pesanti molestie[7].

Di norma ogni bordello si dotava di un servizio d'ordine, consistente in uno o due ex galeotti [carcerati] che per un piatto caldo e pochi spiccioli [monete] piazzavano i propri tatuaggi[8] e i volti sfregiati sul muso dei facinorosi [violenti]; era suf-
25 ficiente per riportare la calma in un luogo fatto per il piacere e non per il sangue.

Ma il piacere è pur sempre una passione, e una passione chiama l'altra. A volte il guardiano non bastava, e anzi, nella maggior parte dei casi per i quali veniva chiamata la pubblica sicurezza [la polizia], era tra i feriti, punito per aver creduto di poter ricondurre alla ragione [calmare] qualcuno con un coltello in mano.
30 Quei bordelli, che Ricciardi ricordava, erano nascosti all'interno di edifici fatiscenti [vecchi e rovinati]; ci si arrivava mediante scalinate ripide e buie, una stanza con un tavolino dietro cui sedeva una donna, una cassetta con un catenaccio [lucchetto] per custodire i soldi. Lungo le mura, delle panche di legno[9], sulle quali si accomodavano in silenzio – lo sguardo nel vuoto e poca voglia di chiacchiera-
35 re – operai, soldati, studenti.

Una scala portava alle camere, dov'erano le ragazze che spesso ragazze non erano affatto. Ricciardi ricordava una donna con uno sfregio sanguinante sulla guancia che avrà avuto almeno cinquant'anni e non più di una decina di denti: aveva suscitato in un diciottenne la voglia di tirar fuori il coltello per avergli
40 chiesto più soldi di quelli che le spettavano. In quelle case di basso livello, i clienti si disponevano sulla scala in fila indiana, cedendo il passo ai più pronti perché il tempo della marchetta [prestazione sessuale] durava solo pochi minuti, altrimenti scattava il sovrapprezzo [prezzo in più].

Il luogo che Ricciardi si ritrovò davanti, quando la vecchia si fece da parte
45 dopo il drammatico annuncio e li fece passare, era molto diverso. Percorsero dapprima un corridoio, arredato con sedie dallo schienale dorato e foderate di raso, una specchiera dalla cornice elaborata e seta rossa alle pareti. Un cartello invitava a depositare ombrelli e bastoni in una rastrelliera[10]. In fondo c'era un'altra porta, vicino alla quale Marietta[11] si arrestò: evidentemente il territorio
50 di sua competenza aveva quell'ultimo confine.

La sala era grande, quanto un salone da ballo, ed era immersa nella penombra. Le finestre erano chiuse da tende pesanti e l'enorme lampadario di cristallo era

5. Trasite … a Vipera: "entrate", in dialetto napoletano; anche "ammazzare a qualcuno" invece di "ammazzare qualcuno" è una variante del dialetto napoletano.

6. case: sta per "case chiuse", come erano chiamati i bordelli prima dell'entrata in vigore della legge Merlin (vedi scheda Parole e cultura, p. 280).

7. molestie: azioni che recano fastidio, disturbo a chi le riceve. Qui si allude alle molestie sessuali, talvolta anche violente, che i clienti rivolgevano alle ragazze nei bordelli.

8. tatuaggi: disegni indelebili che vengono fatti sulla pelle attraverso una serie di punture.

9. panche di legno: sedili molto semplici per più persone costituiti da un asse e quattro piedi di legno.

10. rastrelliera: una specie di griglia fatta per appoggiare gli oggetti.

11. Marietta: è il nome della vecchia custode.

spento, come la maggior parte della dozzina di applique[12] alle pareti. L'ambiente era dominato da un arazzo[13] sul quale ninfe e satiri[14] nudi si inseguivano gioiosi in un bosco.

55   L'atmosfera era però tutt'altro che allegra. I divani e le poltrone erano vuoti, il pianoforte a coda taceva; i parati[15] e lo spesso tappeto attutivano [smorzavano] il mormorio che proveniva dal piccolo assembramento [gruppo di persone] in fondo, dal quale si staccò una donna che venne loro incontro.

(M. De Giovanni, Vipera, Einaudi, Torino 2012)

---

12. applique: portalampade da parete.
13. arazzo: tessuto, i cui fili formano un disegno, che si appende alle pareti per abbellirle.

14. ninfe e satiri: divinità minori della mitologia classica.
15. parati: rivestimenti in tessuto delle pareti.

✔ **se ti è piaciuto, leggi anche...**   M. De Giovanni, *Il senso del dolore*

PAROLE *e* **CULTURA**

La legge Merlin

Con il nome di "legge Merlin" è comunemente nota la legge n. 75 del 1958, la cui proposta fu avanzata dalla senatrice socialista Lina Merlin. La legge stabiliva la chiusura delle case di tolleranza, l'abolizione della regolamentazione della prostituzione e l'introduzione di una serie di reati con l'intento di contrastare lo sfruttamento della prostituzione. La senatrice, inoltre, dedicò la maggior parte della sua attività parlamentare all'obiettivo di abolire le regole emanate nel 1931 dal regime fascista, che obbligavano le prostitute a essere

● La senatrice Lina Merlin.

schedate dalle autorità di pubblica sicurezza e sottoposte a esami medici obbligatori.

La frequentazione delle case di tolleranza era, prima della loro chiusura, una pratica abbastanza consueta presso la popolazione maschile, mentre le donne che esercitavano la prostituzione avevano poche possibilità di liberarsi da un mestiere che spesso le portava ad ammalarsi e morire in giovane età.

Dopo la fine della Seconda guerra mondiale l'opinione pubblica era in buona parte favorevole alla prostituzione legalizzata, sia per ragioni di igiene pubblica sia perché si voleva garantire agli uomini una valvola di sfogo per i propri istinti sessuali, sia perché in questo modo si potevano "tenere separate" le ragazze destinate a diventare spose e madri dalle ragazze più "facili".

Nell'Italia degli anni Cinquanta l'argomento era troppo scabroso per parlarne apertamente sui mezzi d'informazione, tuttavia si creò nel Parlamento e nella società una spaccatura tra coloro che sostenevano l'opinione della Merlin e molti altri che, invece, opposero un atteggiamento di rifiuto totale e categorico.

⊙ Attività

1. Leggi fino a riga 18.

    a. Quali sono, per il commissario Ricciardi, le maggiori cause dei delitti?

    b. Sottolinea il paragone che Ricciardi usa per definire la passione sessuale.

       Che cosa ci svela del carattere del commissario?

    ☐ la concretezza

    ☐ il cinismo

    ☐ il pessimismo

    ☐ la sensibilità verso le debolezze umane

    ☐ il senso della realtà

    c. Secondo te, l'analisi del commissario oggi sarebbe ancora valida? Se non lo è, perché?

2. Continua la lettura fino a riga 43.

    a. Completa lo schema che sintetizza la descrizione che il commissario fa delle case d'appuntamento che aveva visitato.

clienti   arredamento   ragazze

CASE D'APPUNTAMENTO

edificio   sicurezza

3. Termina la lettura.

    a. In che cosa si differenziano le case che conosce Ricciardi e quella dove è avvenuto il delitto?

    b. Che tipi di ambienti sociali evocano i due tipi di case d'appuntamento?

    c. In che modo si collegano alla realtà moderna l'ambientazione e il tema del brano?

4. Leggi la scheda Parole e cultura sulla legge Merlin nella pagina precedente.

    a. Quali erano le ragioni per cui molte persone erano favorevoli al mantenimento delle case chiuse?

    b. Qual è la tua opinione in proposito?

T9 Maurizio Matrone

T8 »
Michele Giuttari,
La loggia degli innocenti **iW**

Fiato di sbirro

Maurizio Matrone nasce a Verona nel 1966. È laureato
in Pedagogia ed è agente di Polizia. Ha scritto romanzi e
racconti, opere di teatro, per ragazzi e di saggistica. È stato,
inoltre, consulente per varie serie televisive poliziesche, tra
le quali *Distretto di Polizia* e *La squadra*. Fra le pubblicazioni
nel campo dell'indagine poliziesca ricordiamo *Fiato di sbirro*
(1998), *Erba alta* (2003) e *Il commissario incantato* (2008).

Verso il testo

1. Leggi le brevi definizioni che si riferiscono ai membri dell'arma dei Carabinieri e della Polizia
   di Stato. Quale termine, fra quelli citati, non indica un grado?

   carabiniere militare con compiti di polizia.
   brigadiere sottufficiale dell'arma dei
   Carabinieri.

   maresciallo grado più alto dei sottufficiali.
   sbirro termine dispregiativo per definire un
   poliziotto o un carabiniere.

2. Leggi la scheda Parole e cultura sull'arma dei Carabinieri nella pagina seguente. Come pensi
   che siano i rapporti fra la Polizia e i Carabinieri?
   - ☐ di amichevole collaborazione
   - ☐ di competizione
   - ☐ di conflitto di competenze
   - ☐ di invidia

3. Abbina le espressioni ai significati corrispondenti.
   - a. ☐ morire sul colpo
   - b. ☐ come volevasi dimostrare
   - c. ☐ non dare adito
   - d. ☐ essere allo sbando

   1. "come si voleva dimostrare", espressione che si usa alla fine di una dimostrazione matematica
      per provarne la validità; è diventato un modo di dire della lingua italiana spesso abbreviato
      in CVD
   2. morire istantaneamente
   3. trovarsi in una situazione di forte crisi e confusione
   4. non dare spazio, non provocare

PAROLE e CULTURA

L'arma dei Carabinieri

L'arma dei Carabinieri è una delle quattro forze armate italiane, che fanno capo al Ministero della Difesa, e dal 2000 ha un ordinamento autonomo. Fondata nel 1814, con il compito di polizia nazionale nell'allora Regno di Piemonte e Sardegna, deriva il proprio nome dalla prima arma che avevano in dotazione i suoi membri, un fucile leggero, la "carabina". Svolge il duplice compito di forza militare e di polizia in servizio di pubblica sicurezza. In questo secondo ruolo, i carabinieri sono subordinati alla Polizia di Stato che è la forza specializzata per l'ordine pubblico.

● Il calendario dell'arma dei Carabinieri.

Nel corso di una difficile inchiesta per l'apparente suicidio di un poliziotto, si verificano altri misteriosi delitti. Il romanzo si sviluppa attraverso una narrazione originale che alterna vari narratori e tecniche narrative diverse.

>> mp3
traccia **35**

Vergato (BO), Comando Stazione Carabinieri, venerdì 2 luglio. Ore 15:30

«Le dico che è così, maresciallo! Una cosa strana, la macchina era completamente distrutta, giù nella scarpata [*terreno con forte pendenza*], i due agenti morti e, vicino a loro, due palloncini colorati... gonfi. La colpa certamente dei freni: abbiamo appurato [*verificato*] che mancava

5 l'olio nella vaschetta. Poi il carabiniere Alberti, che se ne intende, ha notato che anche le pastiglie[1] erano consumate. Morti sul colpo. Un volo di settanta metri. Insomma, ma le sembra che due poliziotti vadano in giro a gonfiare palloncini? Con questo caldo poi? Non le pare?»

«Brigadiere Rodolfo, non dimentichi che i *cugini*[2] sono allo sbando, sempre

10 così stravaccati[3]! Da quando ci sono le donne, poi, non ne parliamo! E i sindacati? Meno male che alla *Benemerita*[4] queste novità non arriveranno mai; noi

---

1. pastiglie: guarnizioni dei freni.
2. cugini: si riferisce agli agenti di Polizia.
3. stravaccati: seduti o sdraiati in modo scomposto.

4. *Benemerita*: letteralmente significa "che compie azioni buone e socialmente utili". L'appellativo è stato attribuito all'arma dei Carabinieri nel

periodo della Seconda guerra mondiale in seguito a vari atti di eroismo da parte di alcuni suoi membri.

● L'automobile usata dalla Polizia.

siamo militari, lo sa? Lei è stato presso il negozio d'armeria, no? L'armiere
15 le ha riferito che i due agenti erano allegri e scherzosi, nevvero *[non è vero]*? Vede? Come volevasi dimostrare! Suvvia, bri-
20 gadiere, lasciamo perdere questa storia dei palloncini, cosa vuole che gliene freghi[5] alla questura dei palloncini. Vede, briga-
25 diere, io lo so già cosa diranno i loro sindacati: l'ufficio automezzi non funziona come si deve, la responsabilità dei dirigenti,
30 i mezzi che non vanno, e poi guidava la donna, nevvero? Vede? Come volevasi dimostrare! Lo sa quanti incidenti fanno i *cugini* più di noi? Dica una cifra, un numero... Ebbene, di più! Da noi le macchine vengono assegnate e l'autista ha compiti ben precisi: prima di tutto quello di controllare l'efficienza del mezzo. Comunque, brigadiere,
35 il rapporto va benissimo, cancelli solo la parte dei palloncini, non diamo adito per altre barzellette[6]!»

«Sissignormaresciallo, ma qualcuno, però, potrebbe averceli portati... non so, forse, se avessimo fatto più attenzione alle impronte lasciate sul terreno... vede, io... beh, mi sembra un incidente un po' anomalo e...»

40 «Brigadiere, lasci perdere le favole, e si attenga ai fatti! Va bene così».

(M. Matrone, *Fiato di sbirro*, Hobby & Work, Bresso 2008)

---

5. gliene freghi: forma colloquiale dal verbo *fregarsene* che significa "non importarsene".

6. barzellette: nella cultura italiana ci sono molte barzellette (cioè storielle comiche) sui Carabinieri, in cui vengono presi in giro per la loro scarsa intelligenza.

se ti è piaciuto, leggi anche... M. Matrone, *Erba alta*

Attività

1. Leggi il brano.

  a. Completa la tabella.

chi sono i personaggi	che ruolo ricoprono	chi sono le vittime	come sono morte

  b. Elenca le forze dell'ordine coinvolte.

  c. Qual è il punto centrale della conversazione?
  - ☐ Il brigadiere riferisce al maresciallo i risultati di un'indagine.
  - ☐ Il brigadiere presenta al maresciallo i lati oscuri di un omicidio.
  - ☐ Il maresciallo intende modificare il rapporto del brigadiere.

2. Riconsidera l'intero testo ed esamina il linguaggio.

  a. Quali sono le caratteristiche del modo di parlare del maresciallo?
  - ☐ le frasi interrogative
  - ☐ le frasi fatte
  - ☐ le ripetizioni
  - ☐ le frasi esclamative

  b. Che pregiudizi e luoghi comuni esprime?

  c. Come descriveresti il maresciallo da quello che dice e da come lo esprime?
  - ☐ colorito e un po' ridicolo
  - ☐ condiscendente
  - ☐ autoritario
  - ☐ amichevole
  - ☐ pauroso e insicuro

  d. Quali dei seguenti aspetti emergono dal discorso del brigadiere? Spiega la tua risposta.
  - ☐ competenza
  - ☐ sottomissione
  - ☐ incertezza
  - ☐ ubbidienza
  - ☐ timore
  - ☐ professionalità

  e. Secondo te, che effetto produce la presenza del dialogo nel racconto?
  - ☐ Rende il racconto impersonale.
  - ☐ Sottolinea il tono colloquiale.
  - ☐ Coinvolge maggiormente il lettore.
  - ☐ Rende la scena più realistica.
  - ☐ Fa riflettere sul significato del racconto.

3. Che conseguenze potrà avere sulle indagini il risultato di questa conversazione?

 Leonardo Sciascia

T10 »
Carlo Fruttero e Franco Lucentini,
La donna della domenica

A ciascuno il suo

Nato in Sicilia nel 1921, Leonardo Sciascia è stato uno scrittore, saggista e politico con un profondo interesse sociale. Il suo primo romanzo, *Il giorno della civetta* (1961), denuncia la mafia, i suoi delitti e i suoi legami con il mondo politico. Dopo gli anni Settanta il suo impegno sociale si fa ancor più vivo: infatti viene eletto deputato prima nel parlamento nazionale e poi in quello europeo. Nella sua ricca produzione, che comprende anche poesie e saggi sulla Sicilia, Sciascia denuncia i legami illeciti fra gli uomini di potere e polemizza contro le ideologie, come ad esempio in *Candido, ovvero Un sogno fatto in Sicilia* (1977). Spesso i suoi romanzi hanno una struttura che si ispira al genere poliziesco e di indagine, come *Il giorno della civetta* (1961) e *A ciascuno il suo* (1966). Muore a Palermo nel 1989.

⦿ Verso il testo

1. Leggi la trama del romanzo *A ciascuno il suo* nella scheda Parole e cultura nella pagina successiva.

   a. Che significato può avere il fatto che una vicenda così intricata e passionale sia ambientata in un piccolo paese della Sicilia?

   b. A che tipo di ambiente sociale appartengono i personaggi del romanzo?

2. Abbina i verbi alle definizioni corrispondenti.

   a. ☐ intrallazzare   **1.** agire con ferocia, infierire su qualcuno
   b. ☐ suggellare   **2.** verificare la verità dei fatti
   c. ☐ astrarsi   **3.** sigillare, chiudere
   d. ☐ accanirsi   **4.** agire in modo illecito
   e. ☐ balenare   **5.** isolarsi mentalmente e seguire i propri pensieri
   f. ☐ accertare   **6.** apparire in modo breve e intenso

3. Completa la tabella.

verbo	nome
scomparire	....
suggellare	suggello
....	astrazione
impuntarsi	puntiglio
corrompere	....
....	intrallazzo

A ciascuno il suo

Il romanzo è ambientato in un piccolo paese della Sicilia a pochi chilometri da Palermo e racconta la storia di un farmacista che vive tranquillo e non ha mai avuto problemi con nessuno. Un giorno riceve una lettera anonima che lo minaccia di morte e poco dopo, durante una battuta di caccia, viene ucciso insieme a un amico, il dottor Roscio.
Il duplice delitto dà il via a una serie di ipotesi e congetture e coinvolge a poco a poco il professor Laurana, insegnante liceale di storia e italiano. Laurana scopre che la lettera anonima è stata composta con lettere ritagliate dal quotidiano cattolico «L'Osservatore Romano», che in paese ricevono solo due persone: il parroco e l'arciprete. Questo particolare, insieme ad altri indizi, gli permette di capire che il vero bersaglio dell'agguato era in realtà Roscio. Il medico, infatti, aveva scoperto la relazione che sua moglie, Luisa, aveva da anni con suo cugino, l'avvocato Rosello, e gli aveva dato un ultimatum: se l'avvocato non avesse smesso di vedere la moglie, Roscio avrebbe fatto scoppiare uno scandalo sulla base di documenti compromettenti per l'avvocato. L'avvocato aveva reagito alle minacce del marito tradito facendolo uccidere da un killer.

Il sospetto, l'insinuazione e il sangue si agitano dietro l'apparente e ipocrita tranquillità del paesino siciliano. Le vicende e i personaggi si intrecciano in una complicatissima trama. Quando il professore sembra essere a un passo dalla verità, preso da un senso di profonda sfiducia nei confronti dello Stato, pensa di abbandonare le indagini. Purtroppo, però, si è ormai spinto troppo oltre.

● Palermo nel 1956.

Proponiamo due brani tratti dal romanzo. Il primo descrive lo stato d'animo di Laurana e il perché sorge in lui l'interesse per il duplice delitto. Nel secondo, l'incontro casuale con un vecchio compagno di scuola, che ha fatto carriera politica, fa sì che Laurana venga a conoscenza di particolari che gettano una nuova luce su Roscio, la seconda vittima del delitto, e su tutta la vicenda.

>> mp3 traccia 36

Questi elementi (la scomparsa di un uomo cui era legato da consuetudine *[abitudine]* più che da amicizia; l'aver incontrato per la prima volta, benché avesse già visto altri morti, la morte nella sua spaventosa oggettività; la porta chiusa della farmacia che pareva per sempre suggellata dalla striscia nera
5   del lutto[1]), questi elementi avevano creato in Laurana uno stato d'animo quasi desolato *[triste]* e con intermittenze *[intervalli]* ansiose che avvertiva anche fisicamente, in certe sospensioni e accelerazioni del cuore. Ma da questo stato d'animo si astraeva, o almeno credeva si astraesse, la sua curiosità riguardo alle ra-

---

1. striscia nera del lutto: l'esposizione di una striscia nera di carta o di stoffa, l'abito nero, i bottoni neri alla camicia, una fascia nera al braccio o il bordo nero della carta da lettere fanno parte dell'insieme di usanze, che vanno scomparendo ai giorni nostri, per esprimere il lutto per la morte di una persona di famiglia.

● Veduta contemporanea di Palermo.

gioni e al modo del delitto: che era puramente intellettuale[2], e mossa da una
specie di puntiglio [ostinazione]. Era, insomma, un po' nella condizione di chi, in
un salotto o in un circolo, sente enunciare [esporre] uno di quei problemi a rompicapo[3] che i cretini sono sempre pronti a proporre e, quel che è peggio, a risolvere; e sa che è un gioco insulso [stupido], un perditempo: tra gente insulsa e che
ha tempo da perdere: e tuttavia si sente impegnato a risolverlo, e vi si accanisce.
Infatti l'idea che la soluzione del problema portasse, come si dice, ad assicurare
i colpevoli alla giustizia, e quindi tout court[4] alla giustizia, non gli balenava
nemmeno. Era un uomo civile, sufficientemente intelligente, di buoni sentimenti, rispettoso della legge: ma ad aver coscienza di rubare il mestiere alla polizia, o comunque di concorrere al lavoro che la polizia faceva, avrebbe sentito
tale ripugnanza [disgusto] da lasciar perdere il problema.

Eccolo lì, comunque, quest'uomo riflessivo, timido, forse anche non coraggioso,
a giuocare la sua pericolosa carta: al circolo, di sera, proprio quando non manca
quasi nessuno. Si parla, come ogni sera, del delitto. E Laurana, di solito silenzioso,
dice: «La lettera era composta con parole ritagliate dall'"Osservatore romano"».

La discussione si spegne, succede [segue] un silenzio stupefatto.

Il caso, per il professor Laurana, scattò [cominciò] a Palermo, in settembre. Si
trovava già da qualche giorno in quella città, commissario d'esami[5] in un liceo; e nel ristorante che usava frequentare incontrò un compagno di scuola
che da tanto tempo non vedeva ma di cui alla lontana [da lontano] aveva seguito
l'ascesa [la carriera] politica. Comunista: segretario di sezione[6] di un piccolo paese
delle Madonie[7], poi deputato [membro del parlamento] regionale, poi deputato nazionale. Ricordarono, naturalmente, il loro tempo di studenti; e quando affiorò
[venne alla mente] il povero Roscio: «Mi ha fatto tanta impressione, la notizia della

---

2. **intellettuale**: l'aggettivo si riferisce a «curiosità» (r. 8) e vuol dire che il professore sentiva la soluzione del mistero del delitto come una sfida per la sua intelligenza.
3. **rompicapo**: problemi di difficile soluzione.

4. **tout court**: espressione francese che significa "in breve".
5. **commissario d'esami**: insegnante che fa parte di una commissione scolastica che esamina gli studenti.
6. **segretario di sezione**: fino ad alcuni anni fa le sezioni erano i nuclei di

base su cui si reggeva l'organizzazione di un partito. Avevano il compito di raccogliere le iscrizioni, rilasciare la tessera, rendere vivo il dibattito e la vita del partito.
7. **Madonie**: gruppo montuoso nei pressi di Palermo.

35 sua morte», disse l'onorevole[8], «perché era venuto a trovarmi proprio quindici o venti giorni prima. Non lo vedevo da almeno dieci anni. È venuto a trovarmi a Roma, alla Camera[9]. L'ho riconosciuto subito, non era cambiato... Noi forse sì, un poco... Io, poi, ho avuto il pensiero che la sua morte fosse da collegarsi a quella sua venuta a Roma, da me: ma ho visto che le indagini hanno accertato che è morto, invece, solo perché si era trovato in compagnia di un tale che aveva se-

40 dotto una ragazza, non so... E sai perché era venuto da me? Per domandarmi se ero disposto a denunciare alla Camera, sui nostri giornali, nei comizi[10], un notabile *[una persona importante]* del vostro paese, uno che aveva in mano *[dominava]* tutta la provincia, che faceva e disfaceva, che rubava, corrompeva, intrallazzava...».

«Uno del paese? Davvero?»

45 «Pensandoci bene, non credo mi abbia detto esplicitamente che si trattava di uno del paese: forse me l'ha lasciato intendere *[capire]*, forse mi sono fatta questa impressione...»

«Un notabile, uno che tiene in mano la provincia?»

«Sì, questo lo ricordo bene: ha detto proprio così... Io, naturalmente, gli ho ri-

50 sposto che sarei stato più che lieto di denunciare, di lanciare lo scandalo: ma avevo bisogno, si capisce, di qualche documento, di qualche prova... Mi ha detto che disponeva di *[aveva]* tutto un dossier *[insieme di documenti]*, che me l'avrebbe portato... E non si è fatto più vivo».

«Naturalmente».

55 «Già, naturalmente: visto che vivo non era più».

(L. Sciascia, *A ciascuno il suo*, Adelphi, Milano 2008)

---

8. onorevole: titolo che si usa dare rivolgendosi a un deputato eletto in parlamento.
9. Camera: una delle due assemblee che costituiscono il parlamento italiano (Camera dei deputati, con sede nel palazzo di Montecitorio, e Senato della Repubblica, con sede a palazzo Madama a Roma).
10. comizi: il comizio è un discorso di propaganda politica che l'oratore di turno tiene in una pubblica piazza parlando in un microfono per essere udito dai presenti. Questa forma di comunicazione oggi è spesso sostituita dai media, in particolare dalla TV, da Internet e dai vari blog.

 se ti è piaciuto, leggi anche... L. Sciascia, *Il giorno della civetta*

PAROLE e CULTURA

«L'Osservatore Romano»

«L'Osservatore Romano» è il quotidiano organo ufficiale della Santa Sede. Dà informazioni su tutte le attività pubbliche del papa, pubblica articoli di importanti membri della Chiesa cattolica e stampa i documenti ufficiali dello Stato Vaticano. Riporta stampato, subito sotto il titolo, il motto latino *unicuique suum* che vuol dire "a ciascuno il suo".

L'OSSERVATORE ROMANO
GIORNALE QUOTIDIANO POLITICO RELIGIOSO
UNICUIQUE SUUM NON PRAEVALEBUNT

● Attività

1. Leggi fino a riga 10.

   a. In che rapporti era Laurana con il farmacista e che cosa lo spinge a indagare sul delitto?

2. Termina la lettura del primo brano.

   a. Come considera Laurana il proprio interesse a indagare sull'omicidio del farmacista?

   b. Sottolinea tutti gli aggettivi e le espressioni che descrivono Laurana. In che modo il suo comportamento è "diverso" rispetto al solito?

   c. Quale espressione rivela che il suo coinvolgimento potrà avere sviluppi negativi?

   d. Leggi la scheda Parole e cultura sull'«Osservatore Romano» nella pagina precedente e individua il collegamento tra il quotidiano e il romanzo di Sciascia.

3. Leggi il secondo brano.

   a. Riassumi l'incontro di Laurana nella seguente tabella.

dove si trova Laurana	
perché si trova lì	
chi incontra	
che cosa scopre	
che conseguenza ha la scoperta sulle sue indagini sul delitto	

b. Quali aspetti caratterizzano il racconto dell'amico?

- ☐ imprecisione
- ☐ reticenza
- ☐ profondo interesse
- ☐ vaghezza
- ☐ indecisione

c. Scrive lo scrittore Italo Calvino a Sciascia, parlandogli del romanzo *A ciascuno il suo*: «Ho letto il tuo giallo che non è un giallo con la passione con cui si leggono i gialli, e in più il divertimento di vedere come il giallo viene smontato, anzi come viene dimostrata l'impossibilità del romanzo giallo nell'ambiente siciliano».

Perché, secondo te, Calvino dice che il giallo di Sciascia non è un giallo? Formula delle ipotesi.

◆ Leonardo Sciascia negli anni Sessanta.

T12 Umberto Eco

Il nome della rosa

Umberto Eco nasce ad Alessandria (in Piemonte) nel 1932. È uno scrittore, saggista e semiologo di fama internazionale. Inizia la sua carriera come editore di programmi culturali per la Rai. Nel 1975 diventa professore di semiotica presso l'università di Bologna. Nel corso degli anni tiene numerosi corsi presso università straniere dove è insignito di vari titoli onorifici. Collabora attualmente con numerosi giornali e settimanali. Fra le sue numerosissime pubblicazioni ricordiamo *Opera aperta* (1962), *Trattato di semiotica generale* (1975) e *Lector in fabula* (1979). Nel 1980 esordisce nella narrativa con *Il nome della rosa*, che è seguito da numerosi altri romanzi, tra cui *Il pendolo di Foucault* (1988) e *Il cimitero di Praga* (2010).

⚲ Verso il testo

1. Guarda l'illustrazione.

a. Inserisci le didascalie.

torrione / biblioteca / scala a chiocciola / forno del pane / refettorio

① ....

② ....

③ ....

④ ....

⑤ ....

b. Quale prevedi che sia l'ambientazione del romanzo?

2. Leggi la scheda Parole e cultura qui sotto.

    a. Annota le informazioni che hai ricavato nella tabella.

ambientazione del romanzo	chi sono gli investigatori	temi principali

    b. Quali sono gli aspetti che differenziano questo romanzo dai gialli più popolari?

PAROLE e CULTURA

Il nome della rosa

● Due scene dal film *Il nome della rosa* (1986).

Nel suo primo romanzo, Eco mescola il genere storico a quello giallo. Il romanzo si apre dicendo che tutto quello che è narrato è ciò che era riportato su un manoscritto medievale ritrovato, una tecnica narrativa tipica dei romanzi gotici inglesi. Un vecchio frate ha trascritto quanto ha vissuto mentre si preparava a entrare nell'ordine monastico, molti anni prima. La narrazione è suddivisa in sette giornate scandite dai ritmi della vita del monastero. I protagonisti principali sono Guglielmo da Baskerville e il novizio Adso da Melk, il narratore della storia, che indagano sulla misteriosa morte di un monaco, avvenuta in un grande monastero benedettino che sorge in una località imprecisata dell'Italia centrale. Nel corso delle indagini si verificano altre morti, tutte in relazione con un misterioso manoscritto nascosto all'interno della biblioteca del convento.

Il romanzo va ben oltre i confini del genere e ha più piani di lettura. Oltre a un romanzo storico, è anche un'allegoria della vita politica italiana degli anni Settanta e un interessante saggio linguistico, semiologico e filosofico, con una fitta rete di riferimenti e allusioni alla tradizione letteraria di varie lingue. Per citare un esempio, i nomi dei protagonisti rievocano gli scritti di Conan Doyle: la coppia Guglielmo e Adso ricorda la celebre coppia Sherlock Holmes e Watson; il nome Baskerville è un riferimento al racconto di Doyle, *Il mastino dei Baskerville*, e il nome Adso ha un'assonanza con Watson.

Guglielmo e Adso si avviano verso la biblioteca che sembra essere il centro del mistero.

● Pergamena
medievale.

Arrivammo nello scriptorium[1], emergendo *[uscendo]* dal torrione meridionale. Il tavolo di Venanzio[2] stava proprio dalla parte opposta. Muovendoci non illuminavamo più di poche braccia[3] di parete alla volta, perché la sala era troppo ampia. Sperammo che nessuno fosse nella corte[4] e vedesse la luce trasparire *[passare]* dalle finestre. Il tavolo sembrava in ordine, ma Guglielmo si chinò subito a esaminare i fogli nello scaffale sottostante ed ebbe una esclamazione di disappunto[5].

«Manca qualcosa?», chiesi.

«Oggi ho visto qui due libri, e uno era in greco. Ed è quest'ultimo che manca. Qualcuno lo ha tolto, e in gran fretta, perché una pergamena[6] è caduta qui a terra».

«Ma il tavolo era guardato...»

«Certo. Forse qualcuno vi ha messo le mani solo poco fa. Forse è ancora qui». Si voltò verso le ombre e la sua voce risuonò tra le colonne: «Se sei qui bada a te!». Mi parve una buona idea: come Guglielmo aveva già detto, è sempre meglio che chi incute *[suscita]* paura abbia più paura di noi.

Guglielmo posò il foglio che aveva trovato ai piedi del tavolo e vi avvicinò il volto *[viso]*. Mi chiese di fargli luce. Appressai *[avvicinai]* il lume e scorsi *[vidi]* una pagina bianca per la prima metà, e nella seconda coperta di caratteri minutissimi di cui riconobbi a fatica l'origine.

«È greco?», chiesi.

---

1. scriptorium: locale dei monasteri in cui si esegue la copiatura dei manoscritti.
2. Venanzio: monaco grande conoscitore della cultura greca e traduttore

dal greco e dall'arabo.
3. braccia: antica unità di misura lineare (un braccio misura circa 0,55 metri).
4. corte: cortile interno.

5. disappunto: delusione per un problema imprevisto.
6. pergamena: pelle di pecora lavorata e resa sottile su cui si scriveva in passato.

«Sì, ma non capisco bene». Trasse *[prese]* dal saio[7] le sue lenti e le pose saldamente in sella al proprio naso, poi avvicinò ancora di più il volto.

«È greco, scritto molto piccolo, e tuttavia disordinatamente. Anche con le
25 lenti leggo a fatica, occorrerebbe più luce. Avvicinati...»

Aveva preso il foglio tenendolo davanti al volto, e io stolidamente *[scioccamente]* invece di passargli dietro alle spalle tenendo il lume *[la candela]* alto sulla sua testa, mi misi proprio davanti a lui. Egli mi chiese di spostarmi di lato, e nel farlo sfiorai con la fiamma il retro del foglio. Guglielmo mi cacciò con una spinta, di-
30 cendomi se volevo bruciargli il manoscritto, poi ebbe una esclamazione. Vidi chiaramente che sulla parte superiore della pagina erano apparsi segni imprecisi di un colore giallo bruno. Guglielmo si fece dare il lume e lo mosse dietro il foglio, tenendo la fiamma abbastanza vicina alla superficie della pergamena, così da scaldarla senza lambirla *[sfiorarla]*. Lentamente, come se una mano invi-
35 sibile stesse tracciando «Mane, Tekel, Fares»[8], vidi disegnarsi sul verso bianco del foglio, a uno a uno, mano a mano che Guglielmo muoveva il lume, e mentre il fumo che scaturiva dal culmine della fiamma anneriva il recto[9], dei tratti che non assomigliavano a quelli di nessun alfabeto, se non a quello dei negromanti[10].

40 «Fantastico!», disse Guglielmo. «Sempre più interessante!» Si guardò intorno: «Ma sarà meglio non esporre questa scoperta alle insidie del nostro ospite misterioso, se ancora è qui...». Si tolse le lenti e le posò sul tavolo, poi arrotolò con cura la pergamena e la nascose nel saio. Ancora sbalordito
45 da quella sequenza di eventi a dir poco miracolosi, stavo per chiedergli altre spiegazioni, quando un rumore improvviso e secco ci distolse. Proveniva dai piedi della scala orientale che portava alla biblioteca.

«Il nostro uomo è là, prendilo!», gridò Guglielmo e ci
50 buttammo in quella direzione, lui più rapido, io più lentamente perché portavo il lume. Udii un fracasso *[rumore forte]* di persona che incespica e cade, accorsi *[arrivai in aiuto]*, trovai Guglielmo ai piedi della scala che osservava un pesante volume dalla coperta rinforzata di borchie metalliche. Nel-
55 lo stesso istante udimmo *[sentimmo]* un altro rumore dalla direzione da cui eravamo venuti. «Stolto *[sciocco]* che sono!», gridò Guglielmo, «presto, al tavolo di Venanzio!».

Capii, qualcuno che stava nell'ombra dietro di noi aveva gettato il volume per attirarci lontano.

60 Ancora una volta Guglielmo fu più rapido di me e raggiunse il tavolo. Io seguendolo intravvidi tra le colonne un'ombra che fuggiva, infilando la scala del torrione occidentale.

---

7. saio: veste, tonaca che indossano monaci e frati.
8. Mane, Tekel, Fares: citazione bibli-

ca tratta dal libro di Daniele che significa "misurare, pesare, dividere".
9. recto: parte anteriore di un foglio.

10. negromanti: maghi che predicono il futuro tramite l'evocazione dei morti.

Preso da ardore guerriero, misi il lume in mano a Guglielmo e mi buttai alla
65　cieca verso la scala da cui era sceso il fuggiasco. In quel momento mi sentivo
come un soldato di Cristo in lotta con le legioni infernali tutte, e ardevo dal desiderio di mettere le mani sullo sconosciuto per consegnarlo al mio maestro.
Ruzzolai *[caddi]* quasi lungo le scale a chiocciola inciampando nei lembi della
mia veste (quello fu l'unico momento della mia vita, lo giuro, che rimpiansi di
70　essere entrato in un ordine monastico!) ma in quello stesso istante, e fu pensiero di un lampo, mi consolai all'idea che anche il mio avversario doveva soffrire
dello stesso impaccio *[impedimento]*. E in più, se aveva sottratto *[rubato]* il libro, doveva avere le mani occupate. Precipitai quasi nella cucina dietro il forno del
pane e, alla luce della notte stellata che illuminava pallidamente il vasto andro-
75　ne[11], vidi l'ombra che inseguivo, che infilava la porta del refettorio[12], tirandola
dietro di sé. Mi precipitai verso di quella, faticai qualche secondo ad aprirla, en-
trai, mi guardai attorno e non vidi più nessuno. La porta che dava sull'esterno
era ancora sprangata *[chiusa]*. Mi voltai. Ombra e silenzio. Scorsi un bagliore venire dalla cucina e mi addossai *[appoggiai]* a un muro. Sulla soglia di passaggio tra
80　i due ambienti apparve una figura illuminata da un lume. Gridai. Era Guglielmo.

(U. Eco, *Il nome della rosa*, Bompiani, Milano 1980)

---

11. **androne**: ambiente che fa da comuni-　12. **refettorio**: ambiente dove si con-
cazione fra il cortile interno e la strada.　sumano i pasti.

se ti è piaciuto, leggi anche...　U. Eco, *Il pendolo di Foucault*

Attività

1. Leggi fino a riga 16.

　a. Completa la tabella sui personaggi.

chi sono

dove si trovano

che cosa scoprono

　b. Sottolinea tutti i termini e le espressioni che
　evocano l'ambiente del monastero.

2. Continua la lettura fino a riga 48.

　a. Completa la seguente catena di eventi.

che cosa fa Guglielmo

che cosa scopre

ruolo di Adso nella scoperta

b. Quali aspetti della conversazione fra Guglielmo e Adso rivelano la posizione inferiore di Adso rispetto a Guglielmo?

c. Quale evento crea la suspense?

3. Termina la lettura.

a. Che cosa ha causato il rumore e come si svolge l'inseguimento?

b. Quali elementi dell'ambiente vengono descritti nella fuga?

c. Qual è l'esito dell'inseguimento e che effetto crea?

4. Riconsidera l'intero testo.

a. Riassumi il contenuto del brano costruendo una mappa della storia. Poi scrivi quali sono gli aspetti del giallo tradizionale presenti in questo testo.

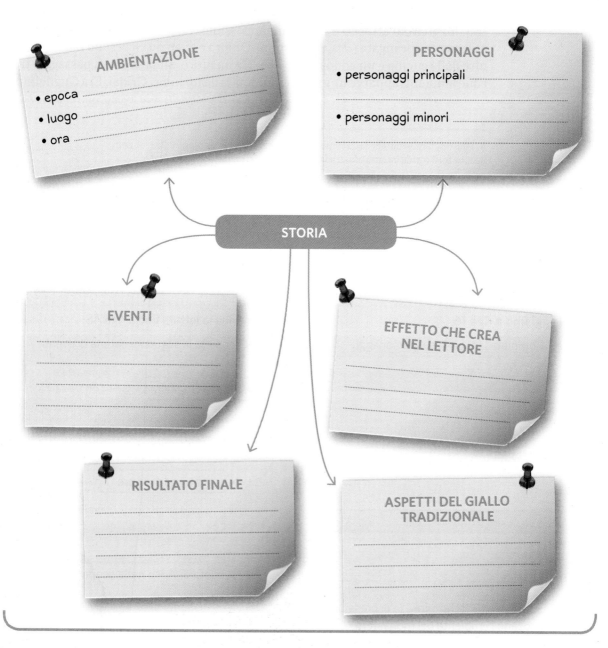

AMBIENTAZIONE
- epoca
- luogo
- ora

PERSONAGGI
- personaggi principali
- personaggi minori

EVENTI

STORIA

EFFETTO CHE CREA NEL LETTORE

RISULTATO FINALE

ASPETTI DEL GIALLO TRADIZIONALE

Le origini e lo sviluppo del giallo italiano

Il giallo italiano come genere è nato a imitazione del romanzo di investigazione inglese, il cui capostipite tradizionale è Sherlock Holmes, e della tradizione del *noir* francese. Dopo la prima edizione italiana di Conan Doyle del 1895 e la pubblicazione a puntate dei suoi romanzi, iniziata nel 1899 su «La Domenica del Corriere», Holmes divenne popolarissimo e costituì il modello per i primi investigatori dei gialli italiani. Nel 1929 la casa editrice Mondadori pubblicò il primo libro della collana "I libri gialli", *La strana morte del signor Benson* dell'americano S.S. Van Dine. Dopo il periodo della censura fascista e il divieto di far circolare gialli, la collana riprese le pubblicazioni nel 1947, cambiando il nome in "Il Giallo Mondadori", proponendo la serie che ha come protagonista l'avvocato Perry Mason, scritta da Erle Stanley Gardner. La collana continua le sue pubblicazioni ancora oggi.

I giallisti italiani

Moltissimi sono gli scrittori che, dalle origini ai giorni nostri, si sono avvicinati al genere del giallo. Dagli anni Novanta, in particolare, il genere è in continua espansione e si articola in diversi filoni che vanno dal *thriller* al *noir*, dal giallo sociale a quello psicologico. Citiamo qui gli autori più importanti e quelli più popolari.

- Nonostante la censura in epoca fascista fra il 1935 e il 1942, venne pubblicata la serie di romanzi gialli di **Augusto De Angelis**, ambientata a Milano. Le indagini del commissario De Vincenzi, psicologo e poeta, forniscono uno spaccato accurato della Milano del tempo. **Giorgio Scerbanenco**, già autore negli anni Quaranta di romanzi rosa, di fantascienza e *thriller*, divenne famoso come giallista dopo la pubblicazione di *Venere privata* (1966), in cui compare per la prima volta il personaggio di Duca Lamberti.

- **Attilio Veraldi** (1925-1999) è considerato

uno dei padri del giallo italiano. *La mazzetta* (1976), da cui è stato tratto anche un film di successo, ci dà uno spaccato dell'ambiente napoletano descritto come un *hard boiled* americano (un tipo di detective story in cui il crimine e la violenza sono rappresentati con molto realismo).

- Anche **Massimo Carlotto** (Padova, 1956) rivela influssi dell'*hard boiled* nei suoi racconti gialli sulla malavita diffusa nella zona del Brenta, e nel personaggio del suo detective, l'Alligatore, spesso ai margini della legalità. Negli ultimi anni Carlotto ha pubblicato romanzi di inchiesta, scritti come gialli, ma che partono da vicende reali, legate a specifiche zone del territorio italiano.

Massimo Carlotto.

Domenico Cacopardo.

- **Carlo Fruttero e Franco Lucentini** nel romanzo *La donna della domenica* (1972) affidano le indagini a un detective istituzionale, il commissario di Polizia Santamaria, che insieme ai suoi collaboratori, in particolare il dottor De Palma, ci introduce nei diversi mondi sociali torinesi, dai bassifondi all'alta borghesia.
La figura del detective istituzionale compare anche nei gialli di **Domenico Cacopardo** (Rivoli, Torino, 1936), con la creazione del personaggio del dottor Agrò, un magistrato che conduce le indagini.

- Mentre il dottor Agrò e il commissario Santamaria sono investigatori che si distinguono per doti morali e intellettuali, **Loriano Macchiavelli** (Vergato, Bologna, 1934) propone l'agente di Polizia Sarti Antonio, che ha sempre bisogno di aiuto per risolvere i casi.

Loriano Macchiavelli.

- **Carlo Lucarelli** riprende il filone del *noir* e sviluppa il giallo storico, oltre a collaborare come consulente e autore in alcune serie televisive gialle.
- **Andrea Camilleri** crea un investigatore di Polizia, il commissario Montalbano, che è vissuto dai lettori come persona reale. L'ambientazione locale, rafforzata dall'uso creativo del dialetto siciliano, contribuisce particolarmente al realismo dei suoi gialli.
- La trilogia di **Gianrico Carofiglio**, che ha per protagonista l'avvocato Guerrieri, propone invece una versione italiana del *legal thriller*, cioè della storia gialla raccontata dal punto di vista delle figure della legge, come avvocati, magistrati o giudici.

Specificità del giallo italiano

Ciò che caratterizza i gialli italiani è l'ambientazione, fortemente radicata in una cultura locale, che si propone di denunciare il malcostume generale del Paese. Un altro aspetto distintivo è il carattere dell'investigatore, la cui diversità dalla massa non è basata su aspetti eroici, ma psicologici e umani. Anche l'indagine, più che seguire ragionamenti intricati e intrecci complessi, è spesso costruita a partire da aspetti psicologici e sociali.

Dai libri alla televisione

Il genere giallo è stato ben presto adottato dalla televisione e anche dalla radio. È stata la televisione che ha contribuito, in particolare, allo sviluppo del giallo, creando o rafforzando personaggi originali, grazie anche al carisma degli attori e al fatto di rivolgersi a un pubblico più vasto di quello raggiungibile dai libri.

Dal 1959 al 1961 la trasmissione a quiz *Giallo club* propose una serie di polizieschi in cui le indagini erano svolte dal tenente Sheridan. A metà puntata il giallo veniva interrotto e si chiedeva agli ospiti della trasmissione di indovinare la soluzione del caso.

Seguì la serie *I racconti del maresciallo*, sei episodi tratti dai racconti di Mario Soldati, e dal 1973 al 1977 quella del commissario De Vincenzi. Negli anni Ottanta le serie televisive più popolari sono state quasi tutte basate su testi italiani. Più serie (collocate in un periodo che va dal 1978 al 1994) sono state dedicate al commissario Sarti Antonio di Macchiavelli. Tra

gli altri sceneggiati televisivi ricordiamo anche *La piovra*, sulla mafia, trasmessa per la prima volta nel 1976 e che ha avuto altri cicli di puntate nel 1984 e nel 2001.

Il fiorire delle serie poliziesche dagli anni Novanta fino a oggi non ne permette un elenco completo, ma citiamo, oltre a quelle già ricordate, *Il commissario Corso* con Diego Abatantuono (1991); *Un commissario a Roma* con Nino Manfredi (1993); *Il commissario De Luca* (2008), serie di quattro film TV con protagonista il personaggio creato da Carlo Lucarelli. *Provaci ancora prof* propone un'investigatrice donna, di professione insegnante, che riesce a risolvere casi mentre si barcamena fra scuola e famiglia, creata ispirandosi ai racconti della scrittrice Margherita Oggero (Torino, 1940).

Il giallo e il fumetto

Sulla scia del fumetto giallo, un genere molto popolare negli Stati Uniti già negli anni Quaranta, e in Italia a partire dagli anni Sessanta, sono nati i fumetti neri: si tratta delle serie di Diabolik, Satanik e Kriminal. Questo tipo di racconto illustrato ha per argomento le imprese di criminali, che spesso agiscono mascherati, e si potrebbero definire "eroi negativi".

Negli anni Settanta si è sviluppato anche il fumetto poliziesco, come *Il commissario Spada* di Gianni De Luca. Da alcune serie televisive, come *L'ispettore Coliandro*, e da alcuni romanzi di Massimo Carlotto sono state realizzate delle *graphic novel*.

I registri linguistici

Per **registro** si intende il **tono** generale, lo **stile** e il **lessico** che chi parla o scrive sceglie in base alla **persona a cui si rivolge**, all'**ambiente sociale** di riferimento e al **messaggio** che vuole trasmettere. È quindi il **contesto comunicativo**, cioè la situazione in cui avviene la comunicazione, che determina la **scelta del registro**. La lingua italiana fa uso di molteplici registri che si riflettono, a livello creativo, anche in letteratura. Ne descriviamo alcuni attraverso esempi tratti dai romanzi gialli.

◌ Registro formale

1. Esempio tratto da Augusto De Angelis, *Il banchiere assassinato*.

«Mi perdoni d'averla disturbata. Ho interrogato lei come tutti gli altri inquilini della casa. La notte scorsa è stato commesso un delitto qui dentro...»

Il giovane trasalì.

«Un delitto?», chiese.

«Già. È stato ucciso un uomo. Il banchiere Garlini. Lo conosceva?»

«No, davvero!», rispose, ma il commissario sentì che la voce aveva avuto un piccolo fremito, una esitazione.

◌ Registro medio

2. Esempio tratto da Andrea Camilleri, *La danza del gabbiano*.

«Ho capito che c'era qualcosa che non funzionava già dal nostro primo incontro. Hai fatto un grosso errore».

«Quale?»

«Vedi, Angela, tu mi hai domandato chi cercavo. E io ti ho risposto che volevo andare a trovare un amico che avevano operato alla testa e che si chiamava Fazio. Tu allora mi hai portato subito al quarto piano».

«E dove dovevo portarti? Lo sai come sono fatti gli ospedali? A reparti. Se tu mi dici che il tuo amico è stato operato alla testa, io so già che è ricoverato al quarto piano, nel reparto del professor Bartolomeo!»

«Giustissimo. Ma come facevi a sapere che stava nella stanza 6? Non ti sei consultata con nessuno, m'hai portato dritta dritta davanti alla porta giusta! O mi vuoi far credere che sai a memoria il posto di ognuno dei trecento pazienti di quell'ospedale?»

Testo 1

tono distaccato, non esprime sentimenti interiori

espressioni eleganti, che indicano rispetto e rendono più alto il tono della comunicazione

COME — COME

QUANDO — CON CHI

in comunicazioni scritte e orali, situazioni ufficiali, incontri formali

con un'autorità o una persona sconosciuta

Testo 2

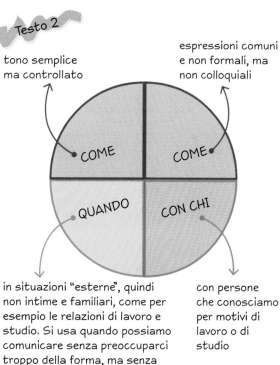

tono semplice ma controllato

espressioni comuni e non formali, ma non colloquiali

COME — COME

QUANDO — CON CHI

in situazioni "esterne", quindi non intime e familiari, come per esempio le relazioni di lavoro e studio. Si usa quando possiamo comunicare senza preoccuparci troppo della forma, ma senza cadere nella familiarità

con persone che conosciamo per motivi di lavoro o di studio

◎ Registro informale e colloquiale

3. Esempio tratto da Carlo Lucarelli, *Via delle oche*.

«Pugliese!», gridò e l'uomo basso alzò la testa con uno scatto rapido, come per fiutare l'aria. Contrasse la fronte solo per un secondo, fissando De Luca, prima di riconoscerlo.

«Commissario! Che ci fate qua a Bologna? Carboni, che cazzo fai? Metti le mani addosso ad un funzionario?»

Il piantone ritirò il braccio e portò la mano alla visiera in un gesto così rapido che lasciò De Luca senza appoggio, sbilanciato sui tacchi. Pugliese gli strinse la mano, rimettendolo in equilibrio.

«Non sapevo che stavate per arrivare... sono contento, commissà! Che fate, venite con noi?»

Testo 3

tono confidenziale, vicino alla lingua parlata anche nello scritto

frasi brevi, parole di uso comune, espressioni colloquiali, volgari, dialettali e regionali

COME — COME
QUANDO — CON CHI

in una situazione intima e quotidiana

con amici e familiari

1. **Indica la frase corretta per ciascun contesto comunicativo.**

a. Al ristorante
☐ Che mi porti il conto?
☐ Sarebbe così cortese da portarmi il conto?
☐ Mi porta il conto, per favore?

b. In albergo
☐ Mi dà un documento?
☐ Documento, per favore.
☐ La prego di favorire un documento.

c. A un amico che ci dice una cosa che non ci sorprende
☐ E ti pareva!
☐ Trattasi di una cosa di dominio pubblico.
☐ Me l'ero immaginato, ma grazie per l'informazione.

d. Intestazione di una lettera a un avvocato che non si conosce
☐ Caro Avvocato
☐ Gentile Avvocato
☐ Egregio Avvocato

e. Chiedere l'ora a un passante
☐ Le sarei grato se potesse dirmi che ore sono.
☐ Scusi, che ore sono?
☐ Sai l'ora?

f. Due studenti: uno racconta all'altro che una ragazza non è andata a un appuntamento con lui
☐ Stella mi ha dato buca.
☐ Ti comunico che Stella è stata così scortese da non venire all'appuntamento.
☐ Stella non è venuta all'appuntamento.

g. Chiudere un'e-mail a un insegnante
☐ Ciao, ci vediamo.
☐ Un caro saluto.
☐ Le invio i miei più distinti saluti.

h. A una vicina anziana che ha preso una decisione sbagliata
☐ È sicura di aver preso la decisione giusta?
☐ Ma che si è bevuta il cervello?
☐ Avendo valutato a lungo la situazione, penso proprio che lei debba riconsiderare la sua decisione.

i. Domanda di lavoro
☐ Vi mando il mio curriculum vitae.
☐ Ecco il mio curriculum vitae.
☐ Troverete allegato il mio curriculum vitae.

l. Dal medico
☐ Ho spesso mal di testa.
☐ Accuso frequenti cefalee.
☐ Mi fa spesso male la capoccia.

2. Rileggi il testo di Camilleri a p. 275, dall'inizio a riga 13. Nel colloquio il commissario dà del *tu* alla testimone. Riscrivi il colloquio usando il *Lei*.

Palestra linguistica

1. CAMPO SEMANTICO DEL CRIMINE **T2** P. 267 Rileggi il testo di Carofiglio e completa lo schema con tutte le parole collegate per significato alla parola *crimine*.

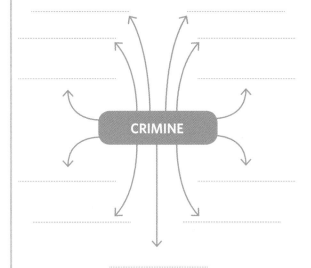

CRIMINE

2. CAMPO SEMANTICO DELLA VIOLENZA FISICA **T4** P. 270 Rileggi il testo di Laura Grimaldi e registra tutte le parole collegate per significato all'espressione *violenza fisica*.

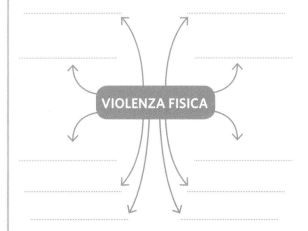

VIOLENZA FISICA

3. FAMIGLIA DI PAROLE DEL CRIMINE Partendo dalla parola *crimine*, cioè "delitto, grave reato", spiega il significato delle seguenti parole.

a. crimine → delitto, grave reato

b. criminale → ....

c. criminalità → ....

d. criminalizzare → ....

e. criminalizzazione → ....

f. criminologia → ....

g. criminologo → ....

h. criminoso → ....

4. AGGETTIVI E LORO CONTRARI **T11** P. 286 Rileggi il testo di Sciascia da riga 17 a riga 24. Poi completa la tabella con gli aggettivi che si riferiscono al professor Laurana e indicane il contrario.

civile	incivile

5. SUFFISSO *-mente* NELLA FORMAZIONE DEGLI AVVERBI **T12** P. 291 Scrivi gli avverbi che si ottengono dai seguenti aggettivi con l'aggiunta del suffisso *-mente*.

a. saldo → ....

b. chiaro → ....

c. lento → ....

d. misterioso → ....

e. miracoloso → ....

f. improvviso → ....

6. SUFFISSI *-orio, -anza, -ura, -zione, -sione* Scrivi i nomi che indicano l'azione espressa dai seguenti verbi. Si formano con i suffissi *-orio, -anza, -ura, -zione* o *-sione*.

a. archiviare → archiviazione
b. discutere → ....
c. chiudere → ....
d. uccidere → ....
e. descrivere → ....
f. riflettere → ....
g. testimoniare → ....
h. interrogare → ....
i. risolvere → ....
l. aprire → ....
m. confessare → ....
n. confondere → ....
o. concludere → ....

7. AGGETTIVI RELATIVI ALL'ASPETTO FISICO Indica a quale elemento dell'aspetto fisico di una persona si possono riferire i seguenti aggettivi.

adunco / snello / sfuggente / quadrato / robusto / riccio / rado / severo / ovale / a becco / massiccio / marcato / luminoso / liscio / irregolare / dritto / carnoso / bello / aristocratico / sottile

viso	
lineamenti del viso	
corporatura	
occhi	
naso	
bocca	
capelli	

8. MODI DI DIRE Abbina i modi di dire alle spiegazioni corrispondenti.

a. ☐ alla cieca
b. ☐ chiudere il caso
c. ☐ giocare una carta
d. ☐ trovare il filo
e. ☐ infilare la porta
f. ☐ fare teatro

1. comportarsi in modo esagerato e artificioso
2. concludere l'indagine di un delitto
3. trovare una spiegazione, un ordine in una serie di fatti
4. senza vederci, a caso
5. uscire da una stanza
6. tentare di raggiungere un obiettivo

9. DISCORSO DIRETTO/INDIRETTO **T5** P. 274, **T11** P. 286

a. Riscrivi il breve testo seguente in forma di discorso diretto. Fai attenzione perché nel passaggio dal discorso indiretto al discorso diretto cambiano molti elementi della frase.

«Vedi, Angela, tu mi hai domandato chi cercavo. E io ti ho risposto che volevo andare a trovare un amico che avevano operato alla testa e che si chiamava Fazio».

Angela: ....
Commissario Montalbano: ....
....
....
....

b. Sulla base delle seguenti battute tra Laurana e l'amico onorevole, ricostruisci il dialogo tra Roscio e l'onorevole.

«Pensandoci bene, non credo mi abbia detto esplicitamente che si trattava di uno del paese: forse me l'ha lasciato intendere, forse mi sono fatta questa impressione...»

«Un notabile, uno che tiene in mano la provincia?»

«Sì, questo lo ricordo bene: ha detto proprio così... Io, naturalmente, gli ho risposto che sarei stato più che lieto di denunciare, di lanciare lo scandalo: ma avevo bisogno, si capisce, di qualche documento, di qualche prova... Mi ha detto che disponeva di tutto un dossier, che me l'avrebbe portato... E non si è fatto più vivo».

Roscio: ....

....

....

Onorevole: ....

....

....

....

....

Roscio: ....

....

....

10. PREPOSIZIONI **Completa le frasi con la preposizione corretta, semplice o articolata.**

a. Lo aveva aspettato tutto il pomeriggio .... chiudere definitivamente le indagini.

b. Era stato arrestato .... aver sequestrato un bambino di nove anni.

c. Lo aveva visto impegnato .... salutare il commissario che entrava nella stanza.

d. La donna era molto diversa .... come se l'era immaginata.

e. Il confronto era necessario .... la credibilità dei testimoni.

f. Si rivelava più facile .... risolvere di quanto avesse creduto.

g. Il commissario passava la giornata in mezzo .... tanti problemi da risolvere.

h. Fino .... conclusione delle indagini, tutti erano sospettabili.

i. Sin dall'inizio .... colloquio aveva avuto la certezza della sua sincerità.

11. CONGIUNZIONI **Unisci le coppie di frasi con uno dei seguenti elementi di connessione:** *quindi, perciò, segno che.*

a. Era stato in ufficio tutto il giorno. Non poteva essere presente sul luogo del delitto.

....

....

b. Odiava profondamente il fratello. Aveva seri motivi per ucciderlo.

....

....

c. Ti ho trovato seduto nella mia macchina. La conoscevi già.

....

....

d. C'erano delle macchie di sangue sulla camicia. Si era ferito.

....

....

e. Non alzava mai il tono della voce. Era ascoltato e amato da tutti.

....

....

f. Non ho più bisogno di te. Vattene.

....

....

g. Non hai più tempo da perdere. Sbrigati.

....

....

h. La donna ha detto: «Grazie, avvocato». Ho capito subito che avrei potuto usare il *Lei*.

....

....

Referenze fotografiche:

p. 6: Biblioteca Apostolica Vaticana, Città del Vaticano; L'Espresso, 2013; © Simone Angelo Ferri/iStock/Thinkstockphotos; © coffeechcolate/iStock/Thinkstockphotos; © Guido Alberto Rossi/TipsImages; © Tupungato/Shutterstock; © Bruni, Armando, 1930/Archivio Bruni/Gestione Archivi Alinari, Firenze; © pio3/Shutterstock; p. 7: magazine.hotelstgeorge.it; © melis/Shutterstock; letteraturamantova.it; p. 10: © Foto Scala, Firenze; p. 11: © DeAgostini Picture Library/Scala, Firenze; p. 12: © Silvano Valenti/Centro di Studi Atesini, 1986; p. 13: © Blaj Gabriel/Shutterstock; p. 14: archivio.grazia.it; Unione Sarda, 1979; p. 15: © 2003 Capitol Films/Medusa Distribuzione/Miramax Films; p. 16: © 2003 Capitol Films/Medusa Distribuzione/Miramax Films; p. 17: Aaron Amat/Shutterstock; p. 18: © Corbis; © Dmitry Kalinovsky/Shutterstock; © dotshock/Shutterstock; p. 19: © Alexandre17/Shutterstock; p. 20: moneypolo.cz; p. 22: © bikeriderlondon/Shutterstock; p. 23: © Einaudi; p. 25: © Lipskiy/Shutterstock; p. 27: © Piccia Neri/Shutterstock; p. 28: © Blinka/Shutterstock; p. 29: © Ilike/Shutterstock; p. 30: © monticello/Shutterstock; p. 31: Wikipedia, foto Qi124680/2008 Creative Commons 3.0; © belozu/Shutterstock; © Ioan Panaite/Shutterstock; © zentilia/Shutterstock; © SOMMAI/Shutterstock; © vkrosh/Shutterstock; © George Dolgikh/Shutterstock; © Vtls/Shutterstock; © tale/Shutterstock; © sandr2002/Shutterstock; p. 33: wordpress.com; © Luiz Rocha/Shutterstock; p. 34: © ghido/Shutterstock; p. 35: © Mondadori/Getty Images; © OJO Images/Robert Daly/Getty Images; p. 37: © Effigie; p. 38: © bogdan ionescu/Shutterstock; © Christian Mueller/Shutterstock; © Kbiros/Shutterstock; © gorillaimages/Shutterstock; © Tom Grundy/Shutterstock; p. 39: students.idv.edu; p. 40: Wikimedia; Gonin/A. Mondadori, 1995; p. 42: lorenzoarruga.it; p. 52: © Gemenacom/Shutterstock; p. 53: © francesco de marco/Shutterstock; Rombaldyszx, 2009/Wikipedia/GNU; © SF photo/Shutterstock; © 96482156/Shutterstock; © Zocchi/Shutterstock; © EMprize/Shutterstock; p. 54: © Marc Chapeaux/Tips Images; © Stefano Ember/Shutterstock; © Sergey Shcherbakoff/Shutterstock; © pcruciatti/Shutterstock; p. 55: Wikipedia Commmons; p. 57: goodmorningumbria.files.wordpress.com; Wikipedia Commons; © Feliks/Shutterstock; p. 58: Arch. Magistrato Acque/"Airone", n.301, 2006; p. 61: © Digital Image 2014 (c) Cinecitta Luce/Scala, Firenze; p. 62: © foto di Giorgio Poli; p. 63: © vesilvio/Shutterstock; p. 64: © Effigie; © Angelo Giampiccolo/Shutterstock; p. 67: 2013 Archaeodontosaurus/Wikipedia Commons; p. 68: © 2010 Photos.com; p. 69: © Effigie; © Malgorzata Kistryn/Shutterstock; 2006 Carlo6258/Wikipedia Commons; A.Attini/2005 White Star; © RadVila/Shutterstock; p. 73: iicbratislava.esteri.it; © Andreas Zerndl/Shutterstock; p. 74: © Antonio Abrignani/Shutterstock; p. 77: © KKulikov/Shutterstock; © Tom Roche/Shutterstock; p. 84: © Tino Soriano/National Geographic/Getty Images; p. 85: © JAMES WHITMORE/The LIFE Picture Collection/Getty Images; © Mary Gascho/iStock/Thinkstockphotos; © H. Armstrong Roberts/Retrofile/Getty Images; © Picsfive/Shutterstock; © Girl Ray/Photographer's Choice/Getty Images; p. 86: © Kzenon/Shutterstock; © Max Earey/Shutterstock; © David Woo/TRAVEL_NTR/Corbis; Wikipedia Commons; beygale.co.il; vogue.it; p. 88: © Pressmaster/Shutterstock; facebook.com; p. 89: archivio.grazia.it; © Skylines/Shutterstock; © _LeS_/Shutterstock; © Timmary/Shutterstock; p. 90: © 2003 Capitol Films/Medusa Distribuzione/Miramax Films; © Archivi Alinari-archivio Alinari, Firenze; © Raccolte Museali Fratelli Alinari (RMFA)-collezione Malandrini, Firenze; © Artamonov Yury/Shutterstock; p. 94: © 2012 Foto Scala, Firenze/BPK, Bildagentur fuer Kunst, Kultur und Geschichte, Berlin; p. 96: Jean-Pierre Rey; p. 97: © Elzbieta Sekowska/Shutterstock; © frescomovie/Shutterstock; p. 98: "Espresso colore", 1968/Electa; p. 100: 2013 Redhook/Wikipedia Commons; © Andrii Gorulko/Shutterstock; © Africa Studio/Shutterstock; © J and S Photography/Shutterstock; © Winiki/Shutterstock; p. 102: © Image Point Fr/Shutterstock; p. 104: Mondadori, 1976; p. 106: © Vladimir Mucibabic/Shutterstock; p. 107: © Elzbieta Sekowska/Shutterstock; p. 109: © Laboko/Shutterstock; p. 110: Wikipedia Commons; © Ryan McVay/Thinkstockphotos; p. 112: © Quang Ho/Shutterstock; p. 113: flickr 2014; p. 116: Wikipedia Commons; p. 117: © David Lees/Getty Images; p. 120: Garzanti, 1984; © foto di Anna Besozzi; p. 121: © Bruni Archive/Alinari Archives Management, Firenze; p. 122: Wikipedia Commons; flickr 2014; p. 123: Wikipedia Commons; flickr 2014; p. 126: Sophie Bassouls/Corbis; 127: © Michal Staniewski/Shutterstock; p. 128: © ollyy/Shutterstock; p. 133: © kao/Shutterstock; p. 135: Mondadori, 2006; p. 136: © grublee/Shutterstock; © Celso Pupo/Shutterstock; p. 139: © Chamille White/Shutterstock; p. 140: © Res; © rubiophoto/Thinkstockphotos; p. 141: © Nyvlt-art/Shutterstock; © frescomovie/Shutterstock; © gualtiero boffi/Shutterstock; p. 144: © Bettmann/CORBIS; © Foto Scala Firenze/Heritage Images; p. 145: © Bettmann/CORBIS; p. 146: © 1961 Galatea Film, Lux Film, Vides Cinematografica; p. 152: © pcruciatti/Shutterstock; p. 153: © dean bertoncelj/Shutterstock; Matt Verzola , 2009; Wikipedia Commons; © Nicola Lorusso, per Alinari, 1990/Archivi Alinari, Firenze/Per concessione del Ministero per i Beni e le Attività Culturali; Isantilli;

p. 154: © 2001 R&C Produzioni; © 2010 Medusa Film/Cattleya; © 2010 Acaba Produzioni/Babe Film/EOS Entertainment; p. 155: © 1961 Galatea Film, Lux Film, Vides Cinematografica; © 2000 Medusa Film/Miramax Films/Pacific Pictures; © Filmsonor/France Cinéma Productions/Les Films Ariane/Vides France; p. 156: © Winai Tepsuttinun/Shutterstock; © Oleksiy Mark/Shutterstock; p. 157: © foto di Laura Albano; © Planner/Shutterstock; © aa3/Shutterstock; © Africa Studio/Shutterstock; © photobank.ch/Shutterstock; © Ari N/Shutterstock; © Chepko Danil Vitalevich/Shutterstock; p. 158: © Andrey_Popov/Shutterstock; p. 159: © imagesef/Shutterstock; p. 160: © Rue des Archives/Tips Images; Wikipedia Commons; p. 163: © 1954 Excelsa Film/Ponti - De Laurentiis/Excelsa; p. 164: wordpress.com; p. 165: © Mauro Pezzotta/Shutterstock; © Ildi Papp/Shutterstock; p. 166: © Lisa A/Shutterstock; p. 167: © William Perugini/Shutterstock; © testing/Shutterstock; p. 168: © Graziano Arici/Marka; p. 169: Wikipedia Commons; © Maurizio Borsari/AFLO/Nippon News/Corbis; p. 171: Wikipedia Commons; p. 173: © Matthew Ashton/AMA Sports Photo Agency/Matthew Ashton/AMA Sports Photo Agency/AMA/Corbis; p. 175: flickr 2014; p. 176: C.Cerati; © RUI FERREIRA/Shutterstock; © Herbert Kratky/Shutterstock; p. 177: © Raphael Daniaud/Shutterstock; p. 179: © KKulikov/Shutterstock; p. 180: wordpress.com; © Mikadun/Shutterstock; p. 184: Tate Gallery, Londra/Leonardo, Milano, 1989; © George Tatge/Archivi Alinari, Firenze/Per concessione del Ministero per i Beni e le Attività Culturali; © Wojtek Buss/Tips Images; © Giorgio Pomodoro/by SIAE, Roma, 2014; p. 185: Wikipedia Commons; © Team/Alinari, Franco Fiori; Il Messaggero; 1998 RCS Libri, Milano; p. 187: Wikipedia Commons; p. 188: wordpress.com; corriere.it; wizardpromotions.de; © G.Ricci, 2008/creativecommons 2.0; S.Benni/www.living-photo.com, 2010; Isantilli; p. 191: submusic.it; p. 193: Gremese editore, Roma, 1986; p. 194: noitv.it; p. 196: liveinternet.ru; F.C.Bangs/Wikimedia/Public Domain; © DeAgostini Picture Library/Scala, Firenze; Archivio Storico Ricordi, Milano/1998 by CASA RICORDI-BMG Ricordi, S.p.A. e Giunti Gruppo Editoriale; p. 199: © DeAgostini Picture Library/Scala, Firenze; p. 201: © Raffaello Bencini, 2006/Archivi Alinari, Firenze/Per concessione del Ministero per i Beni e le Attività Culturali; © Nicola Lorusso, per Alinari, 1990/Archivi Alinari, Firenze/Per concessione del Ministero per i Beni e le Attività Culturali; © 2007 E-ducation.it/2007, Archivio Scala, Firenze/Galleria degli Uffizi, Firenze; p. 204: © Aptyp_koK/Shutterstock; p. 205: ara.cat; p. 206: Wikipedia Commons; p. 207: artribune.com; p. 211: Wikipedia Commons; eventiesagre.it; p. 212: celebritybase.info; operaclick.com; p. 218: Vittoriano Rastelli/Corbis; p. 219: © 1971 Compagnia Cinematografica Champion/Les Films Concordia/Productions et Éditions Cinématographique Français; © 1960 Titanus/Les Films Marceau; © 1959 Titanus/Société Générale de Cinématographie (S.G.C.); © 1949 Lux Film; © 1971 Documento Film; © 2013 Jolefilm/Rai Cinema; © 2011 Cattleya; p. 222: © bikeriderlondon/Shutterstock; p. 223: Wikipedia Commons; p. 224: Commons Wikimedia; p. 225: flickr 2014; ehow.co.uk; auto900.it; p. 227: © Frank Bach/Shutterstock; p. 229: middleagebulge.blogspot.com; p. 230: © David W. Leindecker/Shutterstock; p. 232: wordpress.com; p. 233: © DeAgostini Picture Library/Scala, Firenze; ilgiornaledelfriuli.net; p. 234: Rizzoli, 1988; p. 236: © 2012 Indigo/Apulia film commission/Rai Cinema/Ska-Ndal film; onlyhdwallpapers.com; Wikipedia Commons; connect.in.com; p. 238: "L'Italia fuori d'Italia"/Segretariato della Seconda Conferenza nazionale dell'emigrazione, 1988; p. 241: ilmoesano.ch; italyonmymind.com.au; p. 242: © Artem Efimov/Shutterstock; p. 243: heritagetoronto.org; © Preto Perola/Shutterstock; p. 245: © Mi.Ti./Shutterstock; © pics721/Shutterstock; © Foto Scala, Firenze; newhomenotebook.net; p. 246: © Mark Yuill/Shutterstock; p. 249: blogdiviaggi.com; p. 250: © foto di Gianluca Nove; p. 253: Wikipedia Commons; © Anna Biancoloto/Shutterstock; p. 254: Loescher; © Marc Dietrich/Shutterstock; p. 260: © examphotos/Shutterstock; p. 261: Mondadori, 1969; © Olycom; Sellerio Editore; © 1999 Palomar per Rai Fiction e Sveriges Television; motionvfx.com; p. 262: Mondadori, 2012; Baldini Castoldi Dalai editore; Garzanti; Mondadori; Mondadori, 2006; p. 263: sagar.se; © F. JIMENEZ MECA/Shutterstock; p. 264: Sellerio Editore; Mondadori; p. 265: © Foto Scala, Firenze; p. 266: skyscrapercity.com; p. 268: © Blend Images/Shutterstock; p. 269: oknotizia; Wikipedia Commons; p. 270: vebidoo.de; p. 272: © Tom Reichner/Shutterstock; p. 273: Wikipedia Commons; p. 274: © 1999 Palomar per Rai Fiction e Sveriges Television; p. 277: flickr 2014; p. 280: © /ANSA/Corbis; p. 281: © Sandra Cunningham/Shutterstock; © Nomad_Soul/Shutterstock; p. 282: respirareparole.com; p. 283: ancarabinierierba.blogspot.com; p. 284: municipio3.wordpress.com; p. 285: Wikipedia Commons; © Frank Bach/Shutterstock; p. 286: Longanesi 1996/Giuseppe Leone; © Flas100/Shutterstock; Wikipedia Commons; p. 288: © Renata Sedmakova/Shutterstock; p. 289: vatican.va; p. 290: linkiesta.it; p. 291: facebook.com; p. 292: © 1986 Neue Constantin Film/Cristaldifilm/Les Films Ariane; p. 293: ilmonferrato.info; p. 294: © Aksenova Natalya/Shutterstock; p. 297: facebook.com; Rizzoli; hotmag.me; p. 298: ebay.it; Astorina.